Adventure of inSANe "Villa Diodati"

빌라 디오다티의 괴담 모임

저 ● 카와시마 토이치로, 우오케리와
빌라 디오다티의 손님들
/모험기획국
역 ● 유범

시작하며

이 책은?

19세기 초, 스위스의 레만호 근처에 있는 저택 '빌라 디오다티'에 시인 바이런, 의사 폴리도리, 훗날 소설가가 되는 메리 셸리 등 다섯 명의 남녀가 모였습니다. 그들은 이 저택에서 각자 창작한 괴담을 이야기했습니다.

이때 주고받은 괴담은 메리 셸리가 쓴 『프랑켄슈타인: 또는 현대의 프로메테우스』를 필두로 문학사에 이름을 남길 걸작 괴기 소설이 됩니다. 그래서 이 모임은 「빌라 디오다티의 괴담 모임」이라는 이름으로 알려졌습니다.

괴기와 환상이 소용돌이치는 공포의 저택에 어서 오십시오.

이 책은 『멀티장르 호러 TRPG 인세인』용 시나리오집입니다.

시나리오란 『인세인』을 플레이할 때 필요한 이야기의 대략적인 줄거리, 캐릭터들의 설정인 【사명】과 【비밀】, 캐릭터들이 관여할 사건의 개요와 【비밀】, 등장 캐릭터의 데이터 등을 정리한 것입니다.

이 책에는 현대 일본을 무대로 한 세팅「사실은 무서운 현대 일본」의 시나리오 18개, 19세기 말 빅토리아 시대를 무대로 한 세팅「빅토리아의 어둠」의 시나리오 2개, 1920년대의 미국을 무대로 한「광란의 20년대」의 시나리오 2개, 정해진 세팅이 없는 시나리오 2개로 총 24개의 시나리오가 수록되어 있습니다. 『Role&Roll』에 실린 것, 독자 여러분이 투고한 것, 웹에 널리 알려진 것에 더하여 새로 쓴 10개 이상의 시나리오까지 풍부한 호러 시나리오를 준비했습니다.

혹시 재미있을 것 같으면 흥미가 가는 시나리오를 읽어보십시오. 단, 비밀을 읽어버리면 플레이어로 참가할 수 없게 되니 주의하세요. 친구와 분담하여 서로 다른 시나리오의 게임 마스터를 해보기 바랍니다.

그리고 빌라 디오다티에 모였던 그들처럼 자신들만의 괴담을 만드세요.

그럼 페이지를 넘깁시다. 공포의 저택이 당신의 방문을 기다리고 있습니다.

게임에 필요한 것

이 책으로 플레이하려면 『멀티장르 호러 TRPG 인세인』, 『인세인 2: 데드 루프』가 적어도 한 권씩은 필요합니다. 가능하다면 참가자 1명당 한 권씩 준비해야 플레이하기에 편합니다.

시트류: 플레이 요약, 핸드아웃 같은 각종 시트를 참가자의 수만큼 복사해야 합니다. 또, 전투 시트의 복사본도 1장 필요합니다. 시트류는 『인세인』에 수록되어 있습니다. 공식 사이트(http://www.trpgclub.com/)에서도 다운로드 할 수 있습니다. 또, 시트에 내용을 적을 필기도구가 참가자 1명당 1개는 필요합니다. 쓰고 지울 수 있는 연필이나 지워지는 볼펜같은 것을 씁시다.

주사위: 『인세인』을 플레이하려면 참가자마다 6면체 주사위가 2개 정도 필요합니다. 게임 마스터는 3~6개 정도가 필요합니다.

게임 말: 참가자 1명당 1개 필요합니다. 게임 마스터는 시나리오에 등장할 NPC용의 게임 말을 5~6개 준비합시다. 체스 말이나 작은 피겨를 이용하면 됩니다.

시나리오를 읽는 법

여기에서는 이 책에 수록된 시나리오를 읽는 법에 관해 설명합니다.

시나리오는 아래와 같은 항목을 통해 서술했습니다. 게임 마스터는 미리 시나리오를 읽고 내용을 이해한 후 세션을 시작합시다.

● 시나리오의 무대

시나리오의 주된 무대나 세팅에 관해 설명합니다.

● 배경

해당 시나리오의 대략적인 사정이나 PC들이 시나리오에 관여하게 된 경위 같은 것을 설명합니다.

여기까지 읽은 후에 시나리오 끝부분에 수록된 핸드아웃의 내용을 읽으면 시나리오의 전체 내용을 쉽게 이해할 수 있을 것입니다.

● 광기

해당 시나리오에서 사용할 【광기】에 관해 적혀 있습니다. 여기에 따라 【광기】 카드를 준비합니다.

● 도입 페이즈

해당 시나리오의 도입 페이즈에 관한 설명입니다.

● 마스터 장면

메인 페이즈에 삽입하는 마스터 장면에 관한 설명입니다.

● 클라이맥스 페이즈

해당 시나리오의 클라이맥스 페이즈에 관한 설명입니다. 주로 클라이맥스 페이즈에 할 전투에 관한 설명이 적혀 있습니다.

● 핸드아웃

PC에게 나눠줄 핸드아웃, NPC의 핸드아웃, 조사할 장소나 물건, 프라이즈 같은 것입니다. 복사해서 오려둡니다. 시나리오의 내용에 따라서 나눠주거나 공개합니다.

시나리오를 읽는 법

① 타이틀
시나리오의 제목입니다.

② 시나리오 스펙
해당 시나리오의 리미트나 플레이어 수를 비롯한 대략적인 스펙입니다.

③ 본문
시나리오의 자세한 내용이 적혀 있습니다.

④ 에너미 데이터
그 시나리오에 등장할 에너미의 데이터입니다.

⑤ 핸드아웃
그 시나리오에 사용할 핸드아웃입니다. 복사하고 오려서 사용합니다.

INDEX

빌라 디오다티의 괴담 모임

특별한 용어

이 규칙에서 아래의 표기에는 특별한 의미가 있습니다.

nd6: 주사위를 n개 굴리고 합계를 냅니다. 예컨대 1D6이라면 주사위를 하나 굴리고 주사위 눈의 수치를 사용합니다. 2D6이라면 주사위를 2개 굴리고 주사위 눈의 합계치를 사용합니다.

D66: 주사위를 2개 굴리고 눈이 더 작은 쪽의 숫자를 10의 자리, 큰 쪽을 1의 자리로 간주하여 11~66의 수를 냅니다. 특수한 방식의 주사위 굴림입니다.

【 】: 게임상의 특수한 데이터를 의미합니다. 캐릭터의 생명력, 이성치, 정보(거처, 비밀), 감정, 어빌리티, 광기 등에 사용합니다.

《 》: 캐릭터의 특기를 의미합니다. 만약 / 뒤에 글자가 적혀 있다면, 그것은 특기의 위치를 나타냅니다. 예컨대《소리/지각7》이라고 적혀있다면 소리라는 특기가 지각 분야의 7번 항목에 있음을 나타냅니다.

세션: 『인세인』에서는 1회의 게임을 세션이라고 부릅니다.

GM: 게임 마스터의 약자입니다. 시나리오 작성, 게임 진행, 규칙 심판, 캐릭터 롤플레이, 이야기의 전개를 맡습니다.

플레이어: 캐릭터를 사용하여 게임 마스터의 시나리오에 도전하는 게임 참가자입니다. 모두 자신만의 캐릭터를 만들어서 게임에 참가합니다.

캐릭터: 게임에 등장하는 가상의 인격. 플레이어는 전용 캐릭터를 제작하고 조작해서 게임을 진행합니다.

PC: 플레이어가 조종하는 캐릭터를 의미합니다. 이름이나 직업, 특기나 어빌리티를 설정해서 간단하게 만들 수 있습니다.

NPC: 플레이어가 조종하지 않는 캐릭터를 의미합니다. 원칙상 게임 마스터가 조작합니다.

p000: 이 책에서 해당 내용이 기재된 페이지 수입니다.

『인세인』p000/IS p000: 『멀티장르 호러 TRPG 인세인』에서 해당 내용이 기재된 페이지 수입니다.

『데드 루프』p000/DL p000: 『인세인 2 데드 루프』에서 해당 내용이 기재된 페이지 수입니다.

Adventure of inSANe "Villa Diodati"

시나리오 파트 1

죽음과 종말의 방

이 파트에는 시나리오 세팅 「사실은 무서운 현대 일본」의 시나리오를 18개 수록했습니다. 우리가 살아가는 현대 일본에서 비밀스럽게 전개되는 괴이와 공포를. 아무쪼록 마음껏 맛보십시오.

주의 이 시나리오 파트를 **플레이어로** 플레이할 예정이라면 **읽지 마십시오.**

Kiasragi Station

키사라기 역

평소처럼 전철을 탔는데, 듣도 보도 못한 정체 모를 역에 도착했다.
PC들은 무사히 이 역에서 탈출할 수 있을까……?

타입: 특수형
리미트: 3
플레이어 수: 4명
프라이즈: 통신 가능한 스마트폰, 소가 조각된 거울

시나리오의 무대

이 시나리오는 「사실은 무서운 현대 일본」 세팅을 사용합니다. 존재할 리가 없는 역인 「키사라기 역」과 그 주변의 이세계(異世界)가 무대입니다.

장면표는 「키사라기 역 장면표」를 사용합니다.

「키사라기 역」은 원래 2ch에서 유래한 도시 전설입니다. 몇 가지 바리에이션이 있지만, 하나같이 타고 있던 전철이 기묘한 역에 도착하여 무서운 일을 당하거나 돌아오지 못하게 된다는 줄거리입니다. 소재가 된 도시 전설을 접한 플레이어가 있을 수도 있겠지만, 그래도 문제없습니다.

배경

어느 날 밤, PC들이 탄 전철이 아무도 없는 어두컴컴한 역에서 정차합니다. PC들의 통근·통학로에 있을 리가 없는…… 외길 선로 위의 아무도 없는 역. 키사라기 역.

당황해하면서도 전철에서 내린 PC들은 자신들이 일상과 동떨어진 이상한 상황에 처했다는 것을 깨닫습니다. 키사라기 역과 그 주변은 외부 세계와 격리된 위험한 이세계였던 것입니다.

사실 PC 중에는 예전에 「키사라기 역」에서 탈출한 캐릭터가 있습니다. 시나리오 중에 이 PC의 성이 나올 수 있으므로, 캐릭터 메이킹을 할 때 너무 괴상한 성은 피하도록 합시다.

광기

『인세인』에서 일반 【광기】와 「사

실은 무서운 현대 일본」의 광기를 모두 1장씩 준비합니다. 그것을 섞어서 10장을 무작위로 제거하고 16장을 준비합니다.

프라이즈

이 시나리오에는 2개의 프라이즈가 있습니다. 모든 프라이즈는 드라마 장면에서 아이템으로서 남에게 전달할 수 있습니다.

하나는 「통신 가능한 스마트폰」입니다. 이 프라이즈는 평범한 스마트폰으로, 바깥 세계(원래 PC들이 살던 일상 세계)와 접속할 수 있습니다. 게임상으로는 자기 장면에서 사용하여 키사라기 역에 관련된 소문을 무작위로 획득할 수 있습니다. 「통신 가능한 스마트폰 표」로 소문을 결정합니다.

전화를 걸 수도 있지만, 바깥 세계에서 직접 도와줄 수는 없습니다. GPS도 효과가 없으므로 택시나 경찰을 부를 수도 없습니다.

또 하나의 프라이즈는 「소가 조각된 거울」입니다. 이 프라이즈는 키사라기 역에서 탈출하기 위한 중요 아이템입니다. 조킹을 하면 「닮은 형상을 비추는 거울」이라는 글자가 새겨져 것을 알아낼 수 있습니다. 【생명력】 1점을 감소하여 「소가 조각된 거울」에 자신의 피를 묻히면 거울에 자신의 모습이 비칩니다. 거울에 비친 자신은 가만히 서 있을 뿐이며, 본체가 움직여도 전혀 반응하지 않습니다. 이 현상을 처음으로 목격한 PC는 《물리학》으로 공포판정을 합니다.

도입 페이즈

이 시나리오의 도입 페이즈는 아래와 같습니다. 모든 PC가 등장하는 공용 장면입니다.

● 장면1 키사라기 역 도착

이 장면은 마스터 장면입니다.

PC들은 밤에 집으로 돌아가려고 평소에 타는 전철을 탔습니다. 아직 그렇게 늦은 시간도 아닐 텐데, 어느새 차 안이 텅 비었습니다. 그 와중에 PC들은 또 다른 이상을 알아차립니다. 전철이 멈추지 않습니다.

창밖을 보거나 초면인 승객끼리 얼굴을 마주 보고 있으면 겨우 전철이 멈추고 문이 열립니다. 어두컴컴한 외길 선로의 플랫폼에는 「키사라기」라고 적힌 낡은 역 이름 표시판이 서 있을 뿐. 항상 통근, 통학에 이용하는 이 노선에서는 한번도 본 적 없는 역입니다. 표시판을 보니 뒤쪽 방향은 「야미」, 앞쪽 방향은 「카타스」라고 적혀 있습니다. 플랫폼 건너편에는 작은 역사(驛舍)가 있고, 아무도 없는 개찰구를 조명이 비추고 있습니다. PC가 가진 핸드폰에는 통화권 밖이라고 표시됩니다.

역 주변은 어두컴컴하고, 초원이 펼쳐져 있습니다. 밤하늘 아래로 저 멀리 산의 능선이 보이고, 산 중턱에는 희미한 빛이 빛나며, 큰북이나 종 같은 것을 치는 소리가 들려 옵니다.

여기에서 같은 전철에 탄 네 명에게 자기소개를 하게 하고, 핸드아웃의 【사명】을 읽어줍니다. 또, 이 타이밍에 「움직이지 않는 전철」, 「야미」, 「카타스」, 「아무도 없는 개찰구」의 핸드아웃을 공개합니다.

이 장면은 끝나고, 도입 페이즈가 종료됩니다.

메인 페이즈

이 시나리오에는 아래의 마스터 장면이 발생합니다.

● 북소리와 종소리

제1 사이클이 끝난 타이밍에서 시작하는 장면입니다. 산 쪽에서 들려오는 북소리와 종소리가 점점 가까워지는 기분이 듭니다. 산 쪽을 본 PC는 능선 위에 거대한 그림자가 튀어나온 것을 깨닫습니다. 흐릿한 실루엣은 대불처럼 보이기도 합니다.

● 대불……?

제2 사이클이 끝난 타이밍에서 시작하는 장면입니다. 점점 가까워지는 북소리와 종소리가 신경 쓰여 산 쪽을 본 PC들은 「대불」의 실루엣이 아까와는 달라졌다는 것을 알아차립니다. 마치 PC들 쪽으로 방향을 바꾼 것 같습니다. 저것은 정말로 대불일까? 그런 의심이 커집니다. 전원, 《우주》로 공포판정을 합니다.

괴이

「야미 안쪽」에서 만나는 괴이는 날붙이를 치켜든 작업복 차림의 중년 남성처럼 보이지만, 얼굴은 새까매서 전혀 보이지 않습니다. 「살인마」(『인세인』p247)의 데이터를 사용합니다.

「카타스 밑바닥」에서 만나는 괴이는 검은 그림자로 이루어진 아귀(餓鬼)처럼 생겼습니다. 괴이는 세 마리입니다. 「개」(『인세인』p247)의 데이터를 사용합니다.

클라이맥스 페이즈

제3 사이클이 끝나면 클라이맥스 페이즈가 됩니다.

가늘고 길쭉한 그림자들이 북소리나 종소리처럼 들리는 소리를 내며 초원 사이의 길을 따라 다가옵니다. 그림자들은 입을 모아 「잘 돌아왔다」, 「제물이 늘었다」라고 묘하게 친밀한 목소리로 PC들을 붙잡으려 합니다. 그때 갑자기 플랫폼에서 전철의 출발을 알리는 벨이 울립니다. 서둘러서 플랫폼으로 돌아가는 PC들과 개찰구에서 밀려오는 그림자들이 전투를 벌입니다.

전철의 문은 열려 있지만, 탈출 조건을 충족하지 못하면 투명한 방벽에 튕겨서 탈 수 없습니다.

아래의 두 조건 중 하나를 달성했다면 전철에 탈 수 있습니다.

· PC를 1명 이상 행동불능으로 만든 상태에서 「자발적인 탈락」에 성공하면, 탈락한 PC는 전철에 탈 수 있다. 행동불능이 된 PC는 플랫폼에 남겨진다.

· 「소가 조각된 거울」에 【생명력】을 1점 바치고 「자발적인 탈락」에 성공한 PC는 본인 대신 거울에 비친 모습을 남겨두고 전철에 탈 수 있다. 단, 살아 돌아간 후에는 거울에 비치지 않게 된다.

제3라운드가 끝나면 전철은 출발합니다. 플랫폼에 남겨진 PC는 배드엔드표에서 주사위를 굴립니다.

전철에 탄 PC는 순간적으로 의식이 멀어졌다가, 자신이 평소와 마찬가지로 사람이 가득한 전철 안에 있다는 것을 깨닫습니다. 다른 승객들의 어깨너머로 시선을 주고받는 PC들을 태우고 전철은 야밤의 선로를 달립니다.

통신 가능한 스마트폰 표 (2D6)	
2	키사라기는 「畿蛇穴」이라고 쓴다. 蛇穴을 「사라기」라고 읽는다고 한다. 이유는 불명.
3	키사라기 역에서 탈출하려면 누군가를 두고 올 필요가 있다고 한다
4	키사라기 역에서 내리지 않고 전철에 계속 타고 있으면 살 수 있다고 한다.
5	터널에 들어가면 끝장이라고 한다. 건너편에서 차가 기다리고 있다.
6	키사라기 역에서는 누가 말을 걸어도 따라가서는 안 된다고 한다.
7	PC가 탄 노선을 이용해서 살인마가 도주했다는 소문이 있다.
8	키사라기 역에서는 (PC②의 성)이라고 적힌 벽보가 목격되었다.
9	산 쪽에서 보이는 빛은 점점 가까워진다. 따라잡히면 안 된다고 한다.
10	대불에 다가가면 위험하다고 한다.
11	피를 마시는 소가 있다고 한다.
12	키사라기 역에서 돌아온 사람은 음식이나 복장에 대한 기호가 싹 바뀌어버리는 경우가 있다고 한다.

키사라기 역 장면 표 (2D6)	
2	갑자기 플랫폼의 조명이 꺼진다. 빛만이 어둠을 가르고 있다. 누군가가 당신을 부르는 소리가 들려 온다……
3	파사사사삿! 어둠 속에서 웬 날갯소리가 들리더니 뭔가가 머리 위를 지나 날아갔다.
4	시야 구석에서 기분 나쁜 뭔가가 지나갔다. 눈의 착각……인가?
5	라디오의 잡음 같은 소리가 들려온다. 잡음 사이사이에 뭔가 섬뜩한 단어가 들린 것 같은 기분이 들지만, 제대로 파악할 수가 없다.
6	어둠 속을 홀로 걷는다. 등 뒤에서 기분 나쁜 발소리가 다가오는 것 같은데……
7	누구지? 계속 누군가의 시선을 느낀다. 돌아봐도 그곳에는 어둠이 깔렸을 뿐인데……
8	갑자기 핸드폰이 울린다. 누군가 소리에 반응해 당신을 보고 있는 듯한 기분이 든다.
9	올려다보니 밤하늘에 수 놓인 별도 어딘지 모르게 어두워 보인다. 점점 더 불안해진다……
10	어딘가에서 비릿한 쇠 냄새가 난다. 뭔가가 피를 흘리고 있는 건가?
11	왠지 매우 그리운 기분이 들어 멈춰 선다. 예전에 여기에 온 적이 있기라도 한 것처럼.
12	문득 눈을 떠보니 그곳은 플랫폼에 멈춰선 전철의 좌석이다. 어느새 잠든 걸까? 역 이름은 여전히 「키사라기」다……

「카타스 밑바닥」의 괴이 위협도 2 속성 생물 생명력 7
호기심 지각 특기 《찌르기》, 《냄새》, 《그늘》
어빌리티 【기본공격】 공격 《그늘》
【강타】 공격 《찌르기》 IS p180

해설 아귀 같은 검은 그림자.

「야미 안쪽」의 괴이 위협도 3 속성 생물 생명력 12
호기심 폭력 특기 《절단》, 《매장》, 《기쁨》, 《죽음》
어빌리티 【기본공격】 공격 《절단》
【연격】 서포트 《절단》 IS p181
【장갑】 장비 IS p183

해설 날붙이를 치켜든 작업복 차림의 중년 남성 같지만, 얼굴은 보이지 않는다.

그림자 무리 위협도 4 속성 생물/괴이 생명력 13
호기심 괴이 특기 《파괴》, 《소리》, 《그늘》, 《효율》, 《혼돈》
어빌리티 【기본공격】 공격 《혼돈》
【난동】 공격 《파괴》 IS p180
【위험감지】 서포트 《소리》 IS p181
【눌러 뭉개기】 장비 이 캐릭터와 함께 버팅이 발생한 캐릭터는 추가로 1점의 대미지를 입는다.

해설 산에서 내려와 키사라기 역으로 몰려오는 그림자들. 종소리나 북소리와 흡사한 소리를 낸다.

핸드아웃

「움직이지 않는 전철」, 「야미」, 「카타스」, 「아무도 없는 개찰구」는 도입 페이즈 마지막에 공개한다. 「야미」의 【비밀】이 공개되면 「야미 안쪽」을, 「카타스」의 【비밀】이 공개되면 「카타스 밑바닥」을, 「아무도 없는 개찰구」의 【비밀】이 공개되면 「전화 박스」, 「북소리」, 「가로등이 비추는 길」을 공개한다.

Handout

이름	PC①

사명

조금 전에 어느 사람 전철에 있었는데, 뭔가 이상하다. 둥근(또는 통화할) 때마다 타는 전철인데, 요 20분 동안 역에 서지 않는다. 평소에는 5분, 길어도 7~8분이면 정차했는데. 이윽고 전철은 겨우 멈췄다. 바깥은 어두컴컴하다. 아무런 방송도 없이 문이 열린다. 전철은 그대로 움직일 기미를 보이지 않는다. 당황한 당신의 눈에 플랫폼의 역 이름이 들어온다. 「키사라기」 역. 이 기역은 들어 본 적이 없는 역이다. 선에 있을 리가 없는 역이어서 어째선지 섬뜩해지고 마는데…….

당신의 【사명】은 키사라기 역을 탈출해 무사히 집에 돌아가는 것이다.

Handout — 비밀

쇼크: 없음

당신에게 오늘 반드시 집에 들어가 야만 하는 이유가 있다. 바로 ORPG 세션에 참가하기로 한 것이다! 당신 이 게임 마스터라서 무단으로 지각 하거나 결석하는 건 상당히 곤란한 데. 하다못해 전철이나 인터넷이 연 결된다면 참가자에게 연락할 수 있겠 는데…….

이 【비밀】을 스스로 밝힐 수는 없다.

Handout

이름	PC②

사명

조금 전에 어느 사람 전철에 있었는데, 뭔가 이상하다. 둥근(또는 통화할) 때마다 타는 전철인데, 요 20분 동안 역에 서지 않는다. 평소에는 5분, 길어도 7~8분이면 정차했는데. 이윽고 전철은 겨우 멈췄다. 바깥은 어두컴컴하다. 아무런 방송도 없이 문이 열린다. 전철은 그대로 움직일 기미를 보이지 않는다. 당황한 당신의 눈에 플랫폼의 역 이름이 들어온다. 「키사라기」 역. 이 역은 들어 본 적이 없는 역이다. 선에 있을 리가 없는 역이어서 어째선지 엔지 않겠냐 계 마는다.

당신의 【사명】은 키사라기 역을 탈출해 무사히 집에 돌아가는 것이다.

Handout — 비밀

쇼크: 전원

당신은 이 장소를 알고 있다! 이곳 은 당신이 태어난 고향이다. 잘 기억 나지는 않지만, 매우 무서운 세계였 다. 왜 돌아와 버린 걸까?

당신이 부모가 스스로 희망해서 어린 당신을 몰래 도망치게 해준 기 억이 되살아난다. 이 플랫폼에서 나 가 무서운 것의 습격을 받는다. 그렇 기에 이 세계에서 탈출하려면 누구 가의 도움이 필요하다.

이 【비밀】을 스스로 밝힐 수는 없다.

Handout

이름	PC③

사명

조금 전에 어느 사람 전철에 있었는데, 뭔가 이상하다. 둥근(또는 통화할) 때마다 타는 전철인데, 요 20분 동안 역에 서지 않는다. 평소에는 5분, 길어도 7~8분이면 정차했는데. 이윽고 전철은 겨우 멈췄다. 바깥은 어두컴컴하다. 아무런 방송도 없이 문이 열린다. 전철은 그대로 움직일 기미를 보이지 않는다. 당황한 당신의 눈에 플랫폼의 역 이름이 들어온다. 「키사라기」 역. 이 역은 들어 본 적이 없는 역이다. 선에 있을 리가 없는 역이어서 어째선지 엔지 않겠냐 '이상, 어딘가에서 응? 어딘가에서인가……?'

당신의 【사명】은 키사라기 역을 탈출해 무사히 집에 돌아가는 것이다.

Handout — 비밀

쇼크: 없음

당신은 오늘 밤 ○○ 마니아랑과 무서운 이야기, 신기한 이야기를 매우 좋아한 다. 직접 기괴한 사건에 휘말려서 당신 은 내심 살짝 기대를 해준다는 편이 있다. 는 역을 통해서 이세계를 헤맨다는 기담 「키사라기 역」에 관해서도 들은 적이 있다. 키사라기 역에 생활한 것의 이야기라든가, 분명 자신을 대상할 수 있는 것의 이야기든가, 분명 도망칠 수 있다는…… 만든면 도망칠 수 있다는…… 대상할 것이라는 게 뭐지?

이 【비밀】을 스스로 밝힐 수는 없다.

Handout

이름	PC④

사명

조금 전에 어느 사람 전철에 있었는데, 뭔가 이상하다. 둥근(또는 통화할) 때마다 타는 전철인데, 요 20분 동안 역에 서지 않는다. 평소에는 5분, 길어도 7~8분이면 정차했는데. 이윽고 전철은 겨우 멈췄다. 바깥은 어두컴컴하다. 아무런 방송도 없이 문이 열린다. 전철은 그대로 움직일 기미를 보이지 않는다. 당황한 당신의 눈에 플랫폼의 역 이름이 들어온다. 「키사라기」 역. 이 국 단조하란 듯 이것 국 단조하란 거 에서 무뚝뚝하고 있을 때가 아니네.

당신의 【사명】은 키사라기 역을 탈출해 무사히 집에 돌아가는 것이다.

Handout — 비밀

쇼크: 전원

당신은 살인마다. 이제까지 즐거운 날기지 않고 사람을 죽여왔지만, 결국 밤행열장을 무차별하는 바람에 도망 치던 참이다. TV, 라디오, 인터넷 검 은 매체도 당신의 범행을 보도할 가 능성이 있으므로, 다른 PC가 미디어 를 접한다는 것은 위험하다.

이 【비밀】이 알려지면 당신의 【진정한 사명】은 【비밀】을 안 PC를 죽이는 것이 된다.

핸드아웃

「가로등이 비추는 길」의 【비밀】이 공개되면 「전신주」, 「사람」을 공개한다. 처음으로 「가로등이 비추는 길」의 【비밀】을 얻은 PC는 프라이즈 「소가 조각된 거울」을 획득한다. 「사람」의 【비밀】이 밝혀지면 「대불」을 공개한다.

Handout — 비밀
소크: 이름 없음

확산정보.
자기 장면에 사용하여 무작위로 「키사라기 역에 관련된 소문을 얻는다」. 이 행동은 자기 장면에 할 일 반점인 행동과는 별개로 할 수 있다.

이 비밀을 스스로 밝힐 수는 없다.

Handout

프라이즈	통신 가능한 스마트폰
장치	전철 운전석에 떨어져 있던 스마트폰. 전화와 인터넷이 되는 것 같다.

개요: 소유자는 마음대로 【비밀】을 볼 수 있다.

Handout — 비밀
소크: 이름 없음

소의 피 주위에 말라붙은 피가 문어 있다. 말라붙은 피 아래에 뭔가 긁자국 세겨진 것 같다.

이 비밀을 스스로 밝힐 수는 없다.

Handout

프라이즈	소가 조각된 거울
장치	뒷면에 소의 머리가 조각된 둥근 금속 거울. 오래된 물건으로 보이다. 거울의 반사면은 탁해서 들여다봐도 흐릿한 상밖에 보이지 않는다.

개요: 소유자는 마음대로 【비밀】을 볼 수 있다.

Handout — 비밀
소크: 전원

운전석에는 아무도 없다. 스마트폰이 떨어져 있다. 스마트폰과 함께 떨어져 있는 정작 같은 것을 발견해서 주위 둘러본다. ……몸에서 빠져나와 사는 존재인가? 이런 것을 ……?
『고문』으로 공포 판정.
프라이즈 「통신 가능한 스마트폰」을 획득한다.

이 비밀을 스스로 밝힐 수는 없다.

Handout

장소	움직이지 않는 전철
개요	플랫폼에 멈춘 채로 움직이지 않는 전철. 플랫폼에 닿은 운전석 문이 열려 있다.

Handout — 비밀
소크: 이 【비밀】이 밝혀진 장면에 등장한 캐릭터

확산정보. 노선을 걸어가거나 터널이 나온다. 입구 위에는 「아미」라고 적혀 있다. 안은 어두컴컴하다. 「아~이……, 누가 부른 것 같아서 돌아보니 아무도 없다더니 노인의 실루엣이 위에 서 있다가 그대로 사라진다. 갑자기 타무니없는 공포가 밀려든다. 이 이상 들어가면 위험할 것 같다.
《인축》으로 공포 판정.
핸드아웃 「아미」 인족을 공개한다.

이 비밀을 스스로 밝힐 수는 없다.

Handout

장소	「아미」
개요	「아미」 방면의 노선을 따라간다.

Handout

비밀

이 [비밀]이 밝혀진 장면에 등장한 캐릭터

쇼크

획산정보. 철로를 걸어가니 갑은 게국 위로 눈이 철교가 나온다. 다리는 엔지 도중에 끊어져 있다. 다리를 내려다보니 궤도 밑에서 빨가가 꿈쩍거리고 있다. 그것들이 한 발 한 발 기어 올라오고 있다……? 싫어……. 다가가고 싶지 않아!

핸드아웃 「카타스 밑바닥」을 공개한다.

이 비밀을 스스로 밝힐 수는 없다.

Handout

장소	「카타스」

개요

「카타스」 방면으로 노선을 따라간다.

Handout

비밀

이 [비밀]이 밝혀진 장면에 등장한 캐릭터

쇼크

획산정보. 어두컴컴한 터널 안을 걸어간다. 이윽고 어둠 속에서 희미하게 흙더미가 보인다.

자세히 보니 흙무더기 근처에 치카 서 있는 것이 보인다. 차 옆에는 누군가가 있다. 다가갔더니 그것가 갑자기 이쪽을 향해 달려왔다!

《구타》로 공포 판정.

괴물과 전투를 한다.

이 비밀을 스스로 밝힐 수는 없다.

Handout

장소	「아미 안쪽」

개요

터널 안으로 들어간다…….

Handout

비밀

이 [비밀]이 밝혀진 장면에 등장한 캐릭터

쇼크

획산정보. 철교에서 조심스럽게 계국의 경사면에 발을 디뎠다.

미끄러지듯이 내려가니 계주 밑에서 작정거리던 빨가가 이쪽을 가만히 올려다본다.

당신을 끌어내릴 작정인지 그것들은 일제히 경사면을 달려 올라왔다!

《매경》으로 공포 판정.

괴물과 전투를 한다.

이 비밀을 스스로 밝힐 수는 없다.

Handout

장소	「카타스 밑바닥」

개요

철교에서 계주 아래로 내려간다…….

Handout

비밀

여음

획산정보. 주변은 어두컴컴하다. 역사 바로 밖에는 공중전화 박스가 있다.

귀를 기울이고 귀를 간 아스팔트 길을 따라 가로등이 점점이 이어지고 있다. 역 주위는 오솔 풀투성이고 나면에는 산이 보인다. 산 중턱에서는 흐릿하게 빛이 깜빡이고 있다.

핸드아웃 「전화 박스」, 「북소리」, 가로등의 비추는 길을 공개한다.

이 비밀을 스스로 밝힐 수는 없다.

Handout

장소	아무도 없는 개찰구

개요

표를 넣는 상자가 앞쪽에 묶여 있을 뿐인 개찰구. 아무도 없다. 여기를 지나가면 역 바깥으로 나갈 수 있을 것 같다.

Handout

비밀

전언

쇼크

수화기를 들자 누군가가 「돌아가라 실단면 한 명 두고 가」라고 속삭였다. 비인간적인 목소리에 소름이 든는다…….

《촌도》으로 공포 판정.

이 비밀을 스스로 밝힐 수는 없다.

Handout

장소	공중전화 박스

개요

패 오래된 전화 박스. 안에서 전화가 울리고 있다.

Handout
비밀
쇼크 | 전율

《꿈》으로 공포 판정.

밑에서 울려오는 북소리에 귀를 기울이고 있으니 북소리가 마치 듣고 있자니 점점 산 쪽으로 기어만 할 것 같은 기분이 드는……

이 비밀을 스스로 밝힐 수는 없다.

Handout
장소 | 북소리

개요
멀리서 들려오는 북소리에 귀를 기울여 본다.

Handout
비밀
쇼크 | 없음

확산정보. 구불구불한 길을 걷고 있으려니 좋은 체 있는 전신주와 걸음 걷는 누군가가 보인다.

가로등 아래에는 지장보살처럼 생긴 돌덩이라 서 있지만, 자세히 보니 그냥 마모된 돌기둥이다.

핸드아웃 「전신주」, 「사람」을 공개한다.

이 비밀을 스스로 밝힐 수는 없다.

Handout
장소 | 가로등이 비추는 길

개요
가로등을 따라 구불구불한 길을 걷는다. 검은 조인 사이를 구불구불 지나며 산 쪽으로 이어져 있다.

Handout
비밀
쇼크 | 없음

전신주(?)에는 무수한 못이 박혀 있다. 사람 얼굴 들대다대나 막카와 눈이 마주쳤다!

순간적으로 깜짝 놀랐지만, 마음을 가라앉히고 다시 보니 가로등이다. 가로등 끝에는 무언가의 고기가 공아되어있다.

프라이즈 「소가 조각된 가로등」을 획득한다.

이 비밀을 스스로 밝힐 수는 없다.

Handout
장소 | 전신주

개요
길 도중에 뜬금없이 서 있는 둥근 나무기둥. 전신주가…… 인가? 그 밑동에 작은 사당 같은 것이 있다.

Handout
비밀
쇼크 | PC②

얼굴을 가린 중글중글한 여성이 노래한다. 감정을 읽을 수 없는 눈으로 당신을 보며 입을 연다.

「걸 돌아왔다, 어서 산으로 가거라.」

그렇게 말한 뒤 산 쪽을 가리킨다.

핸드아웃 「대물」을 공개한다.

이 비밀을 스스로 밝힐 수는 없다.

Handout
이름 | 사람

개요
길가에 쭈그려 앉은 키 작은 인물. 하얀 옷을 입고 있다.

Handout
비밀
쇼크 | 전율

확산정보.

그것이 천천히 몸을 움직였다.

이건…… 대물 같은 게 아니야! 무시무시하고 거대한, 살아있는 무언가다!

《중발》로 공포 판정.

이 비밀을 스스로 밝힐 수는 없다.

Handout
이름 | 대물

개요
멀리서 본, 산 능선에서 볼록 솟은 커다란 인상의 실루엣.

대물……일까?

리빙데드

지금 이 거리에는 좀비가 넘쳐난다. 이 연립주택 바깥에도 좀비가 배회하고 있다.
우연히 만난 네 명의 생존자들은 살아남을 방법을 모색하기 시작한다.

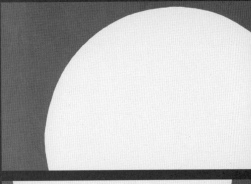

타입: 특수형
리미트: 3
플레이어 수: 3명
프라이즈: 차 키, 권총, 백신

시나리오의 무대

이 시나리오는 「사실은 무서운 현대 일본」 세팅을 사용합니다. 신축 연립주택 레지던스 아기타가 무대입니다. 레지던스 아기타는 4층짜리 연립주택으로, 한 층당 네 개의 집이 있습니다.

이 시나리오는 기본적으로 밀실극입니다. 게임 마스터는 이러한 취지를 플레이어들에게 전하고, 참가자 모두가 협력해서 '벗어날 길이 없는 답답한 분위기'를 연출합시다.

장면표는 「사실은 무서운 현대 일본 장면표」를 사용합니다.

배경

이 시나리오는 좀비가 나타난 마을에서 연립주택의 101호실에 갇혀버린 네 사람(PC 세 명 + NPC 한 명)의 이야기를 다룹니다.

아기타시에 있는 제약 회사, 코미 제약의 연구소에서는 특수한 바이러스 「로메로」를 연구하고 있었습니다. 이 바이러스는 숙주가 죽으면 활성화하며, 숙주의 생전 활동을 모방해서 움직입니다.

어느 날 밤, 사고가 발생하여 「로메로」가 외부로 유출되고 말았습니다. 불행한 사고가 겹쳐 교외의 주택가에 대량의 걸어 다니는 시체가 나타났습니다. 주택가 한복판의 신축 연립주택, 레지던스 아기타에도 대량의 좀비가 몰려들었습니다. 각자의 사정을 끌어안은 PC들이 그런 사태를 알아차린 시점에서 게임이 시작됩니다.

광기

『인세인』에서 【의심암귀】, 【확산하는 공포】, 【맹목】, 【패닉】, 【피에 대한 갈망】, 【절규】, 【이질적인 언어】, 【현실도피】, 【어둠의 축복】, 【공포증】, 【폭력충동】, 【음모론】을 각각 1장씩 준비합니다.

또, 이 시나리오는 대량의 좀비가 발생했다는 극단적인 상황을 다룹니다. 이 이상 사태로 인해 PC들의 정신이 【광기】에 물들기 시작한 상황에서 게임이 시작합니다. 게임 마스터는 도입 페이즈에 플레이어들에게 핸드아웃과 함께 【광기】를 1장씩 돌립니다. 배분되는 【광기】는 PC①이 【다중인격】, PC②가 【괴물】, PC③이 【분풀이】(다음 페이지 참조)입니다. 또, NPC인 하이바라는 【페티시】를 가지고 있습니다.

프라이즈

이 시나리오에는 3개의 프라이즈가 있습니다. 모든 프라이즈는 드라마 장면에서 아이템으로서 남에게 전달할 수 있습니다.

하나는 「차 키」입니다. 클라이맥스 페이즈가 끝날 때 이 프라이즈를 가진 캐릭터는 자신을 포함한 임의의 캐릭터를 좀비가 없는 곳까지 옮길 수 있습니다. 처음에는 301호실에 있습니다.

다음은 「권총」입니다. 이것은 좀비와의 전투가 발생했을 때, 판정을 하여 좀비의 수를 줄일 수 있는 프라이즈입니다. 처음에는 PC③이 가지고 있습니다.

마지막은 「백신」입니다. PC②나 게임 중 좀비에게 1점 이상의 대미지를 입은 캐릭터는 클라이맥스 페이즈가 되기 전까지 이 프라이즈를 사용하지 않으면 좀비가 되어 버립니다. 처음에는 401호실에 있습니다. 이것은 비공개 정보입니다.

도입 페이즈

이 시나리오의 도입 페이즈는 다음과 같습니다.

● 장면1   이른 아침의 악몽

이 장면은 마스터 장면입니다.

좀비가 대량 발생하는 장면입니다. 많은 승객을 태운 버스가 아침 안개 자욱한 아기타 시의 교외를 달립니다. 승객은 통근 중인 어른 몇 명, 그리고 같은 유니폼을 입은 20명 정도의 학생입니다. 아마도 고등학교 배구부의 학생들이 대회에 참가하러 가는 도중인 모양인데, 다들 수다 떠느라 정신이 없습니다. 그런데 안갯속에서 갑자기 한 명의 여성이 버스 앞에 나타나고, 버스 운전사는 급브레이크를 밟습니다. 전날부터 비가 왔기 때문인지 버스는 옆으로 쓰러졌습니다. 아까까지의 즐거운 분위기가 일변하여 버스 안은 아수라장이 됩니다.

학생 하나가 겨우 버스 안에서 기어 나오자 아까의 여성이 그 학생의 눈앞에 서 있습니다. 도움을 요청하려고 손을 내밀자 여성은 그 손을 물어뜯고, 학생은 엉겁결에 비명을 지릅니다. 그 소리에 이끌리듯이 어둠 속에서 무수한 좀비들이 버스로 다가가면서 장면은 끝납니다.

● 장면2   엘리베이터

PC②와 PC③의 도입 장면입니다. 우선 PC②가 3층의 엘리베이터 앞에 서 있습니다. 곧 엘리베이터의 문이 열리는데, 그 안에 4층의 주민인 하이바라가 있습니다. PC②가 엘리베이터에 타자 2층에서 다시 엘리베이터가 멈추더니 제복 차림의 PC③이 들어 옵니다. 그리고 엘리베이터는 세 명을 태운 채 1층으로 내려갑니다.

엘리베이터의 문이 열리자 로비에 무수한 좀비가 있는 것이 보입니다. 여기에서 PC②와 PC③은 《죽음》 특기로 공포판정을 합니다. 다음 순간, 좀비들은 일제히 PC들을 향해 걸어옵니다. 그 수는 압도적이며, 입구 쪽으로 가는 것은 자살 행위입니다.

PC들이 좀비에게서 도망치면 간발의 차로 우연히 눈앞에서 문이 열립니다. PC들과 하이바라가 그 집에 뛰어들면서 장면은 끝납니다.

● 장면3   101호실

PC①의 도입 장면입니다.

나가려고 문을 열었는데 PC②와 PC③, NPC인 하이바라가 뛰어들어 옵니다. 문 너머에서는 뭔가가 문을 두드리는 소리가 들리지만, 잠시 후에는 포기했는지 소리가 멈춥니다. 하지만 좀비들은 연립주택의 복도와 로비 사이를 느릿느릿 배회하는 모양입니다. 문을 통해 밖으로 나가기는 어려울 것 같습니다(여기에서 PC①이 스파이홀이나 인터폰으로 좀비를 보면 《죽음》 특기로 공포판정을 합니다).

TV나 라디오를 켜보면 뉴스 캐스터가 아기타 시 교외에서 버스 사고 및 수수께끼의 폭동이 발생했다는 사실을 알리면서 주민들에게 밖으로 나오지 말라고 당부하고 있습니다. 인터넷에서는 좀비 목격에 관한 정보를 입수할 수 있습니다.

창밖을 보면 무수한 좀비가 배회하고 있습니다. 걸어서 도망치는 것은 불가능할 것 같습니다. 도망치려면 차가 꼭 필요하다는 것을 알 수 있습니다.

이러한 정보를 획득한 캐릭터는 《종말》 특기로 공포판정을 합니다.

여기에서 기묘한 인연으로 운명 공동체가 된 네 사람에게 자기소개를 하게 시키고, 각자 핸드아웃의 【사명】을 읽게 합니다. 또, 이 타이밍에서 각 집의 핸드아웃을 공개합니다. 각 PC는 자기 집의 【비밀】을 볼 수 있습니다(【정보】를 획득한 것은 아닙니다).

이것으로 이 장면은 끝나고, 도입 페이즈가 종료됩니다.

특수 규칙

이 시나리오에서는 다음과 같은 특수 규칙을 사용합니다.

메인 페이즈 동안 마스터 장면이 아닌 장면에서 PC는 반드시 101호실, 201호실, 301호실, 401호실 중 한 군데에 있게 됩니다. 메인 페이즈가 시작할 때는 모두 101호실에 있습니다. 집집의 핸드아웃 위에 각 캐릭터의 게임 말을 놓아두면 현재 위치를 편하게 관리할 수 있습니다.

장면 플레이어는 장면표를 사용하는 대신 집 하나를 지정해서 그곳으로 이동할 것을 선언할 수 있습니다. 이때, 장면 플레이어 이외의 캐릭터는 이동에 동행하겠다고 선언할 수 있습니다. 장면 플레이어가 승낙하면 그 캐릭터는 자동으로 장면 플레이어의 PC와 함께 지정한 집으로 이동합니다. 이런 캐릭터를 이 시나리오에서는 동행자라고 부릅니다.

집에서 집으로 이동하는 경우, 이동 PC와 동행자는 이동한 층수에 1을 더한 것과 같은 숫자의 「걸어 다니는 시체」(『인세인』p249)와 전투를 하게 됩니다(101호실에서 201호실로 간다면 둘, 401호실에서 101호실로 간다면 넷과 싸웁니다).

이 전투에서 승리하면 장면 플레이어의 PC와 동행자는 전과로 선택한 방으로 이동합니다(이 전투에서는 이동 이외의 전과를 선택할 수 없습니다). 전투에서 탈락한 캐릭터는 이동할 수 없으며, 원래 있던 방에 있게 됩니다(「걸어 다니는 시체」들은 자발적인 탈락을 방해하지 않습니다). 재방문은 시도할 수 없습니다.

장면 플레이어가 장면표를 사용했다면 그 플레이어의 PC는 원래 있던 방에 그대로 있게 됩니다.

집에 대한 조사판정을 시도할 때는 자신이 있는 집만을 목표로 선택할 수 있습니다.

메인 페이즈

이 시나리오에는 다음과 같은 마스터 장면이 발생합니다.

● 부활

제1 사이클이 끝나기 전까지 101호실에 있는 시체에 적절한 처리(방 밖으로 옮긴다, 목을 자른다)를 하지 않으면 제2 사이클 첫 장면에 삽입합니다.

101호실의 침실에 있는 시체가 눈을 뜹니다. 그리고 천천히 일어나서 그 방에 있는 캐릭터들을 습격합니다. 이때 PC①이 그것을 목격했다면 -2의 수정을 적용해서 《놀람》특기로 공포판정을 합니다.

그 방에 있는 PC와 「걸어 다니는 시체」 하나가 전투를 합니다. 그 방에 캐릭터가 아무도 없다면 시체는 101호실의 문을 열어젖힙니다. 그후, 어떤 캐릭터도 101호실로 이동할 수 없게 됩니다.

● 차 키 입수

이 장면은 차 키를 입수했을 때 삽입합니다. 창밖을 보면 불길이 치솟는 것을 알 수 있습니다. 쓸데없이 상황을 질질 끌면 최악의 사태를 맞이할 것 같습니다. PC들은 본능적으로 제3 사이클이 끝나기 전까지 주차장에 가지 않으면 「배드엔드 표」를 사용하게 된다는 것을 깨닫습니다.

클라이맥스 페이즈

PC들 중 누군가가 제3 사이클이 끝나기 전에 주차장에 가겠다고 선언하면 클라이맥스 페이즈가 됩니다.

이때, 좀비가 될 가능성이 있는 캐릭터는 모두 좀비가 됩니다. 좀비가 된 캐릭터는 그렇지 않은 PC를 전멸시키는 것으로 【사명】이 변경됩니다.

「걸어 다니는 시체」 다섯과 PC들의 전투가 벌어집니다. 좀비가 아닌 PC가 전부 탈락하거나 승자가 결정될 때까지 전투를 계속합니다. 좀비측이 승리하면 PC들은 모두 좀비가 되어버리고 맙니다.

만약 제3 사이클이 끝나기 전까지 아무도 주차장에 가겠다고 선언하지 않았다면, PC 전원은 「배드엔드 표」를 사용합니다.

NPC

하이바라 켄지　42세　남성

코미 제약에 소속된 연구원. 하지만 통근할 때는 유명 브랜드의 양복을 입고 있어서 언뜻 보기에는 화이트칼라 샐러리맨으로만 보입니다. 이기적이고, 자신이 살아남는 것을 최우선으로 생각하며 행동합니다.

게임 마스터는 하이바라를 게스트로 간주합니다. 데이터는 「신봉자」(『인세인』p247)를 씁니다. 단, 《민속학》 대신 《약학》을 습득합니다. 【보복】의 지정특기도 《약학》입니다. 【이성치】는 4점이고, 《절단》이 【공포심】입니다.

Handout	
광기	분풀이
트리거	당신 이외의 캐릭터 두 명이 서로에 대해 플러스 【감정】을 획득한다.

당신은 자신을 놔두고 다른 사람끼리 사이가 좋아지는 것을 용납할 수 없다. 【광기】가 현재화한 장면에 등장한 PC 중에서 당신에 대해 플러스 【감정】을 가지고 있지 않은 자 전원에게 1점의 대미지를 입힌다.

이 광기를 스스로 밝힐 수는 없다.

핸드아웃

「101호실」, 「201호실」, 「301호실」, 「401호실」, 「하이바라 켄지」는 도입페이즈가 끝날 때 공개한다. 「301호실」의 【비밀】을 최초로 획득한 캐릭터는 프라이즈 「차키」와 「무기」를, 「401호실」의 【비밀】을 최초로 획득한 캐릭터는 프라이즈 「백신」을 획득한다.

Handout

이름	프라이즈 백신
개요	

언제든지 사용할 수 있다. 이 백신을 주사하면 체내에 있는 좀비화한 바이러스 「로메로」를 발병성 상태로 되돌릴 수 있다. 사용하면 이 프라이즈는 없어진다.

401호실에서 《백신》의 획득 판정을 성공하면 백신을 입수할 수 있다. 단, 획득에 실패하면 백신을 다시마다 실패할 때마다 판정에 이후의 체크화 판정을 수치만큼...

Handout

이름	프라이즈 권총
개요	

좀비와 전투를 할 때, 이 프라이즈의 소유자나 전투가 시작하기 전에 임의의 횟수만큼 《사격》 판정을 할 수 있다. 《사격》 판정에 한 번 성공할 때마다 전투에 참가하는 좀비의 수가 하나씩 줄어든다. 단, 연사할 때마다 판정에 -1의 수정이 적용된다. 이 권총에는 탄환이 여섯 발 들어 있다. 판정을 한 번 할 때마다 탄환이 한 발씩 줄어들며, 모든 탄환이 소비되면 이 아이템을 사용할 수 없다.

Handout

이름	프라이즈 차키
개요	

이 키를 입수하면 주차장으로 갈 수 있다. 주차장에 간다고 선언하면 클라이맥스 페이즈가 된다. 이 키를 가지고 주차장에 가면 좀비가 없는 장소로 이동할 수 있다. 단, 이 키의 소유자가 누구든 차에 타고 누구를 구출할지까지는 당신이 결정할 수 없다.

Handout

장소	101호실
개요	

PC①의 집. 조사판정을 할 때는 《그늘》특기를 사용한다. 집주인은 무조건 이 판정에 성공할 수 있다. 또, 집주인은 이 집의 【비밀】을 볼 수 있다 (【정보】를 획득하는 것은 아니다). 전투에 참가한 캐릭터의 수가 3명 이상이 되면 회피판정에 -2의 수정을 적용한다.

Handout

장소	201호실
개요	

PC③의 집. 조사판정을 할 때는 《그늘》특기를 사용한다. 집주인은 무조건 이 판정에 성공할 수 있다. 또, 집주인은 이 집의 【비밀】을 볼 수 있다 (【정보】를 획득하는 것은 아니다). 전투에 참가한 캐릭터의 수가 3명 이상이 되면 회피판정에 -2의 수정을 적용한다.

Handout

장소	301호실
개요	

PC②의 집. 조사판정을 할 때는 《정리》특기를 사용한다. 집주인은 무조건 이 판정에 성공할 수 있다. 또, 집주인은 이 집의 【비밀】을 볼 수 있다 (【정보】를 획득하는 것은 아니다). 전투에 참가한 캐릭터의 수가 3명 이상이 되면 회피판정에 -2의 수정을 적용한다.

Handout

비밀	
쇼크	전원

확산정보: 집안에 시체가 있다.

이 핸드아웃은 누구에게 공개해도 된다.

Handout

비밀	
쇼크	없음

확산정보: 권총의 탄환이 있다. 이 【비밀】을 가장 먼저 획득한 캐릭터는 권총 프라이즈 6을 획득한다.

이 핸드아웃은 누구에게 공개해도 된다.

Handout

비밀	
쇼크	없음

확산정보: 여러 가지 아이템이 있다. 이 【비밀】을 가장 먼저 획득한 캐릭터는 프라이즈 「차키」와 「무기」를 획득한다.

이 핸드아웃은 누구에게 공개해도 된다.

Handout

장소	401호실

개요

하이바라의 집. 조사판정을 할 때는 <정리> 특기를 사용한다. 접주인은 무조건 이 판정에 성공할 수 있다. 또, 접주인은 이 집의 [비밀]을 볼 수 있다([정보]를 획득한 것이 아니다).

전투에 참가한 캐릭터의 수가 3명 이상이 되면 회피판정에 -2의 수정을 적용한다.

비밀

쇼크 없음

확산정보.
백신이 있다.
이 [비밀]을 가장 먼저 획득한 캐릭터는 프라이즈 <백신>을 획득한다.

이 [비밀]은 스스로 밝힐 수는 없습니다.

Handout

이름	PC① (추천: 없음)

사명

당신은 신축 연립주택 베지던스 아기타 101호실의 주민이다. 당신은 자택에서 연인과 전화를 하고 있었는데, 갑자기 전화가 끊기더니 연인이 받지 않는다. 황급히 연인의 집의 연인을 만나러 가려다 문득 연립주택 주민들이 당신의 방에 찾아왔다.

당신의 [사명]은 연립주택을 탈출해서 연인의 집에 가는 것이다.

비밀

쇼크 진원

사실 당신은 자기 집에 찾아온 연인을 죽였다.
당신은 집안의 방안에 연인의 시체를 숨겼다. 연인과 전화를 하고 있었다는 것은 거짓말이다.
당신의 [진정한 사명]은 자신의 [비밀]을 안 캐릭터를 모두 죽이는 것이다.

이 [비밀]은 스스로 밝힐 수는 없습니다.

Handout

이름	PC② (추천: 없음)

사명

당신은 신축 연립주택 베지던스 아기타 301호실의 주민이다. 당신은 쓰레기를 버리러 갔다가 연립주택 로비에서 대량의 좀비와 마주쳤다. 간신히 반대 방향으로 도망으로 도망쳐서 101호실로 피신하긴 했지만, 정신을 차리고 보니 무수한 좀비가 주위를 배회하고 있다. 당신은 차를 이용하여 도망칠 수 있을지도 모르지만, 차 키를 집에 놓고 와버렸다.

당신의 [사명]은 어떻게든 이 연립주택을 탈출하는 것이다.

비밀

쇼크 진원

사실 당신은 도망치다가 좀비에게 물렸다.
만약 당신도 좀비가 될 수 그대로의 좀비에게 물려도 연인에게 당신의 [진정한 사명]은 좀비가 되지 않는 것이다.

이 [비밀]은 스스로 밝힐 수는 없습니다.

Handout

이름	PC③ (추천: 경찰)

사명

당신은 신축 연립주택 베지던스 아기타 201호실의 주민이며, 경찰관이다. 근무를 서던 중에 주민이 온 물건을 가지러 귀가했느네, 다시 근무하러 가려다가 연립주택 로비에서 반대 방향으로 도망쳐서 101호실로 피신하긴 했지만, 정신을 처리고 보니 당신은 프라이어즈 <권총>을 가지고 있다.

당신의 [사명]은 구조될 때까지 이 방에서 농성하며 살아남는 것이다.

비밀

쇼크 진원

사실 당신은 연인이 있던 기간과 연립 일치한다. 긴 고독에 지쳐, 사이 좋은 누군가를 보면 무심코 자제심을 잃어버릴 때도 있다.
당신의 [진정한 사명]은 개임이 끝나는 시점에서 서로에 대해 「호 감」, 「애정」, 「열심」 중 「감정」을 획득한 상대를 만드는 것이다.

이 [비밀]은 스스로 밝힐 수는 없습니다.

Handout

이름	하이바라 켄지

사명

당신은 신축 연립주택 베지던스 아기타 401호실의 주민이다. 당신은 줄음하려다가 연립주택 로비에서 좀비와 마주쳤다. 당신은 줄음하려다가 간신히 반대 방향으로 도망쳐서 101호실로 피신하긴 했지만, 정신을 처리고 보니 무수한 좀비가 그 주위를 배회하고 있다.

당신의 [사명]은 구조될 때까지 이 방에서 농성하며 살아남는 것이다.

비밀

쇼크 진원

사실 당신은 이 이상 사태에 앞선 바이러스에 관한 연구를 하고 있다. 죽은 사체에 움직이는 것이 있다. 당신은 정말인 이상 바이러스에 관한 연구를 하고 있다. 만약 이 것이 세상에 연구하는 바이러스에 1주인 정도가 지나면 발병할 것이다. 본 포자가 사람에게 바이러스가 활성화하여 좀비가 되어버린다. 좀비에게 물린 사람은 황성상태의 좀비로 변해버린다. 만약 확실히 될 경우, 본 포자가 지니면 1명 이상의 대상자를 감염시킨다. 좀비가 되어버리는 바이러스에, 클라인안프스 페... 않으면 좀비가 되어버린다. 본 포자는... 바이러스인데, 빠르는 당신의 집에 있다.

이 [비밀]은 스스로 밝힐 수는 없습니다.

Dream to Die
원몽(猿夢)

친구와 함께 전철에 타는 꿈을 꾼다. 친구가 무참한 방법으로 살해당한다. 꿈에서 죽은 친구는 현실에서도 죽어버렸다. 또 같은 꿈을 꾼다. 다음은 분명 내 차례……겠지.

타입: 협력형
리미트: 2
플레이어 수: 3~5명
프라이즈: 없음

시나리오의 무대

이 시나리오는 「사실은 무서운 현대 일본」 세팅을 사용합니다. 장면표는 「사실은 무서운 현대 일본 장면표」를 사용합니다.

핸드아웃 선택

참가할 플레이어의 수가 적다면 PC① 부터 순서대로 사용합니다.

핸드아웃은 전원 공통입니다. 참가자의 인세인 경험 횟수에 차이가 있다면 경험이 적은 플레이어를 PC①로, 경험이 풍부한 플레이어를 PC③으로 하는 것이 좋습니다. PC③에게는 따로 아래의 내용을 설명합니다.

• 사명을 달성해도 공적점을 얻을 수 없다.
• 그 대신 자신이 등장한 장면에서 현재화한 광기의 수가 그대로 공적점이 된다.
• 의도적으로 현재화를 노리지 않아도 다른 PC의 장면에 적극적으로 등장하면 공적점을 얻을 기회가 늘어난다.

배경

PC들이 꾼 악몽 속에서 친구인 코사카 마츠리가 살해당했습니다. 그런데 그녀는 꿈속만이 아니라 현실에서도 죽어버렸습니다. 다음은 PC들의 차례. PC들은 무사히 내일을 맞이할 수 있을까요?

광기

『인세인』에서 【의심암귀】, 【확산하는 공포】, 【소외감】, 【거동수상】, 【패닉】, 【도를 넘어선 마음】, 【피에 대한 갈망】, 【절규】, 【괴물】, 【이질적인 언어】, 【현실도피】, 【어둠의 축복】, 【결벽】, 【다중인격】, 【공포증】, 【폭력충동】, 【이성에 대한 공포】, 【초현실주의】를 각각 1장씩 준비합니다.

도입 페이즈

이 시나리오의 도입 페이즈는 아래와 같습니다. 모든 PC가 등장하는 공용 장면입니다.

● 꿈을 꾸기 전에

이 장면은 마스터 장면입니다.

PC①~⑤와 코사카 마츠리가 함께 어울리는 일상 장면입니다.

마츠리는 누구보다도 먼저 부실에 와서 PC들이 마실 차를 준비하고 기다립니다.

이 장면에서 특별한 이벤트는 일어나지 않습니다. 캐릭터들이 교류하며 서로의 관계나 입지를 확인하면 장면이 끝납니다.

● 원몽(猿夢)

이 장면은 마스터 장면입니다.

PC①~⑤는 어느새 전철의 좌석에 앉아 있습니다.

주위는 마치 터널 안처럼 깜깜한데, 둘러보면 PC 전원과 마츠리, 그리고 그 밖에도 여러 명의 승객이 전철에 타고 있다는 것을 알 수 있습니다.

연결부와 가장 가까운 자리에는 샐러리맨으로 보이는 남자, 그 옆에 마츠리, 그 옆에 PC들이 앉아 있습니다.

내부 묘사가 끝나면 지각 분야에서 무작위로 특기를 지정합니다. PC들은 해당 특기로 판정합니다. 이 판정에 성공하면 지금 보는 광경이 꿈이라는 것을 알 수 있습니다.

판정 후에 2D6을 굴려 「전철 내 살해 방식표」의 결과를 읽어줍니다. 읽은 효과대로 샐러리맨이 죽습니다. 이 광경을 꿈이라고 여기지 않는 PC가 있다면 표에 지정된 특기로 공포판정을 합니다.

샐러리맨이 죽어도 PC들 말고는 아무도 반응하지 않습니다. 이 이상한 사태에 PC 전원이 여기가 꿈속임을 알아차립니다.

또 한 번 「전철 내 살해 방식표」에서 주사위를 굴립니다. 이번에는 표의 내용대로 마츠리가 죽습니다.

눈앞에서 친한 친구가 죽었으므로, PC 전원이 표에 지정된 특기로 공포판정을 합니다.

공포판정 처리가 끝나면 PC들은 임의의 특기를 사용해서 잠에서 깨기 위한 판정을 합니다. 이때, 이 판정에 실패하면 꿈에서 나갈 수 없다는 것과 판정 재도전 규칙을 설명합니다. 재도전을 하고도 실패했다면 【광기】를 1장 획득하고 깨어날 수 있습니다.

전원이 판정에 성공하면 장면을 종료합니다.

PC는 꿈의 내용을 뚜렷하게 기억한 채 자신의 침대에서 잠을 깨지만……. 잠에서 깨기 직전에 귓가에서 이런 목소리가 들립니다. 「놓치고 말았네요. 다음에는 안 놓칠 겁니다?」

장면이 끝날 때 「전철을 타는 꿈」 핸드아웃을 공개합니다.

● 그녀가 없는 교실

이 장면은 마스터 장면입니다. PC①~⑤가 등장합니다.

PC들이 학교에 가도 마츠리는 등교하지 않습니다.

핸드폰으로 전화를 걸면, 전화를 받은 마츠리의 어머니에게서 마츠리가 침대에서 자다가 그대로 숨을 거두고 말았다는 이야기를 듣습니다.

또, 마츠리의 어머니는 PC들에게 마츠리의 곁을 지키며 하룻밤 동안 명복을 빌어달라고 부탁합니다(이것은 제1 사이클 최후의 마스터 장면입니다).

장면이 끝날 때 「코사카 마츠리」의 핸드아웃을 공개합니다.

메인 페이즈

이 시나리오에서는 아래의 마스터 장면이 발생합니다.

● 장면1 네가 준 것

제1 사이클에서 PC들이 행동을 마친 뒤 삽입합니다.

이 장면은 밤을 새우며 마츠리의 명복을 비는 장면입니다. 마츠리는 부모님과 한집에 살았으며, 시신도 그 집에 있습니다. 당연히 PC들은 마츠리의 집을 찾아갑니다.

마츠리의 부모님에게 인사를 하면, 마츠리를 쏙 빼닮은 소녀가 PC들에게 말을 겁니다.

「코사카 에미리」의 핸드아웃을 공개합니다.

에미리는 앨범을 보자며 PC들을 마츠리의 방으로 데려갑니다.

마츠리의 방에서 조킹을 선언하면, 쓰레기통 속에서 「나쿠오토(泣音) 님, PC①을 저주해 주세요」라고 적힌 종이를 발견합니다. 이것을 본 PC는 《원한》으로 공포판정을 합니다.

● 장면2 다음 정차역은……

장면1 직후에 삽입합니다.

꿈속에서 나타난 난쟁이와 PC들의 전투 장면입니다. 난쟁이의 데이터는 「죽음의 운명(『인세인』 p262)」을 사용합니다.

메인 페이즈의 전투이므로 1점이라도 대미지를 입으면 전투에서 탈락합니다. 또, 지원행동으로 임의의 특기를 사용한 판정에 성공하면 전투에서 자발적으로 탈락할 수도 있습니다.

클라이맥스 페이즈

제2 사이클이 끝나면 클라이맥스 페이즈가 됩니다.

클라이맥스의 전투 중에 【생명력】이 0 이하가 되어 행동불능이

1

되면 「전철 내 살해 방식표」에서 주사위를 굴려 표의 내용대로 사망합니다. 그것을 목격한 다른 PC는 표에서 지정한 특기로 공포판정을 합니다.

또, PC 중 누군가가 코사카 에미리의 이름을 적고 갔다면 이 전투에 코사카 에미리가 참가합니다. 에미리는 반드시 1로 플롯을 하며, 어떤 판정도 하지 않습니다. 또, 버팅은 하지 않지만 1점이라도 대미지를 입으면 사망합니다. 에미리는 판정을 할 수 없으므로 꿈속에서 나갈 수 없습니다. 다음 날 아침, 꿈에서 깬 PC들은 에미리가 심장마비로 죽었다는 것을 알게 될 것입니다.

에미리를 부르지 않은 경우, 지원행동으로 《꿈》 판정에 성공하면 꿈에서 탈출할 수 있습니다. 판정에 성공한 캐릭터는 그 시점에서 이 장면에서도 퇴장합니다.

전원이 퇴장한 시점에서 전투는 끝납니다.

전투는 악몽… 즉, 원몽의 승리로 봅니다. 원몽은 전과로 PC④의 【거처】를 획득합니다(PC④가 없다면 PC①이 원몽에 대해 「동경」의 【감정】을 획득합니다).

살아남은 PC들이 눈을 뜨면 시나리오는 끝납니다. 인터넷에는 아직도 「나쿠오토 님의 저주」가 남아 있으며, 다시 희생자가 나올 것입니다. 하지만 PC들은 일상으로 돌아가 평범하게 생활할 수 있습니다.

전철 내 살해방식 표 (2D6)	
2	지정특기:《소각》 다음 정차역은 「웰던」. 하나같이 손에 화염방사기를 든 난쟁이들이 모여 일제히 불을 뿜는다. 살을 태우는 냄새와 연기가 주위를 가득 채운다.
3	지정특기:《고문》 다음 정차역은 「숟가락질」. 난쟁이들이 숟가락 같은 것을 꺼내서 안구를 파낸다. 더 깊은 곳까지 마구 찔러대던 숟가락은 마침내 뇌마저 파낸다.
4	지정특기:《포박》 다음 정차역은 「교수형」. 천장에서 로프가 내려와 희생자의 목에 걸리더니 그대로 매달아 올린다. 남은 것은 가죽 손잡이와 함께 흔들흔들 흔들리는 몸.
5	지정특기:《협박》 다음 정차역은 「전기의자」. 난쟁이들은 거대한 콘센트 같은 것을 집어 들더니 희생자의 몸이 뒤틀리며 바짝 타버릴 때까지 전류를 흘린다.
6	지정특기:《파괴》 다음 정차역은 「다진 고기」. 난쟁이들은 복잡한 형상의 기기를 희생자에게 덮어씌운다. 기계 소리와 함께 울려 퍼진 비명이 잦아들 무렵에는 이미 어디가 어느 부위인지도 알 수 없는 고깃덩어리가…….
7	지정특기:《구타》 다음 정차역은 「떡 치기」. 난쟁이들은 1m 정도의 쇠몽둥이를 꺼내서 희생자를 마구 때린다. 마지막에는 치다 만 떡처럼 뭉개진 희생자만 남는다.
8	지정특기:《절단》 다음 정차역은 「회」. 난쟁이들은 톱과 식칼을 꺼내 들고 산 채로 희생자를 베어 가르며 내장을 끄집어내더니, 물고기 회처럼 해체해서 나열한다.
9	지정특기:《찌르기》 다음 정차역은 「마구 찌르기」. 난쟁이들은 각자 짧은 창 같은 것을 들고 비명이 멈출 때까지 멈추지 않고 찔러댄다.
10	지정특기:《사격》 다음 정차역은 「가시복」. 난쟁이들은 손에 활과 화살을 들고 희생자에게 무수한 화살을 쏜다. 전신에 박힌 화살 때문에 마치 가시복처럼 보인다.
11	지정특기:《전쟁》 다음 정차역은 「거열형」. 난쟁이들이 가지고 온 기구에 사지를 구속당하고, 그대로 잡아 당겨져 갈가리 찢긴다. 희생자의 절규는 숨이 끊어질 때까지 멈추지 않는다.
12	지정특기:《매장》 다음 정차역은 「구덩이」. 난쟁이 하나가 천장에서 내려온 줄을 잡아당기자 차량 바닥이 빠지며 희생자가 노선으로 방출된다. 노출된 노면에서 들려오는 살을 짓뭉개는 소리가 점점 멀어진다.

죽음의 운명		위험도 9	속성 괴이/현상	생명력 115

호기심 괴이 **특기** 《소각》,《전자기기》,《약품》,《탈것》,《시간》,《죽음》

어빌리티 【기본공격】 공격 《탈것》
【난동】 공격 《소각》 ISp 180
【트릭】 공격 《전자기기》 ISp 180
【죽음의 사냥개】 장비 이 에너미가 《거처》를 가진 캐릭터는 각 사이클이 끝날 때 【생명력】이 1점 감소한다.

해설 어떠한 사고나 우연에 의해 생명의 위기를 극복하였더라도, 그 인물이 죽을 운명이라면 「죽음」은 반드시 쫓아옵니다. 그 운명을 수행하기 위해서.

핸드아웃

도입 페이즈에서는 「원몽」 장면이 끝날 때 「전철을 타는 꿈」을, 「그녀가 없는 교실」 장면이 끝날 때 「코사카 마츠리」를 공개한다. 메인 페이즈 제1사이클의 마스터 장면 「네가 준 것」 도중에 「코사카 에미리」를 공개한다. 「코사카 마츠리」의 【비밀】이 밝혀지면 「나쿠오토 님의 저주」를 공개한다. 「전철을 타는 꿈」의 【비밀】이 공개되면 「꿈에 관한 도시전설」과 「모로보시 사토루」를 공개한다.

Handout

이름	PC①
사명	

여러분은 같은 대학교에 다니며 자주 함께 어울리는 친구다. 그 날 꾼 꿈속에서까지 함께였으니 스스로 생각해도 웃음이 나온다. 하지만 그 꿈은 벗들 중 하나인 코사카 마츠리가 참혹하게 죽는 악몽이었다. 단순한 꿈이다. 그렇게 생각하려 했다. 다음 날, 마츠리의 유해가 발견될 때까지는. 당신의 [사명]은 코사카 마츠리가 죽는 원인을 찾는 것이다.

Handout

쇼크	없음
비밀	

당신은 예전에 정작 괴담에 빠진 적이 있다. 이 소문… 신화괴담 형식으로 쓴 몇 가지 작품을 게시판에 투고했고, 달린 댓글을 읽는다. 그것만으로도 체셔 즐거웠다. 단, 「나쿠오토 님」 이야기는 특히 평판이 좋았다. ……뭐, 인제 와서는 조금 부끄러운 이야기이므로 비밀로 하고 있다.

이 비밀을 스스로 밝힐 수는 없다.

Handout

이름	PC②
사명	

여러분은 같은 대학교에 다니며 자주 함께 어울리는 친구다. 그 날 꾼 꿈속에서까지 함께였으니 스스로 생각해도 웃음이 나온다. 하지만 그 꿈은 벗들 중 하나인 코사카 마츠리가 참혹하게 죽는 악몽이었다. 단순한 꿈이다. 그렇게 생각하려 했다. 다음 날, 마츠리의 유해가 발견될 때까지는. 당신의 [사명]은 코사카 마츠리가 죽는 원인을 찾는 것이다.

Handout

쇼크	전연
비밀	

당신은 인터넷 게시판에서 발견한 「나쿠오토 님」이라는 이야기의 내용대로 코사카 마츠리에게 저주를 걸었다. 간단하고 리스크가 없는 저주라기에 가볍고 마음으로 장난삼아 시행했고, 그리고 마츠리는 죽었다. 당신의 [진정한 사명]은 죄책감에서 벗어나는 것이다.

이 비밀을 스스로 밝힐 수는 없다.

Handout

이름	PC③
사명	

여러분은 같은 대학교에 다니며 자주 함께 어울리는 친구다. 그 날 꾼 꿈속에서까지 함께였으니 스스로 생각해도 웃음이 나온다. 하지만 그 꿈은 벗들 중 하나인 코사카 마츠리가 참혹하게 죽는 악몽이었다. 단순한 꿈이다. 그렇게 생각하려 했다. 다음 날, 마츠리의 유해가 발견될 때까지는. 당신의 [사명]은 코사카 마츠리가 죽는 원인을 찾는 것이다.

Handout

쇼크	전연
비밀	

당신은 이번 사건이 초자연적인 힘으로 일어난 것으로 생각한다. 친구가 말하는 것은 유감이지만, 그 보다도 흥분이 존재하는 것 힘에 더 흥미가 있다. 당신의 [진정한 사명]은 광기를 구하는 것이다. 당신이 등장한 장면에서 [광기]가 현재화할 때마다 당신은 공적점을 1점 얻을 수 있다.

이 비밀을 스스로 밝힐 수는 없다.

Handout

이름	PC④
사명	

여러분은 같은 대학교에 다니며 자주 함께 어울리는 친구다. 그 날 꾼 꿈속에서까지 함께였으니 스스로 생각해도 웃음이 나온다. 하지만 그 꿈은 벗들 중 하나인 코사카 마츠리가 참혹하게 죽는 악몽이었다. 단순한 꿈이다. 그렇게 생각하려 했다. 다음 날, 마츠리의 유해가 발견될 때까지는. 당신의 [사명]은 코사카 마츠리가 죽는 원인을 찾는 것이다.

Handout

쇼크	없음
비밀	

당신은 친구를 매우 소중하게 여긴다. 코사카 마츠리가 죽은 사건은 하나부터 열까지 납득할 수 없는 일투성이다. 하지만 당신은 이제 누가 다치는 것도, 누군가를 잃는 것도 원하지 않는다. 당신의 [진정한 사명]은 친구를 지키는 것이다.

이 비밀을 스스로 밝힐 수는 없다.

핸드아웃

PC가 꿈속에서 조킹을 하면 「원몽에 나타나는 난쟁이」를 공개한다.

1

Handout

이름	PC⑤

사명

여러분은 같은 대학교에 다니며 자주 함께 어울리는 친구다.

그 날 꿈 꾸속에서 시에게 함께였으니 스스로 생각해도 그(그녀)와 함께 있고 싶다고 생각하는 것은 문제가 있는 걸까?

하지만 그 꿈은 멤버 중 하나인 코사카 마츠리가 참혹하게 죽는 악몽이었다. 단순히 마츠리가 참혹하게 죽었다. 그렇게 생각하려 한순간, 다음 날, 마츠리가 발작을 떼까지.

당신의 [사명]은 코사카 마츠리가 죽은 원인을 찾는 것이다.

Handout

비밀

쇼크	없음

당신은 PC①~④ 중 누군가를 진심으로 좋아한다(오프닝 페이즈가 끝나기 전에 결정하여 GM에게 전한다).

그 때 마음속에 더욱 그(그녀)와 함께 있고 싶다고 생각하는 것은 문제가 있는 걸까?

당신의 [진정한 사명]은 상태가 이 [비밀]을 알기 전에 [애정]의 [감정]을 가지게 하는 것이다.

이 비밀은 스스로 밝힐 수는 없다.

Handout

이름	코사카 마츠리

사명

20세.

PC들과 자주 함께 노는 친구 중 한 명. 성격이 밝고 누구와도 사이좋게 지낼 수 있지만, 정말로 친한 친구는 얼마 없다.

당신은 꿈속에서 참혹하게 살해당했고, 현실 세계에서도 심장마비로 죽고 말았다.

당신의 [사명]은 없다. 아무것도 이룰 수 없다.

Handout

비밀

쇼크	PC①

당신은 PC①에게 강한 질투심을 품고 있다.

PC①에게 들키지 않도록 억지로 웃으며 참고 있지만……

당신의 저주를 가는 방법을 알았을 때, 살짝 심술궂은 생각이 드는 것 그 밝혀있다.

「나쿠오토 넘의 저주」의 핸드아웃이 공개된다.

이 비밀은 스스로 밝힐 수는 없다.

Handout

이름	전철을 타는 꿈

개요

이상한 전철에 타는 꿈. 괴담에 사이트에서는 「원몽」이라는 제목으로 투고된 이야기이다. 몇 가지 바리에이션이 있지만, 전철 안에서 살육이 벌어지는 와중에 주인공(화자)이 목숨만 겨우 아슬 탈출한다는 일련의 패턴이 있다.

Handout

비밀

쇼크	없음

당신은 환상경보.

여러 얼굴 속에서 갖은 종류의 현상을 정리하고 고절을 가미한 책 자서의 「꿈에 관한 도시전설」과 그 자서의 모르모 관한 도시전설과 모르모 시 밝힐 수 있있다.

「꿈에 관한 도시전설」과 「모르모트 시」 사토루의 핸드아웃이 공개된다.

이 비밀은 스스로 밝힐 수는 없다.

Handout

이름	나쿠오토 넘의 저주

개요

괴담에 사이트에서 자주 볼 수 있는 유명한 괴담.

푸른 펜으로 나쿠오토 넘, XX를 저주해 주세요」라고 적은 종이를 베개 밑에 두고 자면 상대를 저주할 수 있다고 한다.

댓글난에 「이건 위험하다」, 「실행하지 마세요. 진짜로」, 「아뻬한테 해볼까 죽여버렸어! 어째지?」 같은 댓글이 넘쳐 나는 것도 이미 정해진 패턴이다.

Handout

비밀

쇼크	전원

이 저주의 대상은 전철을 타는 꿈 꾼다.

그리고 그 꿈속에서 죽으면 현실에서도 죽는다.

투고된 다수의 댓글 중 일부는 무서 우리는 저주를 실행해버린 이들의 후회와 절망이 담긴 외침이다. 《미디어》로 공포발·전염한다.

이 비밀은 스스로 밝힐 수는 없다.

Handout

이름	코사카 에미리

사명

12세. 코사카 마츠리의 동생.

터놓이 전제로 마즈리는 당신을 매우 아꼈다.

애당초 나츠오도 님에게 부탁하여 그들을 저주한 것은 그 때문이있다.

마츠리가 죽어버린 지금은 그림이 그들을 저주한 것은 그 때문이있다.

당신의 [사명]은 천국에 간 마츠리 가 안심할 수 있도록 항상 웃으며 지내는 것이다.

Handout
비밀

쇼크 | 절연

마츠리가 학교 친구들의 동생. 터놓이 전제로 마츠리를 빼앗겼다고 생각 할 때마다 「연니」를 빼앗기는 당신을 했다.

당신의 [사명]은 천국에 간 마츠리 가 안심할 수 있도록 항상 웃으며 지내 는 것이다.

마츠리의 곁에 있어야 마츠리가 기뻐 하리란 생각한다.

당신의 [진정한 사명]은 마츠리를 외롭지 않게 하는 것이다.

이 비밀을 스스로 밝힐 수는 없다.

Handout

이름	꿈에 관한 도시전설

개요

인터넷의 괴담이나 소문을 모아서 정리한 마이너 도시전설 해설집.

단순히 이야기를 수집하기만 한 것 이 아니라, 독자적인 해석이나 마음이 굉장 히 있다.

그들에 가까운 가설까지 제시해서 굉장 히 있다.

중고서점에서 가끔 선값에 팔린다.

Handout
비밀

쇼크 | 없음

「인몽」과 「나츠오도 님」의 관계에 관 해 언급되어 있다. 「인몽」에서 벗어나기 위해서는 아래의 방법을 실행해야 한다.

「나츠오도 님, 나를 저주하는 XX를 저주 주세요」라는 문면으로 「나츠오도 님」 지 주를 실행.

·자신과 상대가 원혼을 품을 때, 상대보다 빨 리 죽으면.

·이때, 진 쪽은 절대로 인몽에서 벗어날 수 없다.

Handout

이름	모로보시 사토루

사명

40세.

PC들이 다니는 대학교의 민속학 교 수. 작가도 겸한다.

작가라고는 해도 내는 책마다 모조 리 헛소리 취급이라 성공할 전망은 전 혀 없다.

왜 아직도 작가를 자칭하는지는 본 인 말고도 모른다.

당신의 [사명]은 작가로서 여러 사 람을 즐겁게 하는 것이다.

Handout
비밀

쇼크 | 없음

당신이 수집한 도시전설 중에 인몽 도 포함되어 있다.

당신은 인몽에서 도망치는 법을 안 다. 인몽 속에서 나타난 낭자의 1인 전투 를 하여, 지원행동으로 도망치는 방 법을 확인할 때, 정면으로 성 공하면 꿈에서 도망칠 수 있다. (꿈)

일단 빠져나올 수만 있다면, 다시 지 옥한 꿈속에는 수만 있다면, 다시 지 옥한 빠져나는 한 안전을 확보할 수 있다.

Handout

이름	인몽에 나타나는 낭쟁이

개요

인몽 속에서 조킹을 하면 이 핸드아 웃을 공개한다.

전철의 뒤쪽 차량에서 수도 없이 나 타나는, 나팀나팀한 전을 걸친 신장 1m 정도의 낭쟁이. 비료로메 된 기구 를 사람에 희생자들을 참혹하게 죽인 다.

무수히 존재하는 것처럼 보이지만, 사실은 그 자체가 이미지화된 「죽음」 이다. 군체처럼 단독의 의사로 행동한 다.

Handout
비밀

쇼크 | 없음

전투 시의 데이터는 「죽음」의 운명 (「인세인」p262)을 사용한다.

플레이어가 바인더라면 규칙적인 데 이털 공개한다.

또, 꿈속에서 [생명력]을 최대치까지 회복 할 수 있다.

군체로 [생명력]이 0이 되면 전투에서 이 에너미에게 승리할 수 는 없다.

이 비밀을 스스로 밝힐 수는 없다.

23

Haunted House

유령저택의 괴이

각자의 사정으로 방문하게 된 해변의 양옥.
메이지 시대에 지어졌다는 이 저택에는 정체 모를 무언가가 숨어 있었다.

타입: 협력형
리미트: 3
플레이어 수: 4명
프라이즈: 희구본(稀覯本)

시나리오의 무대

이 시나리오는 「사실은 무서운 현대 일본」 세팅을 사용합니다. 장면표는 「유령저택 장면표」를 사용합니다. 「바다가 보이는 양옥」이 있을 만한 장소라면 장소나 연대를 바꿔도 됩니다. 저택은 하얀 벽의 2층짜리 목조 건물로, 지붕의 기와 위에는 녹슨 수탉 모양의 풍향계가 있습니다. 메이지 시대에 지어졌는데, 당시에는 최신 유행과 양식을 적용한 사치스러운 건물이었지만 지금은 다 낡아서 초라할 뿐입니다.

배경

대뜸 PC①의 손에 굴러 들어온 우량 물건, 「바다가 보이는 양옥」은 그 지방에서도 유명한 유령저택입니다. 그곳에는 사람을 잡아먹는 괴물이 숨어 있습니다. 저택의 관리인은 괴물에게 죽었으나, 주인(PC①의 선조)과 나눈 「유산을 맡는다」라는 약속을 지키기 위해 유령이 되었습니다.

광기

「사실은 무서운 현대 일본」의 【광기】를 모두 1장씩 준비하고, 거기에 더해 합계 16장이 될 때까지 『인세인』에 수록된 【광기】를 무작위로 선택합니다.

프라이즈

이 시나리오의 프라이즈는 저택의 주인이 남긴 「희구본(稀覯本)」입니다. 「유령저택 장면표」에서 서재에 도달하거나 PC④의 비밀을 조사할 때까지 핸드아웃은 비공개입니다. 핸드아웃 공개 후 조사판정에 성공하면 이 프라이즈를 입수합니다.

도입 페이즈

PC마다 도입 장면을 처리한 후, 각 플레이어에게 각자의 핸드아웃에 적힌 【사명】을 읽게 합니다. 장면 5는 마스터 장면입니다. PC 전원의 도입 장면입니다.

● 장면1 관리인과 열쇠

PC①의 도입입니다. 먼 친척의 소유였다는 낡은 양옥이 PC①에게 넘어옵니다. 정해진 일시에 찾아가면 저택 앞에서 관리인인 야치후사 스미레코가 맞이해 줍니다. 여기에서 GM은 스미레코의 핸드아웃을 공개합니다. 그녀는 놋쇠로 만든 고풍스러운 열쇠를 PC①에게 주고 저택을 안내합니다. 그런데 그녀가 어느샌가 모습을 감춰버립니다. GM은 스미레코의 핸드아웃을 다시 비공개로 되돌리고, 지금은 그녀에 관해 조사할 수 없다는 것을 알립니다.

● 장면2 도망자

PC③의 도입입니다. 추적자를 피해 양옥에 도착합니다. 문은 마치 유혹이라도 하듯이 열려 있습니다. 곧바로 PC②가 저택에 찾아오므로 어딘가에 몸을 숨겨야 합니다.

● 장면3 육지의 외딴섬

PC②의 도입입니다. PC③을 쫓아 양옥에 도착합니다. 경찰용 무전기나 핸드폰을 쓰려고 하면 이상하게도 저택 주변만 전파가 통하지 않는다는 것을 깨닫습니다. 문은 여전히 열려 있습니다.

● 장면4 불안한 날씨

PC④의 도입입니다. 양옥의 문이 열려 있고, 주위에는 생긴 지 얼마 안 된 발자국이 무수하게 남아 있습니다. 누가 먼저 저택에 숨어든 것입니다. PC④가 저택 안에 들어가면 누군가가 문을 닫고, 바깥에서 열쇠를 잠급니다.

● 장면5 괴물 등장

PC가 문에 주의를 기울이거나 저택에서 나가려고 하면 짐승이 우는 소리가 들립니다. 시커먼 그림자가 경이로운 괴력으로 문을 짓누르며 전원을 위협합니다. 「유령저택의 괴물」의 핸드아웃을 공개하고, 《협박》으로 공포판정을 하게 합니다. PC들은 괴물을 무찌르기 전에는 이 집에서 탈출할 수 없다는 것을 깨닫습니다.

메인 페이즈

이 시나리오에는 아래의 마스터 장면이 발생합니다.

● 이벤트 희구본

「유령저택 장면표」에서 처음으로 서재를 방문했을 때나 제3 사이클의 세 번째 장면이 되었을 때 발생합니다. 서재의 책상 서랍에 보관된 희구본은 호화로운 가죽 표지의 책으로, 고풍스러운 어조이긴 해도 일본어로 쓰여 있습니다. 「희구본」의 핸드아웃을 공개합니다.

● 이벤트 유령 여인

「유령저택 장면표」에서 처음으로 발코니를 방문했을 때나 제2 사이클이 시작할 때 발생합니다. 에이프런이 잘 어울리는 여성이 PC에게 상냥하게 미소를 짓는데, 자세히 보니 그녀의 몸이 투명합니다. 여성의 얼굴은 관리인인 스미레코와 닮았습니다. 「야치후사 스미레코」의 핸드아웃을 다시 공개하고, 그 장면에 등장한 PC는 《풍경》으로 공포판정을 합니다.

● 기어 오는 괴물

PC 전원이 등장합니다. 제1, 제2 사이클의 마지막에 유령저택의 괴물이 PC를 습격합니다. 괴이 분야에서 무작위로 특기를 선택해서 공포판정을 합니다.

데이터는 「행인(『인세인』p247)」을 사용하지만, 괴이의 외견은 랜덤표(『인세인』p254)를 사용합니다.

유령저택 장면표 (2D6)	
2	**다락방** 다락방으로 탈출할 수 있으리라 생각했는데, 거미집 사이에 녀석이 숨어 있었다! 폭력 분야에서 무작위로 특기를 선택하여 판정한다. 여기에 실패한 장면 플레이어는 【광기】를 1장 받는다.
3	**침실** 2층에는 몸을 눕힐 수 있는 침대가 있다. 다른 PC가 가진 【광기】에 대한 조사판정을 보조판정으로 할 수 있다. 또, 이 장면에서 회복판정을 하면 +1의 수정을 적용할 수 있다.
4	**발코니** 2층 발코니. 우아한 흔들의자에 앉은 젊은 여성의 몸은…… 자세히 보니 투명했다!
5	**계단** 1층과 2층을 연결하는, 완만한 커브를 그리는 호화로운 계단. 이런 높은 곳이라면 실내 전체를 파악할 수 있을 것 같다. 이 장면에서 조사판정을 하면 +1의 수정을 적용할 수 있다.
6	**복도** 방과 방을 연결하는 복도. 낡아빠진 문 너머에서는 도대체 무엇이 기다리고 있을까? 이 장면에서 【거처】에 대해 조사판정을 하면 +2의 수정을 적용할 수 있다.
7	**로비** 현관문에서 들어오면 바로 보이는, 넓은 1층 로비. 무작위로 특기를 선택해 판정에 성공하면 이 장면표를 다시 사용할 수 있다. 이때 주사위 눈에 ±1을 할 수 있다.
8	**오락실** 1층에 있는 커다란 방. 낡은 당구대, 마작이나 카드 게임을 위한 테이블도 있다. 이 장면에서 감정판정에 성공하면 「감정표」에서 1D6을 굴린 결과에 ±1을 할 수 있다.
9	**서재** 서재. 「지식」 분야에서 무작위로 특기를 선택하여 판정한다. 여기에 성공한 장면 플레이어는 【이성치】가 1점 회복한다. 하지만 실패하면 【광기】를 1장 받는다.
10	**샤워실** 녹슨 샤워 노즐에서 피가 방울져 떨어진다!? 「괴이」 분야에서 무작위로 특기를 선택하여 판정한다. 여기에 실패한 장면 플레이어는 【이성치】를 1점 잃는다.
11	**지하실** 와인 셀러는 매우 습하다. 「지각」 분야에서 무작위로 특기를 선택하여 판정한다. 여기에 성공한 장면 플레이어는 【생명력】을 1점 회복한다. 하지만 실패하면 【광기】를 1장 받는다.
12	**창고** 잡다한 도구가 처박힌 창고. 쓸 만한 건 없을까? 「기술」 분야에서 무작위로 특기를 선택해서 판정한다. 여기에 성공하면 누군가가 이미 사용한 아이템을 1개만 회복할 수 있다.

클라이맥스 페이즈

제3 사이클이 지나면 유령저택의 괴이와 직접 대결합니다. 괴물의 데이터는 「기어 다니는 것」을 사용합니다. 몹으로 「행인」이 넷 등장하는데, 메인 페이즈의 전투에서 괴물을 쓰러뜨렸다면 그 횟수만큼 수를 줄입니다.

유령저택의 괴물을 쓰러뜨리면 스미레코가 고개를 숙여 감사하면서 아침 안개 속에서 성불합니다. PC는 안심하고 양옥을 떠날 수 있습니다.

행인			위험도 1	속성 생물	생명력 4

호기심 지각　　특기 《구타》,《소리》,《교양》

어빌리티 【기본공격】 공격 《구타》
【감싸기】 서포트 《소리》 IS p182

해설 사건에 휘말려 든 불행한 일반인입니다. 대부분은 괴이의 희생양이 됩니다. 살아남을 수 있다면 이 경험을 통해 괴이 세계의 주민으로 변모해 갈지도 모릅니다.

기어 다니는 것			위험도 6	속성 괴이	생명력 26

호기심 괴이　　특기 《파괴》,《소리》,《그늘》,《효율》,《혼돈》

어빌리티 【기본공격】 공격 《혼돈》
【난동】 공격 《파괴》 IS p180
【위험감지】 서포트 《소리》 IS p181
【짓뭉개기】 장비 이 캐릭터와 함께 버팅이 발생한 캐릭터는 추가로 1점의 대미지를 입는다.

해설 태고에 지구에 날아온 초월적 존재가 만든 봉사종족입니다. 평소에는 검고 거대한 아메바 같은 모습이지만, 모습을 마음대로 바꿀 수 있습니다.

핸드아웃

「야치후사 스미레코」는 도입 페이즈에서 공개되었다가 다시 비공개가 됩니다. 「유령저택의 괴물」은 도입 페이즈가 끝난 후에 공개합니다.
「이벤트　희구본」 후에 프라이즈 「희구본」을, 「이벤트　유령 여인」 후에 「야치후사 스미레코」를 각각 공개합니다.

Handout

Handout PC① (추천: 학자, 호사가 등)

이름 | **사명**

당신에게 「메다가 보이는 오래된 양옥」이라는 유산이 굴러들어왔다. 하지만 그곳은 그 지역에서 유명한 유령저택이었다.

당신의 【사명】은 이 양옥을 조사하여 여기 사람이 살 수 있는 장소인지 확인하는 것이다.

Handout PC② (추천: 경찰, 탐정)

이름 | **사명**

당신은 어느 사건의 범인을 쫓다가 우연히 「메다가 보이는 양옥」을 발견했다. 그곳은 이 지역에서 유명한 유령저택으로, 범인이 숨어있기에 딱 좋은 장소다.

당신의 【사명】은 양옥으로 도망친 도망자를 찾아내어 산 채로 밖에 데리고 나가는 것이다.

Handout 비밀

쇼크 없음

당신의 출신에는 알 수 없는 부분이 많다.
난데없이 굴러들어온 이 양옥을 조사하면 출생에 관한 단서를 얻을 수 있을지도 모른다.
당신의 【진정한 사명】은 「자신의 출생에 얽힌 비밀을 밝히는 것」이다.

Handout 비밀

쇼크 전원

당신에게는 우수한 부하가 있었는데, 이 유령저택에서 소식이 끊겼다. 그 이후 당신은 이 지역에 전속 주력이 있다고 믿게 되었다. 당신의 【진정한 사명】은 「메다가 보이는 양옥에 숨어 있는 유령의 정체를 밝히는 것」이다.

Handout

이름	PC③ (추천: 도둑, 보디가드, 갱)
사명	PC③과 성별이 다른 PC

당신은 이 「바다가 보이는 양옥」에 숨어드는 괴물에게 소중한 사람(성전으로 보이는 양옥에 도망쳐 들어온 지)을 살해당했다. 하지만 그곳은 이 지역에서 제일 유명한 유령저택이었다.

당신의 [진정한 사명]은 「이 집에 사는 괴물을 퇴치해 원수를 갚는 것」이다.

당신의 [사명]은 누구에게도 잡히지 않고 혼자서 되어서라도 살아남는 것이다.

Handout

쇼크 | PC③과 성별이 다른 PC
비밀

확보정보. 당신은 유령저택 안에 있는 어느 회구본을 찾고 있다. 그 값만 있으면 당신은 단숨에 유명인이 될 것이다.

당신의 [진정한 사명]은 저택에 숨겨진 프라이즈 「회구본」을 입수하는 것이다.

당신의 [비밀]이 공개되면 이후 장면표 9번의 「시체를 선택할 수 있다.

Handout

이름	PC④ (추천: 기자, 교수, 작가 등)
사명	

당신은 전부터 「바다가 보이는 양옥」을 조사했다. 이 지역에서 유명한 유령저택이라는 건 알고 있지만, 여기라면 틀림없이 세기의 대박건을 할 수 있으리라 믿는다.

당신의 [사명]은 유령저택을 조사해 그곳에 산다는 괴이의 정체를 밝히는 것이다.

Handout

쇼크 | 없음
비밀

독자정보. 당신은 유령저택 안에 나타나는 유령 괴이이며, 이 세상에 미련이 남아 성불하지 못하고 있다.

당신의 [진정한 사명]은 이 저택에 숨겨진 「회구본」을 입수하는 것이다.

당신의 [비밀]이 공개되면 이후 장면표 9번의 「시체를 선택할 수 있다.

Handout

이름	야지쿠사 스미레코
사명	

당신은 「바다가 보이는 양옥」의 열쇠를 관리인이다. 당신 때문에 그곳은 많은 괴물의 관리인이다. 이 지역에서 유명한 유령저택이었다.

당신의 [사명]은 양옥을 당신의 상속자인 PC①에게 넘겨주는 것이다.

Handout

쇼크 | PC② 이외의 전원
비밀

당신의 정체는 바로 이 유령저택에서 나타나는 유령 괴이이며, 이 세상에 미련이 남아 성불하지 못하고 있다.

당신의 [진정한 사명]은 괴이 견습을 받는 방화으로 상태의 양옥을 거주하는 것이다.

[진정한 사명]이 달성되면 당신은 PC①에게 넘겨주는 것이다.

Handout

이름	유령저택의 괴물
사명	

당신은 「바다가 보이는 양옥」에 숨어 있는 괴물이다. 당신 때문에 이곳이 이 지역에서 유명한 유령저택이 되었다.

당신의 [사명]은 유령저택의 괴이 단계 양옥에 들어오는 어리석은 인간들을 모조리 죽이는 것이다.

Handout

쇼크 | PC③ 이외의 전원
비밀

당신은 이 유령저택의 괴물이기 하지만, 유령이 아니다.

당신은 아주 먼 옛날 이 저택에 만들어진 잠이며, 그 결과 이 도시 출신으로, 「심해의 괴물이다.

당신은 이 저택에 도사린 「진짜 괴이」에게 남겨진 유령을 만들어내 세상에 미련을 남긴 인간 유령을 지긋지긋하게 여긴다.

PC①은 이 저택의 주인이고 그랬다.

Handout

장치	프라이즈 회구본
개요	

서세의 책상 서랍에 들어 있는 가죽 표지의 낡은 책. 양옥의 주인이 쓴 일기다.

이 프라이즈는 지식 또는 괴이 판정에서 임무로 선택한 특기로 조사판정을 하여 성공하면 입수할 수 있다. 프라이즈를 입수한 자는 이 프라이즈의 [비밀]을 확인할 수 있다.

Handout

쇼크 | PC①
비밀

읽기에는 양옥의 주인에 관한 내용이 적혀 있다.

이 저택 주인은 인스머스라는 항구도시 출신으로, 「심해의 주인」이라는 괴이와 관계가 깊다.

PC①은 이 저택의 유명한 후계자이며, 「심해의 괴물」이 있을 가능성이 크다.

이 [비밀]을 안 자는 《심해》로 공포판정을 해야 한다.

Reunion

한밤중의 동창회

고향에 돌아와 받은 한 장의 사진. 거기에는 어린 시절의 자신과 낯선 소녀가 찍혀 있었다. 같은 시각, 다른 친구들에게는 한밤중에 열리는 동창회의 안내문이 왔다……

타입: 특수형
리미트: 2
플레이어 수: 4명
프라이즈: 사진, 졸업 앨범

시나리오의 무대 ●●●●●●●

이 시나리오는 「사실은 무서운 현대 일본」 세팅을 사용합니다. 무대는 어느 지방 도시와 그곳의 초등학교입니다. 장면표는 「사실은 무서운 현대 일본 장면표」를 사용합니다. 이 시나리오는 클라이맥스 페이즈가 되기 전에는 사건의 핵심을 설명하지 않습니다. GM은 플레이어들에게 「정체 모를 꺼림칙함」을 즐기는 것이 취지임을 전달하고, 캐릭터를 만들 때 아래의 사항을 따르도록 지시합니다.

• PC의 나이는 20세
• PC는 모두 초등학교 시절의 동급생
• PC①의 성별은 여성

배경 ●●●●●●●

PC들은 초등학교 동창입니다. 초등학생 시절, PC들이 함께 놀고 있는데 어떤 소녀가 함께 놀자고 말을 겁니다. 그녀는 우연히도 PC①과 이름이 같았습니다. 여기에서는 일단 「①코」라고 부릅니다. 이름이 같은 것을 계기로 그녀는 PC들과 친해졌습니다. PC들은 숨바꼭질하면서 놀았는데, 도중에 ①코를 찾지 못한 채 해산했습니다. 그리고 PC들은 어느샌가 그 날의 일을 잊고 말았습니다.

그 소녀는 PC들과 같은 초등학교에 다니던 여자아이였습니다. 반이 달랐으므로 PC들은 ①코를 몰랐습니다. 사실 ①코는 술래잡기 도중 교사 계단 아래에 있는 비품 보관함에 숨어 있었습니다. 그런데 불행하게도 그 보관함은 평행세계와 연결된 문이었습니다. 가정에 문제가 있었던 ①코는 그 문을 통해 언뜻 보기에는 이 세상과 매우 흡사한 「저쪽 세계」로 가버렸습니다. 하지만 「저쪽 세계」는 무시무시한 세계였습니다. 그녀는 「저쪽 세계」에 붙잡혀 지식째로 「저쪽 세계의 주민」에게 먹히고 말았습니다.

그로부터 십수 년이 지나 PC들은 20세가 되었습니다. PC①이 방학이나 휴가를 맞이하여 친가에 돌아왔을 무렵, PC들에게 수수께끼의 사진이나 ①코가 보낸 동창회 초대장이 도착합니다(시기는 여름을 상정했지만, PC설정이나 세션 플레이 날짜에 맞춰 조정해도 됩니다). 하지만 사실 그것들은 「저쪽 세계」의 ①코가 보낸 것이었습니다. 초대장은 「저쪽 세계」의 ①코가 꾸민 음모였습니다. 「저쪽 세계」의 ①코는 「저쪽 세계」의 PC들을 거느리고 「①코와의 약속을 지키지 못한 후회」에 사로잡힌 PC①이나 「이 세계에 대한 불만」을 품은 PC②, ③, ④를 자신들의 세계로 끌고 갈 생각입니다. 그들은 ①코 때처럼 PC들을 잡아먹고 지식을 손에 넣어서 새로운 침식을 노리고 있는 것입니다.

광기

『인세인』과 『데드 루프』의 일반 【광기】, 「사실은 무서운 현대 일본」의 【광기】를 모두 1장씩 준비합니다. 그리고 그것을 섞어서 덱이 16장이 될 때까지 무작위로 걸어냅니다.

도입 페이즈

이 시나리오의 도입 페이즈는 아래와 같습니다.

● 장면1

이 장면은 마스터 장면입니다. PC①이 등장합니다.

어느 날, 고향에 돌아온 PC①이 편지를 받습니다. 봉투 안에는 한 장의 사진이 들어 있습니다. 사진에는 어린 시절의 PC①과 생소한 여자아이가 찍혀 있습니다. GM은 「사진」의 핸드아웃을 공개합니다.

PC①은 그 사진을 보자 터무니없이 두려운 기분이 듭니다. PC①은 《놀람》으로 공포판정을 합니다. 그 후, PC①이 가진 핸드폰과 자택의 전화가 동시에 울리며 이 장면은 끝납니다.

● 장면2

이 장면은 마스터 장면입니다. PC 전원이 등장합니다.

장면1에서 울린 전화는 다른 PC가 건 것이었습니다. PC②, ③, ④에게 PC①의 이름으로 아래와 같은 편지가 왔던 것입니다.

「동창회 공지 ●월 ×일, 밤 9시, 초등학교에 모입시다. 그때처럼 다 함께 놀아요. ①코 (마지막으로 PC①의 이름이 히라가나로 서명되어 있다)」

PC들은 이 일에 관해 자세한 이야기를 나누고자 오랜만에 PC①의 자택 근처에 있는 패밀리 레스토랑에 모입니다. 하지만 PC①은 동창회를 하자는 편지를 보낸 기억이 없고, PC②, ③, ④도 사진 속의 소녀를 본 기억이 없습니다.

편지에 적힌 「●월 ×일」은 3일 후입니다. 오랜만에 만나 이야기를 나누는 사이에 그리운 기분이 든 PC들은 이 사건을 조사해보기로 합니다.

메인 페이즈

메인 페이즈가 시작하면 GM은 「니야마 초등학교」의 핸드아웃을 공개하고, PC②에게 「졸업 앨범」 프라이즈를 건넵니다.

또, 이 시나리오에는 아래의 마스터 장면이 발생합니다.

● 부르는 소리

제2 사이클이 시작할 때 삽입합니다.

PC들이 모두 있을 때 한 명의 여성이 나타납니다. 그 여성은 사진 속의 소녀가 어른이 된 것 같은 모습입니다. 소녀는 PC①에게 「약속

했지? 어른이 되었으니 맞이하러 왔어. 언제? 넌 지금 행복하니?」라고 말합니다. 《꿈》으로 공포판정을 합니다. PC①에게는 -1의 수정이 적용됩니다.

여성의 모습은 어느새 사라집니다.

● 니야마 초등학교

PC 중 누군가가 니야마 초등학교에 가기로 하면 장면에 삽입합니다. 학교에 간 PC들 전원이 장면에 등장합니다. 우선 이 마스터 장면을 처리하고, 그 후에 해당 PC의 장면을 처리합니다. PC들이 학교에 가면 시각은 저녁이 됩니다. 초등학생들이 숨바꼭질하고 있습니다. 이때 PC들은 그때도 사진 속 소녀와 함께 숨바꼭질했다는 것을 떠올립니다. 그리고 지금 숨바꼭질하는 아이들 사이에서 사진 속 소녀를 본 것 같은 기분이 듭니다. 이 장면에 등장한 PC는 《놀람》으로 공포판정을 합니다. 숨바꼭질하던 아이들은 그런 PC들을 보고 간드러진 소리를 지르며 도망칩니다. 《소리》로 판정을 합니다. 성공하면 아이들이 「새빨간 사람이다~~~~」라고 말하면서 도망치는 것을 알아차립니다.

● 히라마츠 가

PC 중 누군가가 히라마츠 가에 가기로 하면 삽입합니다. 히라마츠 가에 간 PC들 전원이 장면에 등장합니다. 우선 이 마스터 장면을 처리하고, 그 후에 해당 PC의 장면을 처리합니다.

처음으로 히라마츠 가를 방문했다면 일단 히라마츠 가를 묘사합니다. 히라마츠 가는 야쿠시(藥師)산 산기슭의 주택가에 있는 2층짜리 단독 주택입니다. 현관의 벨을 누르면 장년의 남성이 나타납니다. 그는 사진 속 소녀의 부친, 히라마츠 켄사쿠입니다. PC들이 소녀와 동급생이라고 이야기하면 그는 상냥하게 웃고는, 「미안하다. (PC①의 이름)는 잠깐 나갔는데, 곧 돌아올 테니 방

에서 기다리렴.」이라고 말하며 PC들을 2층의 방으로 안내합니다. 방 안은 옛날의 어린이 방 같은 상태입니다. 작은 공부용 책상, 귀여운 색조의 아동용 침대, PC들이 초등학생이었을 때 인기 있었던 만화나 애니메이션의 캐릭터 상품 등이 빛이 바랜 상태로 장식되어 있습니다. 십수 년 전부터 이 상태를 유지한 것 같습니다. 어느새 PC들의 등 뒤에 서 있던 부친이 「(PC①의 이름)는 곧 올 거다. 곧…….」이라고 무표정한 얼굴로 혼잣말을 하듯이 중얼거립니다. 이 장면에 등장한 PC는 《시간》으로 공포판정을 합니다. 그 후, PC들이 히라마츠 가를 나오면 2층의 그 방에서 부친이 PC들의 뒷모습을 가만히 바라보고 있다는 것을 알 수 있습니다.

히라마츠 가를 두 번째 방문하면 히라마츠 켄사쿠는 PC들에게 「(PC①의 이름)를 내놔!」라고 말하며 덤벼듭니다. 전투합니다. 전투가 끝나면 승패와 관계없이 들이닥친 경찰들이 켄사쿠를 폭행죄로 연행합니다.

● 의뢰

야마모토 미도리의 【비밀】을 획득한 PC가 그녀를 만나러 가기로 하면 삽입합니다.

PC들이 사정을 알고 있음을 깨달은 그녀는 자신의 고민을 털어놓습니다. PC가 동정적인 태도를 보이면 「이야기를 들어줘서 고맙구나. 작은 마을이라 아무한테도 상담하지 못해서 괴로웠어.」라며 그 PC에게 고마워합니다. 그리고 PC에게 「딸이 사실은 어떻게 된 건지 진상을 조사해주지 않겠니?」라고 의뢰합니다. 이 의뢰를 받은 PC는 자신이 본래 가진 【사명】과 새로 받은 【사명】을 모두 달성해야 【사명】 달성의 공적점을 획득할 수 있습니다 (둘 중 하나밖에 달성하지 못하면 【사명】 달성의 공적점을 획득할 수 없습니다). 그 경우, 보너스로 2점

의 공적점을 추가로 획득할 수 있습니다.

● 그 날의 추억1

PC 중 누군가가 「행방불명」의 【비밀】을 획득했을 때 삽입합니다. 당시에 관한 PC①의 기억입니다.

그 날, PC①과 사진 속의 소녀는 숨바꼭질 중에 같은 장소에 숨었던 적이 있습니다. 그때 사진 속의 소녀는 PC①에게 「새빨간 사람이라는 걸 알아?」라고 묻습니다.

「새빨간 사람이라는 건 다른 사람으로 둔갑하는 요괴야. 그렇게 인간으로 둔갑해서 나쁜 짓을 해.」

「우리 엄마 아빠는 새빨간 사람이야. 그래서 내가 힘들 때도 도와주지 않아. 나, 집에 가기 싫어.」

「그런데, 마음씨 고운 사람에겐 텐구가 찾아와서 행복한 『텐구의 나라』로 데려다준대. 진짜 우리 엄마 아빠도 거기에 있을 거야.」

소녀가 진지하게 이야기하는 것을 듣다가 PC①은 술래에게 잡히고 맙니다. 이미 날이 어두워졌지만, 소녀가 좀 더 숨바꼭질하고 싶다고 해서 마지막으로 한번 더 하기로 했습니다.

● 그 날의 추억2

마스터 장면 「그 날의 추억1」이 끝난 후, PC①이 「야마모토 미도리」의 【비밀】을 획득하면 발생합니다 (이미 획득했다면 연속으로 발생합니다).

PC①의 앞에 그때의 소녀가 나타납니다. 소녀는 「기억났어?」라고 묻습니다. PC①의 뇌리에 아래와 같은 사건이 되살아납니다.

마지막 숨바꼭질에서는 PC①이 술래가 되었습니다. 그때 사진 속 소녀가 PC①에게 이렇게 말했습니다.

「저기, (PC①). 어른이 되면 나랑 같이 『텐구의 나라』에 가자. 나, 진짜 엄마랑 아빠를 만나고 싶어.」

PC①은 너무나도 진지한 소녀의 기세에 무심코 고개를 끄덕이고 말

았습니다.

「만세! 약속한 거다? 아, 그리고 혹시 둘 중 하나만 먼저 『텐구의 나라』에 간다면, 먼저 간 쪽이 나중에 마중 나오자!」

그 후, 마지막 숨바꼭질을 했지만, PC①은 결국 소녀를 찾을 수 없었습니다. PC들은 「아마 집에 돌아갔겠지…….」라고 생각하고 해산했습니다.

이 사실을 떠올린 PC①의 어느새 소녀의 모습이 사라진 것을 깨닫습니다.

● 포옹

PC 중 누군가가 처음으로 다른 누군가에 대해 플러스 【감정】을 획득하면, 그 후에 삽입합니다.

플러스 【감정】을 획득한 PC가 등장합니다. 그 PC의 앞에 【플러스】 감정의 상대가 나타납니다. 그리고 매우 요염한 태도로 PC를 끌어안으며 귓가에 무언가를 속삭입니다. 하지만 그 말은 지금까지 들은 적이 없는, 이 세상의 것이라고는 생각되지 않는 기묘한 언어입니다. 갑작스러운 상황에 놀란 PC는 어느새 새빨갛고 부드러운 무언가가 자신을 감싸고 있다는 것을 깨닫습니다. 그리고 왠지 「이대로 이 붉은 것과 하나가 되면 자신의 바람(【사명】)이 이루어진다」라는 기분이 듭니다. 해당 PC는 《관능》으로 공포판정을 합니다. 실패하면 획득한 플러스 【감정】이 사라집니다. 잠시 후, 그 PC는 눈을 뜹니다. 지금 그건 꿈이었을까요?

이 마스터 장면은 PC마다 한 번씩만 발생합니다.

조킹

• 편지에 적힌 주소는 어린 소녀의 것으로 보이는 동글동글한 글씨로 적혀 있습니다. 소인은 안 찍혀 있습니다.

• 니야마 초등학교에서 카메라를 찾고 싶다면 《그늘》로 판정합니다.

성공하면 계단 아래의 비품 보관함 구석에서 PC③이 초등학생 때 아꼈던 카메라를 발견합니다. 카메라 안에 필름은 없습니다. 이 카메라를 찾아낸 PC③은 당시의 꿈을 떠올리며 조금 더 노력해보기로 합니다. PC③의 【이성치】를 1점 회복합니다.

클라이맥스 페이즈

PC들은 밤의 초등학교에 모입니다. 밤 9시가 되면 제2 사이클이 시작할 때 등장한 소녀가 나타납니다. 여기에서는 이 여성을 편의상 「①코」라고 합니다.

①코는 PC들에게 『텐구의 나라』는 정말 좋은 곳이야. 시시한 다툼도 없고, 모두가 서로의 마음을 이해하지. 자, 저쪽 세상으로 가자.」라고 말합니다. 이 유혹은 현재에 불만을 품은 인물일수록 저항하기 어렵습니다.

PC들은 《인내》 판정을 합니다. 이 판정에 실패한 PC는 최면 상태가 되어 교사를 향해 비틀비틀 걸어갑니다. 판정에는 아래의 수정을 적용합니다.

• PC②, ③, ④는 【진정한 사명】을 달성하지 못했다면 -3의 수정을 적용한다(야마모토의 의뢰를 받았다면, 그 의뢰는 달성하지 않아도 된다).
• 마스터 장면 「포옹」에서 공포판정에 실패했다면 -1의 수정을 적용한다.
• 누군가에 대한 플러스 【감정】 1개당 +1의 수정을 적용한다.
• 마스터 장면 「그 날의 추억2」가 발생했다면 초등학교 시절의 ①코가 나타나서 「속으면 안 돼! 그건 내가 아니라 저쪽 세계의 나야!」라고 외친다. 이때 판정에 +1의 수정을 적용한다.

최면 상태가 된 PC를 막거나 ①코를 공격하려고 하면 어둠 속에서 PC들을 쏙 빼닮은 「무언가」가 나타납니다. 그들은 무표정한 얼굴로, 이 세상의 것이라고는 생각할 수 없

는 기묘한 언어를 구사해서 대화를 시도합니다. 이 언어를 처음으로 들은 PC는 《인류학》으로 공포판정을 합니다. 실패한 PC는 이 「무언가」가 평행세계의 자신들이라는 것을 직감합니다.

전투를 합니다.

최면 상태의 PC는 아무것도 할 수 없지만, 플롯은 합니다. 1점 이상의 대미지를 입으면 최면 상태가 풀려 정상적으로 행동할 수 있습니다.

①코와 「무언가」는 대미지를 입으면 몸이 안쪽부터 쩍 벌어지며 새빨간 인간형의 불가사리 같은 생물이 됩니다. 최면 상태가 아닌 PC는 새빨간 불가사리 형태의 생물을 목격하면 《혼돈》으로 공포판정을 합니다.

최면 상태인 PC는 어떤 행동도 할 수 없습니다.

제3라운드가 끝나거나, 「저쪽 세계의 주민」이 3명 이하(①코는 2명으로 칩니다)가 된 라운드가 끝나면 그들은 저쪽 세계로 돌아갑니다. 「저쪽 세계의 주민」이 귀환할 때 최면 상태인 PC가 있다면 그들 역시 「저쪽 세계」로 떠나고 맙니다. PC들이 모두 행동불능이 되었다면 PC 전원이 강제로 「저쪽 세계」로 끌려갑니다.

결말

마스터 장면 「그 날의 추억2」가 발생했다면 초등학생 시절의 ①코가 PC①의 앞에 나타나서 「미안해. 『텐구의 나라』는 행복한 곳이 아니었어.」라고 말합니다. 그리고 「기억해줘서 고마워.」라고 말하며 사라져버립니다. PC①은 그녀가 이미 이 세상 사람이 아니라는 것을 본능적으로 깨닫습니다.

만약 PC들이 「저쪽 세계」로 가지 않았다면 현실 세계에서 살아가야만 합니다. 그들의 이야기는 아직 계속됩니다. 그들의 미래를 짐작할 수 있도록 각자의 에필로그를 묘사합시다.

「저쪽 세계의 주민」이 PC들을 데리고 갔다면, PC들도 ①코처럼 그들에게 잡아먹힙니다. PC의 지식을 얻은 「저쪽 세계」의 PC들은 해당 PC의 주변 인물 중 「현재 상황에 불만이 있는 사람」의 앞에 나타나 그들을 「저쪽 세계」로 데리고 가려고 할 것입니다.

①코			위협도 3	속성 괴이	생명력 10

호기심 지각 특기 《촉감》, 《소리》, 《함정》, 《혼돈》
어빌리티 【기본공격】 공격 《혼돈》
【위험감지】 서포트 《촉감》 IS p181
【모방】 서포트 《혼돈》 지원행동. 드라마 장면에서도 사용할 수 있다. 목표 1명을 선택한다. 목표는 《혼돈》으로 판정한다. 판정이 실패하면 이 에너미는 목표가 습득한 임의의 특기와 어빌리티를 1개씩 습득할 수 있다. 이 효과는 누적되지 않으며, 그 장면 동안 지속한다.

해설 「저쪽 세계」의 ①코가 이쪽 세계의 ①코를 잡아먹고 그 지식을 흡수한 것. 진짜 모습은 새빨간 인간형의 불가사리 같은 생물.

무언가			위협도 1	속성 생물/괴이	생명력 4

호기심 지각 특기 《구타》, 《소리》, 《혼돈》
어빌리티 【기본공격】 공격 《구타》
【감싸기】 서포트 《소리》 IS p182

해설 「저쪽 세계」의 PC들. ①코와는 달리 이쪽 세계의 자신을 흡수하지는 못했으므로 이쪽 세계의 언어나 상식을 가지고 있지 않다.

Handout

이름	PC①
사명	

당신은 도시의 한 고교로 전학했다. 방학이 끝나기 전 어느 날, 기묘한 사진을 받았다. 그 사진에는 어릴 적 시설의 자신과 낯선 소녀가 찍혀 있다. 하지만 그것이 무엇인지 떠오르지 않는다.

당신의 [사명]은 이 소녀가 마음에 걸리는 기를 떠올리는 것이다.

쇼크: 없음

비밀

당신은 그 소녀의 사진전을 봤을 때 뭔가 엄청난 죄책감에 전율했다. 방학 모든 휴가를 맞이해 고향에 돌아왔다. 이 소녀와 무언가 약속을 했던가…… 그 소녀와 깨버린 것 같은 기분이 드나. 하지만 그것이 무엇이었는지 떠오르지 않는다.

당신의 [진정한 사명]은 소녀와의 약속을 지키는 것이다.

이 비밀을 스스로 밝힐 수는 없다.

Handout

이름	PC②
사명	

당신은 지방의 학교로 전학했다. 그런데 어느 날, 기묘한 편지를 받았다. 그 편지는 어린 시절의 친구인 PC①이 보낸 것처럼 조대장이었다.

당신의 [사명]은 이런 장난을 친 범인을 떠올리는 것이다.

쇼크: 없음

비밀

당신은 PC①을 좋아했다. PC①과의 경으로 대학에 가고 싶었지만, 집안 사정으로 인해 지방에서 전화했다. 그 상황에서 다는 만날 수 없다고 어린 PC①과 오랜만에 재회했다. 이 런 전개일으의 기원다. 이번만은 것은 무슨 일이 있어도 PC①과 친해지겠다고 마음먹고 있다. 당신의 [감정]은 PC①이 당신에 대한 블러스.

당신의 [진정한 사명]은 PC①이 가져오는 것이다.

이 비밀을 스스로 밝힐 수는 없다.

Handout

이름	PC③
사명	

부끄러워서 남들에게는 이야기하지 못하지만, 당신은 어린 시절부터 간직했던 꿈을 이루고자 이 마을을 떠나 도 교에서 일하고 있었다. 휴가를 맞이해 고 향에 돌아온 당신은 기묘한 편지를 받았다. 그 편지는 초등학교 중대장이 시 고향에 돌아온 당신은 초등학교 중대장이 친구가 보낸 장난을 친 범의.

당신의 [사명]은 이런 장난을 친 범인을 찾아내는 것이다.

쇼크: 없음

비밀

당신은 동경하던 카메라맨이 되었다. 단지 사정이 있어서 이 마을을 나 갈 수는 없다. 넘을 부러워할 수는 없다는 건 알고 있지만, 이 마을은 당 신은 확실히의 어린 시절의 당신이 찍 었다. 그리고 보면 어렸을 적에 아기 전이 카메라를 잃어버린 기억이 있 다. 당신의 [진정한 사명]으로 잃어진 카메라를 되찾는 것이다.

이 비밀을 스스로 밝힐 수는 없다.

Handout

이름	PC④
사명	

당신은 고등학교를 졸업한 후 지방에서 일하고 있었다. 그러던 어느 날, 기묘한 편지를 받았다. 그 편지는 초 등학교 시절의 친구인 PC①이 보낸 동창회 초대장이었다.

당신의 [사명]은 이런 장난을 친 범 인을 찾아내는 것이다.

Handout

비밀	PC①, ③

당신은 이 마을에서 사는 것에 지쳐서 언젠가는 이 마을을 나 갈 수 있다. 단 사정이 있어 이 마을을 나 갈 수는 없다. 넘을 부러워할 수는 없다는 건 알고 있지만, 이 마을을 받 을 수 있었던 PC①이나 ③에게는 복 잡한 감정을 품고 있다.

당신의 [진정한 사명]은 이 마을에 사는 사람에게 감사의 말을 듣는 것 이다.

쇼크: 없음

Handout

비밀	전원

편지 이 사진 속의 소녀는 학교에 서 어린분을 기다리고 있을 것 같 다. 각 장면이 끝날 때마다 플레이스 페 기억을 되찾을 수 있을 것이다. 편지에 적힌 시간에 초등학교에 가면 편지에 적힌 이 사진 속의 소녀는 학교에 서 어린분을 기다리고 있을 것 같 다. 각 장면이 끝날 때마다 플레이스 페 이지 기억을 되찾을 수 있을 것이다.

PC 전원이 이 [비밀]을 획득한 경 우, 각 장면이 끝날 때마다 플레이에 전원 이 비밀이 이 [비밀]을 플레이에스 페 이지 초등학교로 남아갈 수 있다.

이 비밀을 스스로 밝힐 수는 없다.

Handout

장치	포라이즈 사진
개요	

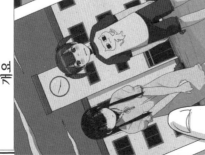

Handout — 프라이즈 졸업 앨범 (장치)

장치	프라이즈 졸업 앨범

개요

(PC들이 다니던 나야마 초등학교의 졸업 앨범. PC②가 가지고 있다. 여기 이 안에 사진 속의 소녀가 있을지도 모른다.
이 프라이즈의 [비밀]은 소유자가 조사하지 않으면 얻을 수 없다. 「히라마츠」 마 장면에서 남에게서 전달 가능.

비밀 — 쇼크 없음

황산정보. 아무래도 사진 속 소녀의 졸업 앨범. 이름은 히라마츠라고 하고 있다. 여기 이름은 우연히도 PC①과 같다. PC들과 같은 학년이지만 반이 달랐고, 5학년 때 전학을 갔다. 「히라마츠」가 키워드. 가까이 핸드아웃을 공개한다.

이 비밀을 스스로 밝힐 수는 없다.

Handout — 히라마츠 가 (장소)

장소	히라마츠 가

개요

사진 속 소녀의 집. 주소를 보니 아쿠사산 근처인 것 같은데……
이 [비밀]은 히라마츠 가를 무대로 하는 장면에서만 조사할 수 있다.

비밀 — 쇼크 없음

아무래도 사진 속의 소녀는 그녀가 5학년이 됐을 때 실종된 것 같다. 켄사쿠는 자기 딸이 살아 있다고, 이 집으로 돌아올 것이라고 믿고 있으며, 모친 폭은 현재 이 집을 떠난 것 아닐까? 「야마모토 미도리」의 핸드아웃을 공개한다.

이 비밀을 스스로 밝힐 수는 없다.

Handout — NPC 야마모토 미도리

이름	야마모토 미도리

사명

당신은 사진 속 소녀의 모친이다. 몇 년 전에 히라마츠와 이혼하여 지금은 마을 변두리에 살고 있다. 야마모토라는 제학생의 수가 적다. 당신의 [사명]은 과거를 잊는 것이다.

비밀 — 쇼크 전력

황산정보. 사진 속의 소녀는 무친에게 대답했다. 5학년이 됐을 때 실종된 딸 안의. 당신은 그것이 딸이 실종된 원인이 아닐까? 아예 이제면 남편이 딸을 죽여버린 건 아닐까? ……라고 의심하고 있다. 그래서 당신은 켄사쿠와 이혼하고 집을 나왔다.

이 비밀을 스스로 밝힐 수는 없다.

Handout — 나야마 초등학교 (장소)

장소	나야마 초등학교

개요

PC들이 다녔던 초등학교. 아쿠사산이라는 산을 조금 올라가면 나온다. 어린 세대의 감소로 인해 PC들이 다녔을 때보다 재학생의 수가 적다. PC들을 때보다 재학생의 선생님도 없다. 이 핸드아웃은 [비밀]은 나야마 초등학교를 무대로 한 장면에서만 조사할 수 있다.

비밀 — 쇼크 없음

황산정보. PC들은 초등학교 때 행방불명에 관한 소문이 돌았던 것을 떠올린다. 방과 후, 해 질 녘에 학교에 남으면 세월간 사람이 찾아와서 아이를 잡아간다는 이야기였다. 이 정보를 획득한 PC는 《풍경》으로 공포판정을 해야 한다. 「행방불명」의 핸드아웃을 공개한다.

이 비밀을 스스로 밝힐 수는 없다.

Handout — 행방불명 (전설)

전설	행방불명

개요

아쿠사산에는 어린 신령(일반적인 표현으로는 태야)을 모시는 「덴구 신사가 있으며, 덴구 때문에 사람의 행방불명된다는 전승이 남아 있다. 그 전승에서 「덴구의 숨바꼭질」이라는 놀이가 아이들에게 전해졌다는 설이 있다. 원래 이 지방에서는 숨바꼭질의 술래를 「덴구 님」이나 「세월간 사람」이라고 불렀다고 한다. 「행방불명」을 조사하려면 《미디어》나 《민속학》 특기로 판정을 해야 한다.

비밀 — 쇼크 없음

나야마 초등학교에서는 전부터 재학 중인 아동이 실종하는 사진이나 몇 건인가 일어났다. 각 사건에 관련성은 없는 것으로 보이지만, 실종된 아이들이 모두 가정에 문제가 있었으며, 실종되는 모 아이들이 실종 중에 나야마 초등학교에서 목격되었다는 소문도 있다.

이 비밀을 스스로 밝힐 수는 없다.

Gakjakgakjak
갉작갉작

행방불명된 친구를 찾기 위해 괴담의 현장을 찾았을 때, 새로운 공포는 시작되었다. 인터넷을 타고 무시무시한 소문이 점점 퍼진다.

타입: 협력형
리미트: 3
플레이어 수: 4명
프라이즈: 나무상자

시나리오의 무대

이 시나리오는 「사실은 무서운 현대 일본」 세팅을 사용합니다. 장면 표는 사용하지 않습니다.

시나리오는 사건 현장과 인터넷의 소셜 네트워크 서비스(SNS)상에서 전개됩니다. PC③과 PC④는 SNS를 통해 관여하므로 현장을 직접 방문하지는 못합니다. 현장의 상황은 PC①과 PC② 중 하나가 반드시 SNS에 투고하므로, 장면에 등장하는 데는 제한이 없습니다. 전투 장면에도 참가할 수는 있지만, 어떻게 연출할지 아이디어를 짜내긴 해야합니다. GM은 어지간하면 플레이어의 제안을 받아들이도록 합시다.

배경

PC들의 친구인 코이와이 카나데가 아르바이트를 마치고 집에 가다가 겪은 공포 체험을 SNS에 투고한 지 며칠 만에 행방불명이 되었습니다.

PC①은 코이와이 카나데의 행방을 찾으러 괴담의 현장인 숲으로 향합니다. 그 광경은 소위 말하는 실황 중계의 형태로 SNS에 투고되어 많은 사람이 보게 됩니다.

PC①은 함께 현장에 와준 PC②, SNS에서 도와주는 PC③, PC④와 함께 코이와이 카나데의 행방을 찾습니다.

광기

『인세인』에서 【의심암귀】, 【소외감】, 【거동수상】, 【도를 넘어선 마음】, 【절규】, 【괴물】, 【이질적인 언어】, 【어둠의 축복】을, 『데드 루프』에서 【왜 나만?】, 【일그러진 마음】, 【우행】, 【기묘한 욕구】, 【폭로】, 【짜증】, 【적이냐 아군이냐】를, 그리고 시나리오 전용 오리지널 【광기】인 【소실】을 각각 1장씩 준비합니다.

프라이즈

이 시나리오에는 「나무상자」라는 프라이즈가 등장합니다. 이 「나무상자」의 소유자가 피를 바치면 클라이맥스 페이즈가 됩니다. 피를 바치는 행동은 차례를 소비하지 않습니다. 또, 피를 바치지 않아도 제3 사이클이 끝난 후에는 클라이맥스 페이즈가 됩니다.

이 프라이즈를 획득한 소유자는 프라이즈의 【비밀】을 획득할 수 있습니다. 정보공유는 발생하지 않지만, 소유자가 아닌 PC가 프라이즈의 【비밀】을 조사할 수도 있습니다.

특수 규칙: 소문 확산도

이 시나리오에서는 드라마 장면이 시작할 때 2D6을 굴려서 나온 눈을 「소문 확산도」에 더합니다. 초기치는 0입니다.

이 수치가 80을 넘으면 소문과 함께 퍼지는 저주를 막을 수 없게 되어 배드엔드가 됩니다.

도입 페이즈

이 시나리오의 도입 페이즈는 아래와 같습니다.

● 장면1 괴담은 춤춘다

이 장면은 마스터 장면입니다. 코이와이 카나데가 SNS에서 자신이 체험한 내용을 투고하는 장면입니다.

「심야에 집에 오다가 들은 소리. 숲속에서 다가오는 그 소리.

어두운 숲속에서 본 그림자는 짐승이라기에는 너무 컸고 사람이라기에는 너무 이상했어.

그 자리를 서둘러 벗어났지만, 계속 그 소리가 들려 와.

기분 탓이야. 괜찮을 거야.」

화면에 문자가 표시되고 투고 버튼이 눌립니다. 그리고 그 글은 읽는 동안에도 인터넷에 퍼집니다.

● 장면2 현장에서 실황중계 합니다.

이 장면은 마스터 장면입니다. PC①을 등장시키고 코이와이 카나데가 행방불명이 되었다는 것을 알립니다.

코이와이 카나데는 SNS 계정 말고는 주소록이나 사진을 비롯한 모든 기록에서 완전히 사라지고 말았습니다. 이 사실을 깨달은 PC는 《암흑》으로 공포판정을 합니다.

PC①과 PC②는 코이와이 카나데의 행방을 찾기로 합니다.

PC③과 PC④는 SNS에서 게시물을 보며 참가하므로, GM은 반드시 PC①이나 PC②가 실황 개시를 선언하게 합시다.

여기에서 「코이와이 카나데」, 「확산하는 소문」의 핸드아웃을 공개하고 특수 규칙 「소문 확산도」를 설명합니다.

메인 페이즈

이 시나리오에서는 아래의 마스터 장면이 발생합니다.

● 장면1 소문은 거미집처럼

이 장면은 「확산하는 소문」과 전투를 할 때 발생합니다.

확산을 되풀이하며 점점 퍼지는 소문. 그것은 마치 악의를 가진 것처럼 PC들을 공격합니다.

장면에 등장한 PC는 《미디어》로 공포판정을 합니다.

또, 「확산하는 소문」은 아래의 에너미 데이터를 가집니다.

확산하는 소문
위협도: 4
속성: 괴이
생명력: 소문의 진행도
호기심: 정서

특기: 《소각》, 《원한》, 《미디어》, 《혼돈》, 《마술》
【기본공격】 공격 《소각》
【확산하는 소문】 공격 《미디어》 지원행동. 소문의 진행도를 2D6 늘린다.

이 에너미는 댐드로 간주한다.

※전투 시의 플롯은 무작위로 결정하며, 자기 차례에는 반드시 【확산하는 소문】을 사용한다.

● 장면2 Tightrope

이 장면은 제2 사이클이 끝날 때 발생합니다.

코이와이 카나데의 핸드아웃이 폐기됩니다. 이후 카나데에 대해 어떤 판정도 할 수 없습니다.

카나데의 【거처】를 획득한 PC는 카나데가 이 세상 어디에도 존재하지 않는다는 것을 알 수 있습니다.

이 장면이 발생하기 전에 카나데에 대한 【감정】을 획득한 PC가 있다면, 카나데의 존재가 가느다란 실 같은 인연을 통해 이 세계에 머무르고 있다는 것을 알 수 있습니다. 이 사건을 무사히 해결할 수 있다면 카나데는 아무 탈 없이 돌아올 것입니다.

조킹

• 코이와이 카나데의 게시물에 관해
체험담을 쓴 후에도 몇 가지 게시물을 남겼습니다.

「계속 그 소리가 들린다. 벗어날 수가 없어.」

「문자도 보내고 전화도 했는데 연락이 안 돼어떡해살려줘」

「창밖에서 누가 보고 있어. 무서워서 커튼을 못 치겠어.」

「살려줘.」

그리고 SNS의 문자 수 한도까지 「갉작갉작……」이라고 적은 것을 마지막으로 게시물은 끊겼습니다.

이런 종류의 도움을 청하는 게시물이나 문자를 본 기억은 전혀 없습니다.

《미디어》로 공포판정을 합니다.

클라이맥스 페이즈

「새끼 거미의 실 상자」에 피를 바치거나 제3 사이클이 끝나면 클라이맥스 페이즈가 됩니다.

「나무상자」 안쪽에서 「갑작갑작……」하고 단단한 것으로 힘껏 긁는 소리가 들립니다. 그 소리는 점점 커지더니 마침내 알에서 깨어나듯이 나무상자를 부수고 거대한 거미가 나타납니다. 이렇게 거대한 거미가 나무상자 안에 들어갈 리가 없건만…….

PC 전원은 《정리》로 공포판정을 합니다. 공포판정을 처리했다면 클라이맥스 페이즈의 전투가 시작합니다.

클라이맥스 페이즈는 PC 전원과 「거미 떼」, 「확산하는 소문」의 전투입니다. 이 전투에서 【생명력】이 0 이하가 되면 「거미 떼」에게 먹혀 사람들의 기억과 기록에서 완전히 소멸합니다.

「거미」를 무찌르면 전투는 끝납니다.

몹 관리 시트 — 집단명 거미 떼

지배자의 이름	위협도	속성	호기심과 특기	어빌리티 외
거미	5	생물/괴이	지각 《찌르기》《소리》《체육감》《미디어》《마술》《종말》	【기본공격】공격《찌르기》 【실 더듬기】장비《없음》 공격에 성공하면 대상이 【감정】을 가진 상대 모두를 동시에 공격한다. 명중판정은 한 번만 하고, 회피판정은 대상마다 따로 한다.
생명력 25				

우선순위	몹의 이름	위협도	속성	호기심과 특기	어빌리티 외
1	새끼 거미 A				
2	새끼 거미 B		생물/	지각	
3	새끼 거미 C	3	괴이	《전쟁》《추적》《효율》	【기본공격】공격《전쟁》
4	새끼 거미 D				
5	새끼 거미 E				

확산하는 소문
위협도 4　속성 괴이　생명력 소문의 진행도

호기심 정서　특기 《소각》, 《원한》, 《미디어》, 《혼돈》, 《마술》

어빌리티 【기본공격】 공격 《소각》
【확산하는 소문】 공격 《미디어》 지원행동. 소문의 진행도를 2D6 늘린다.

이 에너미는 댐드로 간주한다.
※전투 시의 플롯은 무작위로 결정하며, 자기 차례에는 반드시 【확산하는 소문】을 사용한다.

해설 인터넷을 통해 퍼지는 불길한 소문. 막아내기는 쉽지 않다.

핸드아웃

도입 페이즈의 「현장에서 실황중계 합니다」가 끝날 때 「코이와이 카나데」, 「확산하는 소문」을 공개한다. 「코이와이 카나데」의 【비밀】을 조사했다면 「귀갓길의 숲」, 「과거의 사건」을, 「귀갓길의 숲」의 【비밀】을 조사했다면 「긁힌 자국」을, 「과거의 사건」의 【비밀】을 조사했다면 「저주에 관한 소문」을 공개한다.

Handout

광기 소실
트리거 [광기]가 3장 현재화한다

당신은 소문에 숨겨진 저주로 인해 존재 자체가 소멸하고 만다.
이 광기가 현재화하면 당신은 이 시나리오의 엔딩 페이즈에서 누구의 기억에도, 기록에도 남지 않고 그저 소문에만 존재를 남기고 소멸한다.
이 [광기]를 조사한 PC는 [광기]를 무작위로 1장 현재화한다(없다면 [광기]를 1장 획득한다).
이 광기를 스스로 밝힐 수는 없다.

Handout

광기 소실
트리거 [광기]가 3장 현재화한다

당신은 소문에 숨겨진 저주로 인해 존재 자체가 소멸하고 만다.
이 광기가 현재화하면 당신은 이 시나리오의 엔딩 페이즈에서 누구의 기억에도, 기록에도 남지 않고 그저 소문에만 존재를 남기고 소멸한다.
이 [광기]를 조사한 PC는 [광기]를 무작위로 1장 현재화한다(없다면 [광기]를 1장 획득한다).
이 광기를 스스로 밝힐 수는 없다.

Handout 비밀

쇼크 | 전원

당신은 코이와이 카나데에게 이야기를 들은 후, 청바에서 계속 누군가의 기척과 함께 체험함을 심야에 있었다. 그때는 심야라 텐션이 있던 탓에 늘 소리가 들리는 것을 깨달았다. 「그냥 기분탓이겠지」라고 여겼지만……

그로부터 며칠 후, 코이와이 카나데와 연락이 끊겼다. 무슨 일이 있었던 걸까?

당신의 [사명]은 코이와이 카나데의 안부를 확인하는 것이다.

이 비밀을 스스로 밝힐 수는 없다.

Handout

이름	PC①

사명

당신은 코이와이 카나데의 친구다.

당신은 코이와이 카나데가 심야에 귀가할 때 체험함 이야기를 들었다. 그때는 심야라 텐션이 있던 탓에 늘 소리가 들리는 것을 깨달았다. 하지만……

그로부터 며칠 후, 코이와이 카나데와 연락이 끊겼다. 무슨 일이 있었던 걸까?

당신의 [사명]은 코이와이 카나데의 안부를 확인하는 것이다.

Handout 비밀

쇼크 | PC①

당신은 PC①의 상상 속에만 존재하는 친구다. 언제 무슨 일이 일어나더라도 당신은 PC①의 친구다.

하지만 만약 PC①이 이 사실을 알면 어떻게 생각할까?

흔히 말하는 PC①이 안면 당신은 이 이 비밀을 조에서 PC①에게 이별을 고해야 한다.

이 비밀을 스스로 밝힐 수는 없다.

Handout

이름	PC②

사명

당신은 PC①의 친구다.

PC①은 최근 사라진 친구를 찾고 있다.

당신도 함께 논 적이 있다느니, 그런 기억은 없다.

흔히 말하는 '상상 속에만 존재하는 친구'일까? 지금까지의 PC①은 이런 적이 없었다.

당신의 [사명]은 친구로서 PC①을 지탱하는 것이다.

Handout 비밀

쇼크 | 없음

당신은 이전에 겪은 사건을 경험한 적이 있다.

그때는 당신의 주위에 소문이 퍼졌는데, 그 소문을 듣고 친구가 완전히 사라지고 말았다.

이 [감정]을 맞섰더라면……

당신의 [진정한 사람]은 이 사건을 해결하는 것이다.

이 비밀을 스스로 밝힐 수는 없다.

Handout

이름	PC③

사명

당신은 코이와이 카나데의 SNS 친구다.

요 며칠간 보이지 않았던 코이와이 카나데의 소식을 찾는 PC①의 메시지를 본 것은 단순한 우연이었다.

하지만 이렇게 인연이 닿았다면 당신에게도 뭔가 할 수 있는 일이 있을지 모른다.

그리고 무엇보다…… 이번 일도 재미있을 것 같다.

당신의 [사명]은 PC①과 어울려 볼 만을 지켜보는 것이다.

Handout 비밀

쇼크 | 전원

당신은 인간의 집착 무의식에서 발생한 정보 생명체다.

SNS라는 툴은 이미 당신 자신이란고 해도 과언이 아니다.

하지만 바로 당신기의 SNS를 사용해 악행을 저지르는 신참을 용서할 수 있다.

당신의 [진정한 사람]은 이 사건을 해결하는 것이다.

이 비밀을 스스로 밝힐 수는 없다.

Handout

이름	PC④

사명

당신은 코이와이 카나데의 SNS 친구다.

요 며칠간 보이지 않았던 코이와이 카나데의 소식을 찾는 PC①의 메시지를 본 것은 단순한 우연이었다.

하지만 이렇게 인연이 닿았다면 당신에게도 뭔가 할 수 있는 일이 있을지 모른다.

그리고 무엇보다…… 이번 일도 재미있을 것 같다.

당신의 [사명]은 PC①과 어울려 볼 만을 지켜보는 것이다.

시나리오를 만들어 보자 | 제 1 부록

핸드아웃

처음으로 「긁힌 자국」의 【비밀】을 획득한 PC는 프라이즈 「나무상자」를 획득한다. PC가 「나무상자」의 【비밀】을 획득하거나 「저주에 관한 소문」의 【비밀】을 획득하면 「새끼 거미의 실 상자」를 공개한다.

Handout

이름	코이와이 카나데

개요

PC①의 친구.

SNS에 자신이 경험한 공포 체험을 투고한 후 행방불명되고 말았다.

제2 사이클이 끝나면 이 핸드아웃은 읽을 수 있는지 알 수 없을 것이다.

「귀갓길의 숲」, 「긁거미 사진」의 핸드아웃을 공개한다.

또, 캐릭터 설정에 관해서는 PC①이 마음대로 결정한다.

Handout 비밀

소크: 없음

SNS의 투고를 확인하면 카나데의 행동을 정리할 수 있다.

투고의 계기가 된 체험은 어디드인지 알 수 있을 것이다.

이 비밀을 스스로 밝힐 수는 없다.

Handout

이름	화산하는 소문

개요

SNS에 퍼지는 소문.

코이와이 카나데가 행방불명되었으므로 소문의 시작점인 게시물을 지울 수는 없다.

이 소문의 확산도가 80이 되어버리면 이 시나리오는 배드엔드가 된다.

Handout 비밀

소크: 없음

【거짓】을 조사하면 소문을 하나 줄일 수 있다.

또, 이 전투에서 PC가 입은 대미지만큼 소문의 확산도를 감소할 수 있다.

또, 이 전투에서 승리하면 전과로서 소문의 확산도를 추가로 1D6 감소할 수 있다.

이 비밀을 스스로 밝힐 수는 없다.

Handout

장소	귀갓길의 숲

개요

코이와이 카나데의 귀갓길 도중에 있는 숲.

천연림이 아니라 누군가 심어 인공적으로 만든 것으로 보이는 정류림이다.

카나데의 체험담에 등장한 「숲」이 단 이곳일 것이다.

Handout 비밀

소크: 전원

실제로 찾아가 보니 숲이라기보다는 절벽 수준으로 경사가 심해서 도저히 사람이나 동물이 지날 수 있는 곳이 아니다.

썩은 나무의 그늘에서 신경 쓰이는 걸 발견한다.

이건 코이와서 새긴 문자 같은데……

「긁힌 자국」의 핸드아웃을 공개해.

이 비밀을 스스로 밝힐 수는 없다.

Handout

이름	긁힌 자국

개요

썩은 나무에 새겨진 자국.

정확하게는 알 수 없지만, 인간의 손톱으로 새긴 문자처럼 보인다.

Handout 비밀

소크: 전원

썩은 나무에 새겨진 자국은 아직 새긴 지 얼마 되지 않은 것이었다.

「용서해용서해용서해용서해용서해용서해용서해용서해용서해용서해용서해……」

《염원》으로 공포판정.

나무 밑동에 반쯤 묻힌 나무 상자를 발견한다.

프라이즈 「나무상자」를 획득한다.

이 비밀을 스스로 밝힐 수는 없다.

Handout

이름	프라이즈 나무 상자
개요	한 변이 10cm 정도의 정육면체 모양 상자. 안은 비어있는 것 같지만 열 수 없다. 상자 전체에 개미를 묘사한 것처럼 보이는 무늬가 새겨져 있다. 이 프라이즈의 소유자는 이 프라이즈의 [비밀]을 마음대로 획득할 수 있다.

Handout 비밀

쇼크 | 전원

이 나무상자는 「새끼 거미의 실 상자」라는 강력한 주술. 다가온 자에게 씌어, 자신의 이야기를 듣는 자가 나타날 때마다 차례로 실을 휘감으며 저주에 말아 넣어버린다. 「새끼 거미의 실 상자」의 핸드아웃을 공개한다.

스스로 밝힐 수는 없으며, 이 비밀을 다른 사람에게 알릴 수 있다.

Handout

이름	새끼 거미의 실 상자
개요	소문에 실을 쳐서 소문을 듣는 자를 무차별로 공격하는 주술. 이곳에 지금도 강한 원한을 품은 자가 있다는 걸까……? 주술 「새끼 거미의 실 상자」에 관한 정보를 조사하면 마지막 비밀을 알 수 있을지도 모른다.

Handout 비밀

쇼크 | 없음

「새끼 거미의 실 상자」에 프라이즈 「나무상자」를 소환한 자의 피를 바치면 이 거미와 싸워서 승리하면 이 거주를 소멸시킬 수 있다. 피는 한 방울 인간의 양이면 충분하다. 그 후, 5(대)가 나타나 [생명력]마다의 몸과 함께 거가 나타나 클라이맥스 페이즈가 된다.

스스로 밝힐 수는 없으며, 이 비밀을 다른 사람에게 알릴 수 있다.

Handout

이름	과거의 사건
개요	데이터화된 과거의 신문기사 따위를 이용하여, 가나데의 행동 범위에서 과거에 일어난 사건을 탐색할 수 있다.

Handout 비밀

쇼크 | 없음

호러 스케이프: 정보

20년 정도 전, 이 숲에 타살된 한 디자인의 시체가 실각하게 해순한 상태로 버려졌다. 밤에 손전지 못했고, 사건은 미궁에 빠졌다. 만약 유족이 남아있다면 그 원한은 어디로 향할까? 「저주에 관한 소문」의 핸드아웃을 공개한다.

스스로 밝힐 수는 없으며, 이 비밀을 다른 사람에게 알릴 수 있다.

Handout

이름	저주에 관한 소문
개요	오랜 문헌이나 도시 전설 속에 남아 있는 저주. 저주 중에는 희생자를 무차별로 늘리는 타입도 많다. 마구잡이로 늘어나는 희생자 중에 사진의 범인이 있기만을 바라며 설치된 함정이라면……

Handout 비밀

쇼크 | 전원

호러 스케이프: 정보

정보를 쫓던 신건한, 묘하게 진부한 정보를 받과 관계가 있어 보이는 저주의 정보를 발견했다. 저주에 말려들은 사람을 구하려면 강한 정신적 유대가 필요하다는데……. 「새끼 거미의 실 상자」의 핸드아웃을 공개한다.

스스로 밝힐 수는 없으며, 이 비밀을 다른 사람에게 알릴 수 있다.

Snow Emergency

폭설이 내리는 밤

기록적인 폭설이 내리는 밤, 눈이 들이친 다세대 주택의 주민들을 정체불명의 하얀 괴물이 습격한다. 정전으로 난방도 끊겨서 점점 추워진다. 어떻게든 아침까지 살아남아라!

타입: 협력형
리미트: 2
플레이어 수: 4명
프라이즈: 작은 토템

시나리오의 무대

이 시나리오는 「사실은 무서운 현대 일본」 세팅을 사용합니다. 주택가에 있는 다세대 주택이 무대입니다. 장면표는 「폭설이 내리는 밤 장면표」를 사용합니다.

배경

기록적인 폭설이 내리는 밤, PC들은 집에 갇혔습니다. 눈이 너무 많이 쌓여서 밖으로 탈출할 수도 없습니다. 정전으로 난방도 꺼진 상황에서 PC들은 하룻밤 동안 살아남기 위해 발버둥 칩니다. 이 폭설에는 어떤 초자연적인 괴이가 관여하고 있습니다. 폭설의 원인을 밝히고 괴이를 쫓아내지 못하면 눈에 파묻혀 두 번 다시 아침 해를 볼 수 없습니다.

광기

『인세인』에서 【의심암귀】, 【확산하는 공포】, 【거동수상】, 【패닉】, 【도를 넘어선 마음】, 【피에 대한 갈망】, 【절규】, 【현실도피】, 【어둠의 축복】, 【다중인격】, 【공포증】, 【실종】, 【폭력충동】을, 『데드 루프』에서 【우행】, 【짜증】, 【망향】을 각각 1장씩 준비합니다.

특수 규칙: 추위로 인한 대미지

메인 페이즈에서 장면이 시작할 때마다 모든 PC가 추위로 인한 대미지를 1점 입습니다. 장면 플레이어만이 아니라 모두 대미지를 입습니다.

단, 마스터 장면에서는 추위로 인한 대미지가 발생하지 않습니다.

도입 페이즈

이 시나리오의 도입 페이즈는 아래와 같습니다.

● 장면1   지독한 한파의 습래

이 장면은 마스터 장면입니다. PC①②③ 공통입니다.

PC①②③은 모두 도회의 주택가에 있는 원룸형 다세대 주택에 삽니다. 어느 겨울날, 이 거리는 기록적인 한파를 맞이합니다. 눈은 급속도로 쌓여 순식간에 거리를 뒤덮어 버립니다. 제설 설비를 갖추지 않은 도회 주택가에서는 대처할 방도가 없습니다. 우왕좌왕하며 창밖을 보니 차 한 대가 제설 되지 않은 길을 힘겹게 달려와서 건물 앞 주차장에 멈춥니다.

● 장면2   집주인 도착

이 장면은 마스터 장면입니다. PC④가 등장합니다.

PC④는 건물의 상태를 보러 온 집주인, 또는 관리인입니다. 차를 타고 어떻게든 건물 앞 주차장까지 오긴 했는데, 도로에 눈이 너무 많이 쌓여서 더는 차를 움직일 수 있는 상황이 아닙니다. 방금 막 지나온 길의 타이어 자국이 벌써 눈에 묻혔습니다.

차에서 내려 건물의 상태를 본 PC④는 말문이 막힙니다. 1층 안쪽의 102호실이 완전히 눈에 파묻혔기 때문입니다. 다른 집은 출입할 수 있지만, 102호실의 문 앞은 불어닥친 눈이 산처럼 쌓여 완전히 파묻혔습니다. 102호실의 주민은 코가하라라는 30대 남성인데, 부르거나 전화를 해도 반응이 없습니다.

102호실을 덮은 눈은 워낙 두꺼워서 도구가 없으면 손을 쓸 수 없습니다. PC④는 주민들의 집을 돌며 눈 치우는 삽 같은 것이 없는지 물어보지만 아무도 가지고 있지 않습니다.

그러고 있는 사이에 갑자기 건물의 조명이 모두 꺼집니다. 정전입니

다. 이 건물은 석유스토브 사용이 금지이므로 정전이 되면 난방도 끊깁니다. 다른 집도 정전인지 주위 일대가 쥐 죽은 듯이 조용해집니다.

눈이 너무 많이 쌓여서 PC들은 건물에 갇힌 상태입니다. 기온은 점점 내려가서 이대로는 동사해버릴 것입니다.

여기에서 참가자 4명에게 자기소개를 하게 하고, 핸드아웃의 【사명】을 읽습니다. 「지붕」, 「주차장」, 「앞쪽 길」, 「우편함」, 「102호실」의 핸드아웃을 공개합니다.

또, 『인세인』 부속 이름표를 사용해서 건물의 이름을 정해도 좋습니다. 장(莊), 하임, 메종 같은 단어를 붙이면 그럴싸합니다.

메인 페이즈

메인 페이즈가 시작할 때 「추위로 인한 대미지」 규칙을 설명합니다. 2사이클 구성 시나리오이므로 메인 페이즈가 끝날 즈음에는 전원 【생명력】에 8점의 대미지를 입게 됩니다. 즉, 【생명력】을 회복하는 수단(「진통제」)을 확보하거나 회복판정에 성공하지 못하면 얼어 죽습니다.

단, 규칙에 따라 메인 페이즈 동안은 【생명력】이 0이 되어 행동불능이 된 캐릭터가 각 장면이 시작할 때 자동으로 【생명력】을 1점 회복할 수 있으므로 즉사하지는 않습니다.

이 시나리오에서는 아래의 마스터 장면이 발생합니다.

● 102호실

「102호실」의 【비밀】이 공개된 타이밍에 시작하는 장면입니다.

PC들은 새하얗게 얼어붙은 102호실에 들어갑니다. 안은 냉장고처럼 온통 서리가 내렸습니다.

실내는 어수선한 상태이며, 침낭이나 휴대용 난로, 등산용 장비 같은 것이 눈에 띕니다. 책장에는 민속학 관련 서적이 많습니다. 코가하라는 보이지 않습니다.

열원(熱源)이 될 것을 찾는 등

의 선언으로 실내에서 조킹을 하면 1명당 1개씩 「진통제」를 손에 넣을 수 있습니다. 어디선가 이상하게 차가운 바람이 붑니다. 《소리》판정에 성공하면 희미한 신음이 들립니다. 바람 소리도, 신음도 벽장에서 들리는 것 같습니다. 「벽장」의 핸드아웃을 공개합니다.

● 클라이맥스 페이즈

제2 사이클이 끝나면 클라이맥스 페이즈가 됩니다.

이 시점에서 【생명력】이 0인 PC가 있다면 「진통제」나 「작은 토템」의 효과로 회복할 것인지 확인합니다. 【생명력】이 0이고 회복수단이 없다면 클라이맥스 페이즈에서 「사망」을 선택할 수 있습니다.

102호실에서 PC들이 추위에 떨고 있는데 바깥에서 발소리가 들립니다. 눈을 밟으며 걷는 누군가가 건물을 한 바퀴 돌다가 열린 문으로 들어옵니다. 새하얀 모습의, 커다란, 인간형의 무언가…… 이목구비의 균형이 이상하고, 화를 내는 것처럼 입을 벌린 그것은 백귀(白鬼)라고 표현할 수밖에 없는 괴물입니다.

백귀는 얼어붙은 실내에 다짜고짜 들어오더니 곡괭이를 들고 덤벼듭니다.

※건물 모식도

201호실 PC②	202호실 PC③
101호실 PC①	102호실 NPC (코가하라)

전투가 벌어집니다. 백귀의 데이터는 「살인마」(『인세인』p247)를 사용합니다. 전원의 【생명력】이 감소했을 것이므로 힘겨운 싸움이 될 것입니다.

백귀는 「작은 토템」을 회수하려고 합니다. 전투 중에 「작은 토템」을 백귀에게 돌려주려면 《관능》으로 판정합니다. 실패하면 토템을 돌려주는 것을 망설이다가 자동으로 백귀의 공격을 받고 맙니다.

백귀의 【생명력】을 0으로 만들거나 「작은 토템」을 돌려주면 백귀는 돌아서서 떠납니다. 문에서 엄청난 기세로 눈보라가 들이쳐 모든 것을 새하얗게 뒤덮고, PC들은 정신을 잃습니다. 클라이맥스 페이즈는 끝납니다.

그후

건물을 뒤흔드는 쿠릉…… 하는 소리에 PC들은 벌떡 일어납니다. 어느샌가 창밖은 밝아졌습니다. 눈은 그쳤고, 이미 해가 떠서 쌓인 눈을 녹이고 있습니다. 집집마다 지붕에서 살짝 녹은 눈이 요란한 소리를 내며 떨어져 내립니다.

코가하라의 시체는 벽장 안에 없습니다. 그곳에는 잘게 부서진 얼음 조각이 흩어져 있을 뿐입니다.

폭설이 내리는 밤 장면표 (2D6)	
2	갑자기 불이 들어온다. 전기가 복구되었나!? 무심코 환성을 질렀지만 그것도 잠시. 불은 다시 꺼져버렸다. 좋다 말았네…….
3	쿠르릉! 갑자기 굉음이 들려 깜짝 놀란다. 지붕의 눈이 바닥으로 무너져 내린 모양이다.
4	혹시 눈이 그쳤나 싶어 창밖을 본다. 기분 탓인지 아까보다 눈이 더 많이 내리는 것 같은데…….
5	라디오로 뉴스를 듣는다. 눈 때문인지 잡음이 심해서 알아듣기 힘들다.
6	눈이 얼마나 내리는지 확인하러 밖으로 나간다. 그런데 희미하게 눈을 밟는 발소리가 들린 것 같은데……?
7	창밖에서 시선을 느끼고 돌아본다. 펑펑 내리는 눈 한복판에서 누가 이쪽을 본다……?
8	갑자기 핸드폰이 울린다. 도대체 누구지?
9	하늘을 올려다본다. 새까만 하늘에서 눈이 펑펑 내린다. 점점 더 불안해진다…….
10	추위로 칼로리를 소비했는지 갑자기 견디기 힘든 공복을 느낀다. 뭔가 먹을 것이 있던가?
11	갑자기 구급차의 사이렌 소리가 들린다. 이 눈 속에서 차가 제대로 달릴 수 있을까?
12	꾸벅꾸벅 졸다가 퍼뜩 눈을 뜬다. 추워! 손발이 곱아서 뜻대로 움직이지 않는다. 혹시 지금 죽을 뻔한 건가?

백귀(白鬼)

			위협도 3	속성 생물	생명력 12

호기심 폭력	특기 《절단》,《매장》,《기쁨》,《죽음》

어빌리티 【기본공격】 공격 《절단》
　　　　【연격】 서포트 《절단》 IS p181
　　　　【장갑】 장비 IS p183

해설 인간형의 커다란 무언가. 호통을 치듯이 입을 크게 벌리고 있다.

핸드아웃

「지붕」,「주차창」,「앞쪽 길」,「우편함」,「102호실」을 도입 페이즈 마지막에 공개한다. 「지붕」의【비밀】이 공개되면「고양이」를 공개한다. 「102호실」의【비밀】이 공개되면「벽장」을 공개한다. 「벽장」의【비밀】이 공개되면「작은 토템」을 공개한다.

Handout

이름	PC①

사명

101호실의 주민.

당신은 북쪽 지방 출신이라, 눈이라면 이골이 났......지만, 그런 당신조차 이런 폭설은 처음 보는 차 위에 대체 내일이 어떻게 됐다. 이 굿은 폭설 대체 따라는 없도 도시. 이 대로는 정말로 위험하지 않을까? 하 다뭇해 제설용품 하나쯤은 있으면 좋 겠는데......

당신의【사명】은 이 밤 동안 살아남 는 것이다.

비밀

쇼크 | 전염

집에 전해지는 전승을 믿는다면...... 대사인지는 몰라도 당신은 조금이나 마 추위에 대한 내성이 있다. 당신의 【생명력】은 추위로 인한 대미지로 이 되지 않는다(최저라이도 1점은 남는 다). 단, 그 밖의 대미지는 정상적으 로 받는다. 한편, 당신은 집세를 계속 내지 못하고 있다. 여차건하면 집주 인을 만나기 싫지 않다......

이 비밀은 공개할 수는 없었다.

Handout

이름	PC②

사명

201호실의 주민.

눈 오는 시간에 공을 때 밖을 보니 잠시 통 이정해 하지만 들르는 것도 잠시. 눈이 엄청난 기세로 내려 바닥이 금방 마이고 많았다. 계단과 전기가 끊겨 점점 추워진다. 이거 축시 상당히 위 험한 상황?

당신의【사명】은 이 밤 동안 살아남 는 것이다.

비밀

쇼크 | 없음

당신은 몰래 고양이를 키우고 있 다. 애완동물 금지라서 들키지 않도 록 주의를 기울였는데, 처음 보는 이 폭설에 고양이가 방에서 죽어 버리 고 말 것이다. 당신의【진정한 사명】은 사랑진 고 양이를 찾아내는 것이다. 방 안의 애완동물용품을 두어지 말고 애완동물을 들이고 싶지 않다......

이 비밀은 공개할 수는 없었다.

Handout

이름	PC③

사명

202호실의 주민.

해가 진 후에야 일어나면서 바깥이 세하얗다. 집집의 지붕에도, 도로에 도, 전신에도 눈이 묵직하게 쌓인다. 이래서야 바깥에 나가는 건 무리다. 포기하고 한숨 더 자려는데 정전이 되 어 난방이 끊겼다. 이불에 들어가는 게 나을지도. ......이거 수 영의 죽음 것처럼 춥다.

당신의【사명】은 이 밤 동안 살아남 는 것이다.

비밀

쇼크 | PC④

이 건물 밖마다 아인가에서 들리는 소리 때문 에 잠이 부족하다. 방이 되면 중얼중얼 무럭대 는 소리가 드문드문 들린다. 방이 되면 종이 이 해, 하기만 들려주고 싶지 않아, 돌려주고 싶지 않아...... 계단까지 가 기에 위험한데, 이제야 이 건물에 누가 이상한 사람이 사는 게 아닌가? 당신의【진 정한 사명】은 수상한 저의 정체를 받하는 것이 다. 스트레스가 쌓인 나머지 벽에 구멍을 뚫고 바래서 집주인을 나머지 벽에 구멍을 뚫고......

이 비밀은 공개할 수는 없었다.

Handout

이름	PC④

사명

당신은 건물의 집주인(또는 관리인, 혹은 그 가족)이다. 폭설 때문에 걱정 이 되어 건물의 상태를 보러 왔느데, 눈이 너무 많이 내려서 돌아갈 수 없 게 되고 말았다. 눈을 양껏 맞아 보리 가 배든 차림으로 왔더니 당장에라도 얼 어 죽을 것 같다. 차도 못 움직인다. 조금 위험할지도 모르겠다.

당신의【사명】은 이 밤 동안 살아남 는 것이다.

비밀

쇼크 | 없음

당신은 이 건물의 주차장에서 고양 이를 밝견해서 주차장에서 고양 다. 이 건물들에서 애완동물 금지이 므로 주인들에게도 비밀이지만...... 오늘 생채를 보러 갔으도 가도 사람은 그 않아 가 격정되 있기 때문으로 지도 말 것이 당신의 임에 죽고 말 것이다. 이렇게 추우면 당신의【진정한 사명】은 고양이 의 무사를 확인하는 것이다.

이 비밀은 공개할 수는 없었다.

Handout

장소	우편함

개요

계단 아래의 집합 우편함에서 102호실의 우편함이 당장에라도 넘칠 것 같다.

전단과 청구서 다발 사이에서 누런 봉투가 보인다.

수신인 불명의 소인이 찍혔다.

Handout

비밀

쇼크	없음

이름이 번져서 수신인을 알 수 없는 봉투 안에는 고가하라가 쓴 편지가 들어 있다. 군데군데 젖어서 읽기가 어렵다. 「들은 대로…… 했지만, 효과가…… 점점 가까워져…… 그 토템… 일기 예보에서…… 불안합니다. 빨리 답장을……」 편지내용 아래에는 화를 내는 얼굴 그림이 그려져 있는데, 이목구비의 밸런스가 이상해서 묘하게 기분 나쁘다.《노여움》으로 공포판정.

이 비밀을 스스로 밝힐 수는 없다.

Handout

이름	고양이

개요

눈 속에서 앉아 있던 고양이. 쏟아지는 눈 너머를 가만히 보고 있는 것 같은데……?

Handout

비밀

쇼크	이 장면에 등장한 PC

이 【비밀】을 조사한 PC는 「진통제」를 1개 획득한다(고양이의 체온으로 몸이 녹았다).

고양이의 시선을 따라가 보면…….

눈 저편에서 뭔가가 움직인다.

희미하게 보이는… 하얀, 사람? 아니, 좀 더 크다……. 키가 크다……. 뭐지, 저건?

《인류학》으로 공포판정.

이 비밀을 스스로 밝힐 수는 없다.

Handout

장소	주차장

개요

건물 앞 주차장에는 PC④가 타고 온 자동차가 있는데, 그 사이에 눈에 파묻혔다. 비정상적인 강설량이다.

차 안에 뭔가 도움이 될 만한 것은 없을까?

Handout

비밀

쇼크	전원

이 【비밀】의 내용을 본 모든 PC는 1명당 1개씩 「부적」, 「무기」, 「진통제」 중에서 임의의 아이템을 손에 넣을 수 있다.

차 안에서 문득 고개를 들어보니 앞 유리에 쌓인 눈에 터무니없이 커다란 손자국이 있다. 인간의 손자국이 아니다!《촉감》으로 공포판정.

이 비밀을 스스로 밝힐 수는 없다.

Handout

장소	지붕

개요

건물 옥상에는 이미 눈이 산더미처럼 쌓여 있다.

눈의 무게로 건물이 삐걱거리는 소리가 난다. ……괜찮을까?

올라가서 확인을 해보는 게 좋을 것 같다.

Handout

비밀

쇼크	전원

확산정보. 고생 끝에 지붕 위에 올라간다. 눈은 무릎 높이까지 쌓였다. 발밑에서 지붕이 불길한 소리를 낸다. 이대로 눈이 계속 내리면 건물이 붕괴할 것이다.《파괴》로 공포판정.

언뜻 보니 지붕에 쌓인 눈 꼭대기에 고양이가 앉아있다. 추위 속에서 가만히 아래를 내려다보고 있는데, PC가 가까이 가면 다가온다.

「고양이」의 핸드아웃을 공개한다.

이 비밀을 스스로 밝힐 수는 없다.

Handout — 쇼크 / 없음 (비밀)

판정을 할 수 있게 된다.

「102호실」의 [비밀]에 대해 조사

이 비밀을 스스로 밝힐 수는 없다.

Handout

장소	앞쪽 길

개요

눈도 못 지나갈 정도다. 자세히 살펴 보니 뭔가 가늘고 긴 것이 눈 밑에서 튀어 나와 있는 것 같은데…….

겨우 도로까지 나왔다. 눈에 묻힌 가늘고 긴 길의 정체는…… 철제 삼이 히리 높이까지 쌓인 눈을 치우면서

Handout — 쇼크 / 진열 (비밀)

확산정보.

눈을 치우고 겉옷으로 지물실을 연다. 안은…… 하얗다. 온통 하얗다. 바닥도 천장도 모두, 시야가 내린 냉장고처럼 얼어붙어있었다. 《물러회》으로 공포판정.

이 비밀을 스스로 밝힐 수는 없다.

Handout

장소	102호실

개요

코가하라의 집은 문이고 창이고 한전히 눈에 파묻혔다. 사람의 손으로는 어찌할 도리가 없을 정도다. 뭔가 적절한 도구를 손에 넣을 때까 지는 이 핸드아웃에 대해 조사판정을 할 수 없다.

Handout — 쇼크 / 진열 (비밀)

확산정보.

박장을 열자 옷을 전부 깨입으니 몸이 구름을 감싸 안고 있다. 크기하 랑게, 얼굴을 들여다보니…… 안전히 막소해진다. 그의 앞에는 작은 들림 이리가 덩그러니 놓여 있다. 《죽음》으로 공포판정.

'작은 토템'의 핸드아웃을 공개한다.

이 비밀을 스스로 밝힐 수는 없다.

Handout

장소	벽장

개요

열어붙은 방 안에서도 특히 벽장에 서 엄청난 냉기가 느껴진다. 저 안에는 도대체 무엇이……?

Handout — 쇼크 / 없음 (비밀)

귀를 가까이 가져가니 속삭이는 소 리가 들린다. 무슨 말을 하는 건지 모르겠지만, 신기하게 마음이 평하다…… 몸이 따스해진다…… 계속 곁에 두고 싶 다……손에서 놓고 싶지 않다……

[이성치]를 1 감소할 때마다 [생명 력]을 1 회복할 수 있다

이 비밀을 스스로 밝힐 수는 없다.

Handout

이름	프라이즈 작은 토템

개요

코가하라가 가지고 있던 하얀 돌. 마모된 표면의 메인 부분은 보기에 마 다시는 화를 내는 얼굴처럼 보인다. 어디선가 본 것 같은데……?

Tunnel

터널

아무리 기다려도 버스는 오지 않고, 날은 점점 저물어 간다. 버스 정거장의 등산객들은 안 쓰는 도로를 따라 산에서 내려가기로 한다. 그들의 앞에 어두운 터널이 나타난다……

타입: 특수형
리미트: 3
플레이어 수: 3명
프라이즈: 가죽가방, 수첩

시나리오의 무대

이 시나리오는 「사실은 무서운 현대 일본」 세팅을 사용합니다. 장면 표는 「터널 장면표」를 사용합니다.

배경

등산을 하고 돌아오는 길. 아무리 기다려도 오지 않는 버스에 지친 PC들은 옛 도로의 터널로 향합니다. 하지만 터널 안에는 원령들이 기다리고 있었습니다.

도입 페이즈

이 시나리오의 도입 페이즈는 모든 PC 공통입니다.

● 장면1 버스 정거장에서

이 장면은 마스터 장면입니다. PC들은 로쿠분기(六分儀)산의 산속 정거장에서 버스를 기다리고 있습니다. 해는 저물기 시작하고, 주위에는 조명도 없습니다. 그런데 아무리 기다려도 버스가 올 기미는 보이지 않습니다. 그때 누군가가 제안합니다. 「예전에 쓰이던 도로 쪽에 터널이 있었어. 거기를 걸어서 내려가면 빨리 내려갈 수 있지 않을까?」라고. PC들은 터널로 향합니다.

이윽고 눈앞에 어둑어둑한 터널의 입구가 모습을 드러냅니다. PC들은 그 안으로 들어갑니다.

핸드아웃 「터널」, 「벽의 낙서」, 「도로」를 공개합니다. 도입 페이즈는 끝납니다.

메인 페이즈

이 시나리오에서는 아래의 마스터 장면이 발생합니다.

● 기척

제1 사이클이 끝난 타이밍에 발생합니다. PC 전원이 등장하는 장면입니다.

터널 안으로 들어가면 주위에서 기분 나쁜 시선이 느껴지고, 어디선가 이야기 소리가 들려오는 기분이 듭니다.

핸드아웃 「기분 나쁜 시선」을 공개합니다.

● 머리카락

제2 사이클이 끝난 타이밍에 발생합니다. PC 전원이 등장하는 장면입니다.

PC들이 계속해서 터널 안쪽으로 들어가면, 걸을 때마다 점점 답답해지는 것을 느낍니다. 이윽고 무언가가 휘감긴 것처럼 발걸음이 무거워집니다. 아니……. 아닙니다. 정말로 무언가가 발을 옭아맸습니다. 내려다보니 여성의 긴 머리카락이 잔뜩 엉켜 있습니다. PC 전원은 《포박》으로 공포판정을 합니다.

● 기어 다니는 여자

핸드아웃 「배후의 기척」의 【비밀】이 공개되면 전투가 발생합니다. 「기어 다니는 여자」 둘과 전투를 합니다. 「기어 다니는 여자」의 데이터는 「걸어 다니는 시체」(『인세인』 p249)를 사용합니다.

클라이맥스 페이즈 ●●●●●●

제3 사이클이 끝나면 클라이맥스 페이즈가 됩니다.

PC들이 터널 안으로 더 들어가면 희미하게 달빛이 보입니다. 터널의 출구입니다. 하지만 그 출구는 쇠창살로 막혔습니다. 단, 쇠창살은 낡아서 힘으로 어떻게든 할 수 있을 것 같습니다.

그러나 PC들의 등 뒤에서 기척이 느껴집니다. 아무래도 터널에 깃든 원령은 PC들을 놓아줄 생각이 없는 모양입니다. 원령과의 전투를 시작합니다.

원령의 데이터는 「지옥의 저택」(『인세인』p250)을 사용합니다. 이 전투에서는 PC가 자발적으로 탈락할 수 없습니다. 단, 출구의 쇠창살을 파괴하면 탈락할 수 있게 됩니다. 쇠창살은 행동, 회피를 하지 않는 【생명력】 20점의 캐릭터로 간주합니다.

터널 장면표 (2D6)	
2	찰박찰박 발소리가 난다. 그 소리는 터널 안으로 빨려 들어간다…….
3	똑. 똑. 똑. 어디선가 물방울이 떨어지는 소리가 들려온다.
4	깜빡이는 조명 아래에 기분 나쁜 뭔가가 서 있는 것처럼 보였다. 눈의 착각인가……?
5	어두운 통로 너머에서 뭔가가 굴러온다. 경계해 봤지만, 그냥 공이다. 하지만 도대체 누가 이걸 던졌을까……?
6	어두운 길을 홀로 걷고 있다. 등 뒤에서 기분 나쁜 소리가 다가오는 것 같은데…….
7	누구지? 계속 시선이 느껴진다. 주위를 봐도 그저 어둠이 있을 뿐인데…….
8	갑자기 핸드폰이 울린다. 통화권 밖일 텐데……. 도대체 누가 건 전화일까?
9	무언가가 옆을 스쳐 지나간 기분이 들었다. 그것은 이쪽의 얼굴을 보며 비웃는 것 같았다.
10	어딘가에서 어린애가 웃는 소리가 들려온다. 터널 안인데……?
11	날카로운 울음소리가 울려 퍼진다. 고양이나 어린애가 울고 있는 걸까? 아니면……?
12	갑자기 졸음이 닥쳐온다. 멍하니 있으려니 시선 끝자락에 뭔가 그림자가 보인 것 같은 기분이 든다…….

핸드아웃

도입 페이즈가 끝날 때 「터널」, 「벽의 낙서」, 「도로」를 공개한다. 제1사이클 마지막에 「기분 나쁜 시선」을 공개한다. 「터널」의 【비밀】이 공개되면 「물방울 소리」, 「비상전화」를, 「벽의 낙서」의 【비밀】이 공개되면 「배후의 기척」을 공개한다. 「도로」의 【비밀】을 가장 먼저 조사한 PC는 프라이즈 「수첩」을 입수한다.

Handout

이름 | PC①

사명

당신은 등산객이다. 하산하려고 정거장에서 버스를 기다리고 있는데, 버스가 도무지 올 생각을 안 한다.

어쩔 수 없이 걸어서 하산하기로 한 당신은 다른 사람에게 동행을 제안했다. 다소 걸음을 벗어나긴 해도, 햇 안했다. 다소 걸음만 통과하면 바로 산에서 내려갈 수 있을 것이다.

당신의 【사명】은 무사히 산에서 내려가는 것이다.

Handout

이름 | 쇼크

비밀

이 공포판정에 3번 하면 탈락한다.

사실 당신은 오컬트 마니아다. 당신은 옛 도로의 터널이 유명한 오컬트 스폿이라는 걸을 알고 있으므로, 이 상황에 내심 설레고 있다. 당신은 【진정한 사명】을 깨기 원활을 하는 것이다.

이 【사명】은 성공 여부와 관계없이

핸드아웃

「기분 나쁜 시선」의 【비밀】이 공개되면 「벽의 얼룩」, 「서 있는 인영」을 공개한다. 「서 있는 인영」의 【비밀】을 조사한 PC는 프라이즈 「가죽가방」을 손에 넣는다.

Handout

이름	PC②

사명

당신은 예전에 등산객이다. 하산하려고 정거장에서 버스를 기다리고 있는데, 버스가 도무지 올 생각을 안 한다.

그때, PC①이 걸어서 돌아가자고 제안한다. 혼자서 터널을 향해 걸어가는 PC①을 본 당신은 어쩔 수 없이 그 뒤를 쫓았다.

당신의 【사명】은 무사히 집에 돌아가는 것이다.

Handout

쇼크	전원

비밀

당신은 예전에 동료와 함께 강도질을 했다. 어느 집의 주인을 죽이고 그 금품을 경탈했던 것이다. 동료는 그때의 금품을 옛 도로의 터널에 숨겼다고 했다. 하지만 동료는 그 터널에서 목숨을 잃었다. 이후 상태가 이상해지더니 자살하고 말았다. 당신은 공포를 느끼면서도 숨겨둔 금품을 회수하기 위해 터널로 향한다. 당신의 【진정한 사명】은 강도질로 얻은 금품을 회수하는 것이다.

이 비밀을 스스로 밝힐 수는 없다.

Handout

이름	PC③

사명

당신은 등산객이다. 하산하려고 정거장에서 버스를 기다리고 있는데, 버스가 도무지 올 생각을 안 한다. 이럴 리가 없는데……

PC①이 걸어서 돌아가자고 제안하고 혼자 터널 안을 향해 걸어가는 것을 보며 당신은 지금 머리를 쓰려고 있다.

당신의 【사명】은 무사히 집에 돌을 싸는 것이다.

Handout

쇼크	전원

비밀

마한 집, 당신은 시소한 다툼 끝에 연인을 죽이고 말았다. 발각되는 것을 두려워한 당신은 시체를 트럭 위 산에 버리기로 했다. 이제 머리만 남았다. 당신의 【진정한 사명】은 그 머리를 남기지 않는 것이다. 또, 이 【비밀】을 다른 PC가 알게 되면 【사명】에 해당 PC를 행동불능으로 만드는 것이 추가된다. 자기 혼자만 살아남는 느낌. 하지만 경관에서 누군가를 무차별로 산에게 판결에 상성하면 머리를 빼갈 수 있다. 이 행동으로 인해 경(관)행동하는 방해로도 할 수 있다.

이 비밀을 스스로 밝힐 수는 없다.

Handout

장소	터널

개요

어두컴컴한 터널. 어디까지 이어지느지는 알 수 없다.

Handout

쇼크	없음

비밀

황산정보.

황광등이 깜빡거리고 있다. 이젠 갑길이 먼지 좀처는 보이지 않는다. 터널 바깥의 소리도 들리지 않고, 그저 어딘가에서 물방울의 똑똑 떨어지는 소리만이 들린다. 마치 저승길 입구 같다.

새로 핸드아웃 「물방울 소리」, 「비상정화」를 공개한다.

이 비밀을 스스로 밝힐 수는 없다.

Handout

이름	벽의 낙서

개요

터널 벽의 낙서. 지저분하게 이것저것 그려져 있는데……

Handout

쇼크	이 장면에 등장한 전원

비밀

황산정보.

벽에는 하얀 문자로 「돌」을 돌아보지 마」라고 적혀 있다. 이 문자를 보고 나니 등 뒤에서 누군가의 숨결과 접촉 누린내 냄새가 느껴지기 시작한다.

새로 핸드아웃 「배후의 기척」을 공개한다.

이 비밀을 스스로 밝힐 수는 없다.

Handout 비밀

쇼크 전원

문득 정신을 차려 보니 발치에 한 권의 수첩이 떨어져 있는 걸 발견한다. 누가 이런 곳에 수첩을 떨어뜨렸을까? 집어 올리려는데 지면에서 새하얀 손이 뻗어 나와 당신의 발목을 붙잡았다! 《경악》으로 공포판정을 한다.

이 비밀을 스스로 밝힐 수는 없다.

Handout

장소	도로

개요

세월이 지나 열화된 아스팔트에 금이 가고 틈새가 생겼다.

Handout 비밀

쇼크 그 정면에 등장한 전원

황산정보, 등 뒤의 기척이 신경 쓰여 뒤를 돌아보고 말았다...... 거기에는 지면을 기어 다니는, 대자처럼 보이는 무언가가 바싹 다가와 있었다. 시선이 마주친 그것은 씨익 웃으며 입을 벌린다. 《매정》으로 공포판정을 한다.

이 비밀을 스스로 밝힐 수는 없다.

Handout

이름	배우의 기척

개요

등 뒤에서 기척이 느껴진다. 도대체........?

Handout 비밀

쇼크 전원

똑, 하고 물방울이 얼굴에 떨어진다. 닦아 보니 그것은 시커먼 피였다. 놀라서 천정을 올려다보니 거기에 무언가 손발의 피부성이 남자가...... 과 순발의 ... 《죽음》으로 공포판정을 한다.

이 비밀을 스스로 밝힐 수는 없다.

Handout

이름	물방울 소리

개요

걸어가는 방향에서 물방울이 떨어지는 소리가 난다.

Handout 비밀

읽음 없음

수첩의 내용은 다음과 같다. 「크루그기산을 버려진 터널에 가방을 숨겼다. 여기라면 경찰에 계들킬 일도 없겠지. 세간의 관심이 식으면 회수하러 오자. 그런데 이상하다. 터널 안에 들어와 오자마자 왠지 탑한 기운이 느낀다. 누가 날 보고 있는 건가.... 착각인지 그 남자가 보이는 것 같았다. 그 내석은 분명 죽였을 텐데......」

이 비밀을 스스로 밝힐 수는 없다.

Handout

이름	프라이즈 수첩

개요

누군가가 떨어뜨린 수첩. 그랬게 오래된 것은 아닌 것 같다. 이 프라이즈의 소유자는 인체[이지 [비밀]을 볼 수 있다. 정보공유는 발생하지 않는다.

①

Handout

이름	비상전화

개요

터널에 설치된 비상전화. 다가가니 갑자기 울리기 시작했다. 계속 울리고 있는데…… 있는데……

Handout

비밀

시크릿 전원

수화기를 들자 누군가가 「왜? 왜 나를 죽인 거야? 그렇게 사랑했었는데……」라고 속삭인다. 생각나 느껴지지 않는다. 너무나도 오싹한 목소리를 듣고 진신의 털이 곤두선다. 《원한》으로 공포판정을 한다.

Handout

이름	기분 나쁜 시선

개요

어딘가에서 누가 보고 있는 것 같다.

Handout

비밀

시크릿 없음

황산정보. 시선이 느껴지는 쪽을 보니 인간의 형상을 한 얼룩이 있고, 그런데 더 먼 곳에 누군가가 서 있는 모습이 어렴풋이 보였다. 그 사람은 가르등 아래에 서 있는데……, 새로 한 에서 가만히 서 있는데……, 「서 있는 인영」을 공개한다.

Handout

이름	벽의 얼룩

개요

보기에 따라서는 사람 모양처럼 보이는 얼룩. 색깔이 마치 피 같다.

Handout

비밀

시크릿 전원

시선을 느끼면서도 단순한 얼룩인가 싶어서 벽에 손을 댄다. 그러자 얼룩으로 이루어진 얼굴의 눈과 이마를 바라본다. 그리고 그 얼굴이 웃었다. 《촉감》으로 공포판정을 한다.

Handout

이름	서 있는 인영

개요

캄빼이는 형광등 아래에 누가 우두커니 서 있다.

Handout

비밀

시크릿 이 장면에 등장한 전원

황산정보. 서 있는 인영에게 다가가 본다. 아무래도 낯익은 것 같은데……, 다가가서 얼굴을 자세히 보니 피로 물든 그 고통스러워하는 표정으로 보니 이 곳을 노려보고 있다. 그곳에는 갈색의 커다란 프라이즈 가죽가방을 손에 넣는다.

Handout

이름	프라이즈 가죽가방

개요

갈색 가죽가방. 이 프라이즈의 소유 자는 언제든지 [비밀]을 볼 수 있다. 정보공유는 발생하지 않는다.

Handout

비밀

시크릿 없음

가방 속에는 대량의 돈다발이 들어 있다. 무슨 영문인지 그 지폐는 피로 더럽혀졌다.

이 비밀을 스스로 밝힐 수는 없다. (반복)

프리즌 시어터

감옥에 갇힌 PC들. 하지만 언제부터 여기에 있었는지, 왜 갇혔는지가 떠오르지 않는다. 정체 모를 지배자 「닥터」와 흉포한 간수의 손에서 벗어나 감옥에서 탈출하라!

타입: 특수형
리미트: 2
플레이어 수: 3명
프라이즈: 없음

시나리오의 무대

이 시나리오는 「사실은 무서운 현대 일본」, 「반복되는 참극」 세팅을 사용합니다.

무대는 어딘지도 알 수 없는 나라의 감옥 안입니다. 장면표는 사용하지 않습니다.

배경

PC들은 기억을 잃은 채 감옥에 갇힌 죄수입니다. 감옥은 사디스트 간수와 「닥터」라는 정체불명의 인물이 지배하고 있으며, PC들은 닥터에게서 수수께끼의 의료 처치를 받고 있습니다.

사실 이 감옥은 영화 세트이며, 닥터는 미친 영화감독입니다. 닥터는 실감 나는 영상을 찍으려고 최면술과 약물로 PC들의 기억을 조작하여 죄수라고 믿게 했습니다.

PC들은 완전히 제정신을 잃기 전에 이 「극장」을 탈출해야 합니다.

광기

2사이클 구성의 시나리오이며, 【광기】 덱은 약간 적게 잡아 12장으로 시작합니다. 『인세인』에서 【의심암귀】, 【의존】, 【패닉】, 【도를 넘어선 마음】, 【절규】, 【기억상실】, 【어둠의 축복】을, 『데드 루프』에서 【일그러진 마음】, 【우행】, 【폭로】, 【기시감】, 【허무감】을 각각 1장씩 준비합니다.

또, 『인세인』에서 【음모론】과 【폭력충동】을, 『데드 루프』에서 【망향】을 각각 1장씩 준비해서 게임이 시작할 때 미리 PC들에게 건넵니다.

특수 규칙

● 캐릭터 메이킹 지침

PC는 모두 같은 감옥에 수감된 죄수입니다. 이름은 핸드아웃에서 제시한 번호를 씁니다. 본명을 정해도 되지만, 시나리오 내에서는 어디까지나 죄수 번호로 불립니다.

또, 성별이 다른 죄수가 같은 장소에 수감되는 것은 부자연스러우므로 캐릭터의 성별은 전부 통일합니다. 남성으로 할지 여성으로 할지는 플레이어끼리 상의해서 정합니다.

여기에 따라 NPC의 성별이 달라집니다. 이 시나리오에는 「간수」, 「고참 죄수」, 「닥터」라는 3명의 NPC가 등장하는데, 그중 「간수」는 PC들과 다른 성별이 되고, 「고참 죄수」는 같은 성별이 됩니다. 「닥터」는 남성입니다.

도입 페이즈

이 시나리오의 도입 페이즈는 아래와 같습니다.

● 장면1 감옥

이 장면은 마스터 장면입니다. PC 전원이 등장합니다.

PC들은 감옥에 갇혔습니다. 약물 투여로 기억이 애매해서 자신의 이름도 떠오르지 않습니다. 언제부터 여기에 있었는지, 무슨 죄로 투옥되었는지도 기억나지 않습니다.

PC들과 또 한 사람, 고참 죄수 「7번」이 같은 동에 투옥되었습니다. PC①과 PC②가 서로 이웃한 독방에 있고, 통로를 사이에 두고 PC③과 「7번」의 독방이 붙어 있습니다.

통로의 출구는 쇠문 하나뿐이며, 독방의 쇠창살과 마찬가지로 엄중하게 잠겨 있습니다.

그 문의 자물쇠가 묵직한 소리를 내며 열리고, 덩치 큰 사람이 나타납니다. 경찰봉을 든 간수입니다. 항상 죄수들을 협박하며 일상적으로 폭력을 행사하는 사디스트입니다.

간수는 히죽히죽 웃으며 PC들을

차례대로 보더니, 마지막으로 PC①을 바라봅니다.

「좋아. 오늘은 너다. 나와! "극장"에 초대하마.」

● 장면2 극장

이 장면은 마스터 장면입니다. PC①이 등장합니다.

PC①은 "극장"이라는 방에서 예스러운 진찰대에 묶여 있습니다. "극장"은 천장이 높은 원형의 방으로, 벽에는 누구 것인지도 모를 뢴트겐 사진이나 인체해부도가 붙어 있습니다. 벽 구석에는 서류가 잔뜩 쌓인 책상. 콘크리트 바닥은 검은 얼룩으로 지저분합니다.

진찰대에 구속된 PC①을 키 큰 백의의 남자가 살펴봅니다. 안경 안의 눈이 강렬하게 빛납니다. PC들은 이 남자를 「닥터」라고 부릅니다. 이 감옥을 지배하는 남자입니다. 「여어, 13번. 상태는 어떤가? 보아하니 몸 상태는 좋아 보이는데, 뇌는 어떻지?」

PC①이 뭐라고 대답해도 닥터는 「흠흠. 과연.」이라며 흘려듣습니다. 칙칙한 빛깔의 액체를 주사기로 빨아들이더니 PC①의 목덜미 근처에 댑니다. 「자, 주사 맞을 시간이다. 조금 따끔할 거야.」

격렬히 저항하려고 하면 간수가 다가와서 PC①의 몸에 스턴건을 댑니다. 【생명력】이 1점 감소합니다.

결국, PC①은 바늘에 찔립니다. 곧바로 의식이 흐릿해지고, 몽롱한 가운데 닥터가 끊임없이 무언가를 속삭입니다. 뭔가 중요한 이야기를 들은 것 같지만, 의식을 유지할 수 없습니다. 그대로 정신을 잃고, 다시 깨어났을 때는 독방에 돌아와 있습니다. 【이성치】가 1점 감소합니다.

PC들은 무슨 이유인지 「극장」이라는 그 방에서 몇 차례나 이런 처치를 받았습니다. 그때마다 기억을 잃으며 서서히 이성을 좀먹히는 기분이 듭니다. PC들 전원은 빨리 탈

출하지 않으면 정말로 이상해질 것이라는 위기감을 느낍니다.

여기에서 3명의 플레이어에게 자기소개하게 하고, 핸드아웃의 【사명】을 읽어줍니다.

GM은 도입 페이즈의 마지막에 각 PC에게 【광기】를 줍니다. 감옥에 갇혀서 다들 정신이 불안정해진 것입니다. PC①에게는 【음모론】, PC②에게는 【폭력충동】, PC③에게는 【망향】을 뒤집은 상태로 건네서 트리거를 확인하게 합니다.

메인 페이즈

메인 페이즈가 시작할 때 「간수」, 「고참 죄수」의 핸드아웃을 공개합니다.

또, 이 시나리오에서는 아래의 마스터 장면이 발생합니다.

● 죄수의 말로

「고참 죄수」의 【비밀】이 밝혀진 후에 삽입되는 장면입니다. PC 전원이 등장합니다.

PC와 7번이 모두 각자의 독방에 있는데 간수가 찾아옵니다. 경찰봉으로 감옥의 쇠창살을 깡깡 치면서 PC들을 노려보더니, 마지막으로 어느 감옥의 자물쇠를 엽니다. 「나와! 각오해라. 너도 "극장"행이다.」 그가 부른 것은 7번입니다. 7번은 깜짝 놀라서 「말도 안 돼! 그럴 리 없어!」라고 외치지만, 저항한 보람도 없이 경찰봉에 두들겨 맞다가 끌려갑니다. 철컹, 하고 묵직한 소리를 내며 쇠문이 닫히고, 그 너머에서 공포로 가득한 절규가 들립니다. 7번은 두 번 다시 돌아오지 않습니다.

전원 《매장》으로 공포판정을 합니다. 또, 「고참 죄수」의 【비밀】을 아는 PC는 쇼크를 받아 【이성치】가 1 감소합니다.

● 유혹

간수가 PC에 대해 플러스 【감정】을 획득한 후에 삽입하는 장면입니다. 간수와 【감정】을 맺은 PC가 등

장합니다.

PC는 간수의 빈틈을 노려 열쇠를 훔치는 데 성공합니다. 어떤 상황에서 훔쳤는지는 플레이어가 정할 수 있습니다.

열쇠를 손에 넣으면 새로 「의무실」, 「오락실」, 「영사실」의 핸드아웃이 공개됩니다.

조킹

「의무실」의 책장을 조사하면 꽂혀 있는 책들의 분야가 제각각이라는 것을 알 수 있습니다. 치과에 관한 책과 뇌 외과 수술에 관한 책, 전문서와 가정 의학서가 무질서하게 꽂혀 있습니다. 헌책방에서 대충 사왔는지 마지막 페이지에 숫자가 적힌 책도 많습니다. 어엿한 전집처럼 보이는 책을 펼쳐보면 표지만 그럴싸하고 내용물은 모두 백지입니다.

PC는 모르지만, 여기에 있는 책은 「의무실의 책장」이라는 테마에 맞춰 준비한 영화용 소품에 불과합니다.

클라이맥스 페이즈

제2사이클이 끝나면 클라이맥스 페이즈가 됩니다.

● 「영사실」의 【비밀】이 밝혀지지 않은 경우

간수가 나타나서 전투가 벌어집니다. 간수는 「살인마」(『인세인 p247』)의 데이터를 사용합니다. PC가 패배하면 어느샌가 아무 일도 없었다는 듯이 모두 독방에 돌아와 있습니다. PC가 승리하면 닥터가 나타납니다. 닥터가 「컷!」이라고 한마디 한순간, 머릿속이 새하얘지더니 어느샌가 독방에 돌아와 있습니다. 두 경우 모두 도입 페이즈부터 다시 한번 시나리오를 시작합니다. 간수가 다음에 "극장"으로 데리고 가는 것은 지난번과는 다른 PC가 됩니다. 「고참 죄수」도 감옥에 돌아와 있지만, 지난번의 기억은 잃은 상태입니다.

● 「영사실」의 【비밀】이 밝혀진 경우

클라이맥스 페이즈는 "극장"에서 이루어집니다. "극장"에 들어가면 책상에 앉아 있던 닥터가 고개를 듭니다.

「왜 죄수가 멋대로 돌아다니고 있는 거지? 독방으로 돌아가! 간수, 당장 오게!」 그리고 투덜거리기 시작합니다. 「곤란하군. 약을 너무 투여해서 내성이 생겼나? 아니면 최면의 간격을 더 좁혀야 하나……?」

간수가 나타나고 전투가 벌어집니다. 간수는 「살인마」, 닥터는 「최면술사」(『인세인』p248)입니다.

닥터는 전투 중에 온화한 목소리로 계속 이야기를 합니다. 「알겠나? 여기는 감옥이고 자네들은 죄수야. 여기 말고는 자네들이 있을 곳은 없어. 자신의 역할을 떠올리는 거야…….」

● 배드엔드

"극장"에 도착했더라도 PC들이 진상을 깨닫지 못했다면, 전투에서 이기든 지든 간에 현기증과 함께 의식을 잃습니다. 그리고 어딘가에서 닥터의 목소리가 들립니다. 「아아, 여기까지인가. 수고했네. 자네들이 할 일은 끝났어. 다음 죄수역을 찾아보도록 하지.」

다음에 정신을 차리면, PC들은 시끌벅적한 거리의 광장에 앉아 있습니다. 손에는 봉투를 쥐고 있는데, 열어보면 어느 정도의 현금이 들어 있습니다. 몽롱한 의식 속에서 멍하니 자신의 이름을 떠올리지만, 무슨 일이 일어났는지는 모릅니다.

● 굿 엔드

"극장"에서 클라이맥스 페이즈가 열렸을 때, PC가 「이건 영화다.」, 「픽션이다.」라는 발언을 하면 닥터는 안색이 변하며 「안 돼! 아직 촬영 중이다! 무슨 생각을 하는 거야!」라고 외칩니다. 그 순간 PC 전원은 마법이 풀린 것처럼 의식이 또렷해지며 자신의 이름을 떠올립니다. 지금까지 견고한 콘크리트로 보였던 벽이 사실은 페인트를 칠한 베니어판이라는 것이 생각납니다. 이것은 모두 영화용 세트이며, 닥터는 미친 영화감독입니다. 이후 지원행동으로 세트를 공격할 수 있습니다. 세트에 대한 공격의 목표치는 5입니다. 공격이 명중하면 세트는 자동으로 파괴됩니다.

세트에 대한 공격이 성공하면 벽이 쓰러집니다. 그곳은 넓은 창고 안이며, 세트 주위에는 영상기기가 배치되어 있습니다. 생기 없는 눈의 스태프 몇 사람이 그 자리에 못 박힌 듯이 멍하니 서 있습니다. 스태프들은 닥터의 광기에 말려들어 최면 상태에 빠졌습니다. 하지만 PC가 세트를 파괴한 충격으로 그들의 눈에도 서서히 이성의 빛이 돌아옵니다.

이 시점에서 전투는 끝납니다. 「돌아와, 돌아와! 아직 촬영은 끝나지 않았어!」라고 외치는 닥터의 목소리를 뒤로하고 PC들은 세트를 떠납니다.

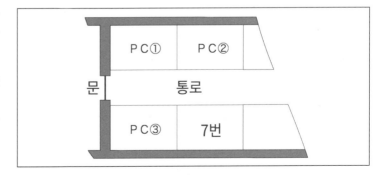

핸드아웃

메인 페이즈가 시작할 때 「간수」, 「고참 죄수」를 공개한다. PC가 간수에게서 플러스 감정을 얻어 열쇠를 손에 넣으면 「의무실」, 「오락실」, 「영사실」을 공개한다.

Handout

이름	PC①
사명	당신은 항상 누군가가 자신을 지켜보는 느낌을 받고 있다. 낮에도, 밤에도, 어디에 있어도 누군가의 시선이 느껴진다. 누구야? 어디에 숨어 있는 거지? 나와!

Handout 비밀

쇼크 전원

당신은 감옥에 수감된 죄수 「13번」이다. 야물이 주사된 탓인지 분명하고 뭐고 기억나지 않는다. 당신의 [사명]은 어떻게든 이 감옥에서 탈출하는 것이다.

이 비밀을 스스로 밝힐 수는 없다.

Handout

이름	PC②
사명	당신은 감옥에 수감된 죄수 「29번」이다. 야물이 주사된 탓인지 언제부터 여기에 있었는지도 잊어버렸다. 당신의 [사명]은 어떻게든 이 감옥에서 탈출하는 것이다.

Handout 비밀

쇼크 전원

어떤 상황인지는 기억나지도 않지만, 당신은 PC①을 죽인 기억이 있다. 확실히 그런 기억이 있다. ……그랬을 것이다. 하지만 PC①은 살아있다. 도대체 어떻게 된 거지?

이 비밀을 스스로 밝힐 수는 없다.

Handout

이름	PC③
사명	당신은 감옥에 수감된 죄수 「31번」이다. 야물이 주사된 탓인지 당신의 정신은 항상 괴로운 현실에서 눈을 돌리려고 한다. 당신의 [사명]은 어떻게든 이 감옥에서 탈출하는 것이다.

Handout 비밀

쇼크 없음

뭔가가 이상하다. 읽어버린 기억, 야물 주사, 극장과 단막, 이런 교도소가 있을까? 사실 여기는 감옥이 아니다. 하지만 감옥이 아니면 어떤 실험의 실험체일지도……?

이 비밀을 스스로 밝힐 수는 없다.

Handout

이름	고참 죄수
개요	같은 동에 수감된 죄수 「7번」. PC들보다 오래 이곳에 있었던 모양이다. 뭔가 알고 있을지도 모른다.

Handout 비밀

쇼크 없음

7번은 의미심장하게 웃으며 당신의 귓가에 속삭인다. 「걱정할 필요 없어. 이건 전부 거짓이야. 괜찮아. 그런 구조니까……」 「……그런 구조」 도대체 무슨 이야기지? 되물어도 히죽히죽 웃기만 할 뿐 더는 이야기해주지 않는다.

이 비밀을 스스로 밝힐 수는 없다.

Handout 비밀

쇼크 없음

확산정보.
간수가 당신의 물을 빼앗어 쳐다본다.
간수를 괴롭히기를 좋아하는 사디스트다. 덩치가 커서 힘으로 도저히
잘 유혹하면 화여잡을 수 있을 것 같은데......?
간수가 PC에 대한 플러스 [감정]을 가지게 한다면 열쇠를 손에 넣을 수 있다.

이 비밀은 스스로 밝힐 수는 없지만 공유할 수는 있다.

Handout

이름	간수
개요	

경찰봉과 스턴건으로 무장한 간수. 죄수를 괴롭히기를 좋아하는 사디스트다. 덩치가 커서 힘으로 도저히 당해낼 수 없다. 허리에 감속 열쇠 꾸러미를 달고 있다......?

Handout 비밀

쇼크 전원

의료 기록 7번, 13번, 29번, 31번을 본다.
......명지, 이건? 분위의 사진이 덕지덕지 전혀 다른 인물이다. 치과 치료 기록 같은 것도 전혀 있느데, 인의 얼굴을 확인해봐도 그린 치료를 한 흔적은 없다. 이 기록으로 모조리 양대라대!
《정리》로 공포판정.

이 비밀은 스스로 밝힐 수는 없다.

Handout

이름	의무실
개요	

죄수를 진찰하고 병을 치료하는 방. 책장에는 낡은 의학서가 쭉 꽂혀 있다. 이료 기록을 보면 자신이 누구인지 알 수 있을지도 모른다.

Handout 비밀

쇼크 전원

오락실을 조사하다가 통풍구 안에 설치된 카메라를 발견했다. 그게 도한 대가 아니다. 여러 대의 비디오카메라가 방 곳곳에 숨겨져 있었다. 감시용이라고 하기에는 이상하다. 도활? 무엇을 위해서?
《카메라》도 공포판정.

이 비밀은 스스로 밝힐 수는 없다.

Handout

이름	오락실
개요	

파스텔 컬러로 칠한 방. 그림책, 무마, 블록 세트 같은 장난감이 널려 있는 죄수용 오락실이다. 여기에 들어올 때는 항상 약 때문에 정신이 몽롱했지만, 오늘은 아니다.

Handout 비밀

쇼크 전원

확산정보. PC②가 PC①를 죽이는 영상이다! 맞은 죽은 PC①이 용자이지 않게 되지만, 영상이 처음으로 돌아가더니 PC②가 PC①을 죽인다. 영상은 다시 처음으로 돌아간다. 이 영상을 나이프로 제든다......, 이 영상 속 사실 안에는 문이 하나 있다. 맞대체 위치? 《죽음》으로 공포판정. 아무래도 "극장"으로 통하는 것 같다.

이 비밀은 스스로 밝힐 수는 없다.

Handout

이름	영사실
개요	

들어간 적이 없는 방이다. 어두운 방 안에서 필름식 영사기가 벽이 스크린에 빛을 비추고 있다. 어떤 영상을 반복해서 재생하고 있는 것 같은데......?

shadowfures

화재가 난 후

분신자살을 목격한 이후, PC들의 주변에서 연달아 불에 관련된 사고가 일어난다. 탄 내가 감돌고 소방차의 사이렌이 울리는 불온한 나날 속에서 악의를 품은 괴이가 모습을 드러낸다!

타입: 협력형
리미트: 3
플레이어 수: 4명
프라이즈: 통자물쇠의 열쇠, 저택 사진

※주의: 화재에 관한 자극적인 묘사가 포함되어 있습니다. 플레이하기 전에 그 점을 플레이어에게 전해주세요.

시나리오의 무대

이 시나리오는 「사실은 무서운 현대 일본」 세팅을 사용합니다. 장면표는 「화재가 난 후 장면표」를 사용합니다.

배경

PC들은 분신자살 현장을 목격합니다. 타죽은 남자는 어느 저택에 봉인된 괴이를 퇴치하려던 봉마인이었습니다. 괴이는 인간을 조종하여 자신을 완전히 해방하고자 합니다. 남자는 조종당하는 것을 거부하고 자신에게 불을 질러 목숨을 끊었던 것입니다.

괴이는 「불을 질러 저택째로 태워 버리면 괴이를 퇴치할 수 있다」라는 믿음을 PC들에게 심어주려 하지만, 실제로 불을 지르면 봉인이 풀려 버립니다.

PC들은 괴이에게 속지 않고 봉인을 되돌리는 올바른 방법을 찾아야 합니다.

광기

『인세인』에서 일반 【광기】와 「사실은 무서운 현대 일본」의 【광기】를 모두 1장씩 준비합니다. 그것을 섞고 10장을 무작위로 제거합니다.

도입 페이즈 ●●●●●●●

● 장면1　화재

이 장면은 마스터 장면입니다.

어느 날, PC①과 PC②는 근처에서 화재를 목격합니다. 2층짜리 건물의 1층에서 세차게 불길이 치솟습니다. 실내를 들여다보니 타오르는 3평 방 한복판에, 전신에 불이 붙은 남자가 서 있습니다. 그는 손에 핸드폰을 들고 있는데, 마침 통화를 끝낸 참이었는지 PC들이 보는 앞에서 핸드폰을 내려놓고는 그대로 쓰러져 몸을 웅크립니다.

이 장면에 등장한 PC는 《소각》으로 공포판정을 합니다.

● 장면2　병원

이 장면은 마스터 장면입니다. 시간상 장면1 직후입니다.

화재 현장에서 구조된 급한 환자가 PC③이 근무하는 병원에 실려옵니다. 누가 봐도 이미 살리기에는 늦었습니다. 구급대원의 말에 따르면 등유를 몸에 끼얹고 분신자살을 기도했다고 합니다. PC③의 병원에 분신자살을 기도한 환자가 실려 온 것은 이달에만 벌써 3명째입니다. 왜 이렇게 분신 시도가 잦은지에는 구급대원도 의아해합니다. 환자의 이름은 「사하라 세이지」. 뭘 잡고 있는지 왼손을 굳게 쥐고 있습니다.

《소각》으로 공포판정을 합니다.

● 장면3　친구의 죽음

이 장면은 마스터 장면입니다. 시간상으로는 장면1의 다음 날입니다.

경찰관이 PC④를 찾아와서 친구인 사하라 세이지가 분신자살했다고 알려줍니다. 경찰은 짐작 가는 동기가 없는지 물어보지만, PC④에겐 짚이는 구석이 없습니다. 이어서 경찰관은 「붉은 사람」이라는 단어를 들은 적이 있느냐고 묻습니다. 이것도 기억에 없습니다.

《소각》으로 공포판정을 합니다.

화재가 난 지 며칠이 지납니다. 각 PC에게 자기소개하게 하고, 핸드아웃의 【사명】을 읽어줍니다.

여기에서 「사하라 세이지」, 「사하라 세이지의 유체」, 「화재 현장」, 「붉은 사람」의 핸드아웃을 공개합니다.

이 장면은 끝나고, 도입 페이즈가 종료됩니다.

메인 페이즈 ●●●●●●

이 시나리오에는 아래의 마스터 장면이 발생합니다.

● 불길의 유혹

제1 사이클이 끝난 타이밍에 발생하는 장면입니다.

PC②는 문득 자신이 집 안에서 불을 지그시 바라보고 있다는 것을 깨닫습니다. 직접 불을 붙인 기억도 없고, 언제부터 그러고 있었는지도 기억나지 않습니다. 그저 따뜻해서 기분 좋을 것 같다고 생각했던 것이 어렴풋이 기억납니다.

《소각》으로 공포판정을 합니다.

● 돌아간 손님

제2 사이클이 끝난 타이밍에 발생하는 장면입니다.

PC①은 문득 자신이 집에 혼자 앉아 있다는 것을 깨닫습니다. 방 안에서는 탄내가 나고, 마치 누가 지금까지 거기에 있었던 것 같은 느낌이 듭니다. 생각해 보니 친한 사람이 무언가를 태우라고 조언해준 듯한 기분이 듭니다.

【이성치】를 1점 감소하고 《꿈》으로 공포판정을 합니다.

● 저택 앞에서

PC가 조킹으로 메인 페이즈 중에 저택에 가면 발생하는 장면입니다.

저택 현관에 다가가자 갑자기 쾅! 하고 문이 열리더니, 안에서 새까만 인영이 몇 명씩 뛰어나옵니다. 탄내와 함께 아우성을 치며 들이닥친 사람들의 얼굴에서 하얀 눈이 번뜩 빛납니다. 검은 인영의 무리가 눈앞까지 쇄도한 다음 순간, PC는 퍼뜩 정신을 차립니다. 왠지 몸은 검댕투성이고, 그중 어딘가에 불에 덴 상처가 있습니다.

【이성치】와 【생명력】을 1점 감소하고, 《소각》으로 공포판정을 합니다.

클라이맥스 페이즈 ●●●●●●

제3 사이클이 끝나면 클라이맥스 페이즈가 됩니다.

PC 중 누구 한 사람이라도 「저택 사진」의 【비밀】을 알아냈다면 다 함께 저택에 갈 수 있습니다. 이 【비밀】을 아무도 손에 넣지 못했거나 PC들이 저택에 가려고 하지 않으면 배드엔드가 됩니다. 며칠 후 저택은 원인을 알 수 없는 불에 타버리고, 같은 날 PC들도 불에 관련된 사건이나 사고에 휘말립니다. 전원 배드엔드표에서 주사위를 굴립니다.

폐허가 된 저택 안에 지하실로 가는 계단이 있습니다. 계단의 문에는 통 자물쇠를 채운 쇠사슬이 걸려 있습니다. 「통 자물쇠의 열쇠」가 있다면 열 수 있고, 힘을 써서 억지로 지나갈 수도 있습니다.

지하실에는 깊이 1m 정도의 움푹 팬 곳이 있는데, 예전에는 물을 가득 채운 풀이었던 것 같습니다. 지금도 어딘가에서 물방울이 떨어지는 소리가 들립니다.

물 없는 풀의 안쪽에는 폴리에틸렌제 용기가 잔뜩 놓여 있고, 오래된 신문 다발이나 폐자재가 쌓여 있습니다. 주위에서는 등유 냄새가 풍깁니다. 이제 불만 붙이면 된다는 듯이 착화제나 라이터, 성냥 같은 것도 준비되어 있습니다.

가연성 물질의 중심에는 마른 나무를 짜 맞춰서 만든, 볼품없는 인형이 있습니다. 인형의 표면에는 부적이 덕지덕지 붙어 있고, 그 위로 무수한 못이 박혀 있습니다. 부적은 다 말라서 벗겨지기 직전인 것도 많습니다.

1

인형 뒤에서 키가 2m 정도는 될 법한 기괴한 붉은 그림자가 나타납니다. 지글지글, 타닥타닥하고 무언가가 타는 듯한 소리를 내며 「붉은 사람」이 덤벼듭니다. 전원《혼돈》으로 공포판정을 합니다.

「붉은 사람」과의 전투입니다. 「붉은 사람」은 성냥이나 라이터가 있는 풀 구석을 피하듯이 일부러 우회하여 다가옵니다. 단, 이것은 인형을 태우게 하려는 수작입니다. PC가 불을 가져다 대면 과장되게 몸을 뒤로 젖히며 무서워하는 시늉을 합니다.

여기에서 불을 붙이면, 불이 순식간에 타오르며 저택이 통째로 폭발합니다. 전원《그늘》로 판정해야 하며, 실패하면 판정 결과와 목표치의 차이만큼【생명력】이 감소합니다. 봉인이 풀린 「붉은 사람」…… 아니, 이름조차 알 수 없는 가공할 괴이가 힘을 되찾고 이 세상에 해방됩니다. 전원【이성치】를 2점 감소하고 배드엔드 표를 사용합니다.

불을 붙이지 않았다면, 괴이를 퇴치하는 방법은 두 가지입니다. 하나는 전투에서 「붉은 사람」을 쓰러뜨리는 것, 또 하나는 풀에 물을 채워 다시 괴이를 봉인하는 것입니다.

후자의 경우, 의식 규칙을 사용합니다. 플레이어가 풀에 물을 채우겠다고 하면 GM은 의식 시트를 공개합니다.

의식이 완료되면 「붉은 사람」이 절규와 함께 사라지면서 전투는 끝납니다. 봉인은 성공했고, PC들을 덮친 괴사건도 끝을 고합니다.

화재가 난 후 장면표 (2D6)	
2	근처에서 뭐가 탄다. 불 너머에서 누군가가 당신을 부르는 소리가 들린다.
3	타닥……. 타닥……. 타닥……. 어딘가에서 불이 타는 소리가 들린다.
4	유리창 앞을 지나갈 때 유리에 비친 당신의 모습이 불에 타서 짓무른 것처럼 일그러진다. 눈의 착각……?
5	TV에서 뉴스가 들린다. 아무래도 근처에서 불이 난 모양인데…….
6	어두운 길을 홀로 걷는다. 빨간 등을 켠 구급차가 다가온다….
7	시선을 느끼고 돌아보니 아는 사람의 모습이 보인다. 한순간 그의 전신이 타오르는 불 앞에 있는 것처럼 붉게 보였다. 지금 그건 뭐였지?
8	핸드폰을 꺼내다가 떨어뜨릴 뻔했다. 배터리가 이상하게 뜨겁다. 이게 왜 이러지……?
9	거리 너머의 하늘이 새빨갛다. 검은 연기가 피어오른다.
10	맛있는 냄새가 풍겨와서 갑자기 배가 고파진다. 고기를 굽는 냄새다.
11	날카로운 사이렌이 울린다. 소방차인가? 재난 방지 방송인가? 아니면……?
12	답답해서 눈을 뜬다. 굉장히 메케하다……. 게다가 뜨겁다. 설마 화재!?

👤 의식 시트 | 의식명 풀에 물을 채운다

단계	절차의 이름	지정특기	참가조건	페널티
1	방수 파이프를 찾는다	《소리》	없음	「붉은 사람」의 공격을 무조건 받는다.
2	밸브를 돌린다	《기계》	1라운드에 1명만	【광기】를 1장 얻는다
3	인형을 물에 가라앉힌다	《인내》	없음	【광기】를 1장 현재화한다
4				
5				
6				

⬤ 붉은 사람 | 위험도 4 | 속성 생물/괴이 | 생명력 13

호기심 기술 | **특기** 《고문》, 《전자기기》, 《기계》, 《함정》, 《영혼》

어빌리티 【기본공격】 공격 《기계》
【난동】 공격 《고문》 IS p180
【트릭】 공격 《전자기기》 IS p180
【불청객】 서포트 《함정》 저택 안에서 전투를 할 때, 라운드가 종료되는 시점에서 사용할 수 있다. 원하는 만큼 목표를 선택한다. 목표는 《함정》으로 판정해야 하며, 여기에 실패하면 1점의 대미지를 입는다.

해설 키가 2m 정도나 되는 붉은 그림자. 지글지글, 타닥타닥하고 무언가가 타는 소리를 낸다.

핸드아웃

「사하라 세이지」, 「사하라 세이지의 유체」, 「화재 현장」, 「붉은 사람」을 도입 페이즈 마지막에 공개한다. 「사하라 세이지」의 【비밀】이 공개되면 「석유 판매업자」를 공개한다. 「사하라 세이지의 유체」의 【비밀】을 얻은 PC는 프라이즈 「통자물쇠의 열쇠」를 획득한다. 「화재 현장」의 【비밀】을 얻은 PC는 프라이즈 「저택 사진」을 획득한다. 「저택 사진」의 【비밀】이 공개되면 「저택」을 공개한다.

Handout PC①

이름:

사명: 화재를 목격한 후, 당신은 기이에 없는 화장실에 붙들려 있다. 아침에 눈을 뜨면 몸 어딘가에 화상을 입고 있다. 침대 안이 검은 검댕투성이일 때도 있다. 가까운 시일 내에 타죽는 게 아닐까 걱정돼 제정신이 아니다. 당신의 【사명】은 이 기이한 물의 원인을 밝혀내고 안전을 확보하는 것이다.

Handout — 비밀 / 쇼크 / 전원

당신은 꿈속에서 나는 저택 안에 있다. 빨리 저택에 불을 붙여야 한다며 조해하는데, 쉽게 불이 붙지 않는다. 「저택을 태우지 마」, 「저택을 태워라」라는 두 개의 목소리가 당신을 독촉한다. 진퇴양난에 빠진 당신은 등허리를 끼얹고 자신에게 실망... 비명을 지르면서 눈을 뜬다. 이 【비밀】을 안 PC는 《꿈》으로 공포판정.

이 비밀을 스스로 밝힐 수는 없다.

Handout PC②

이름:

사명: 당신은 PC③의 동거인이다. 화재를 목격한 후, 당신은 누군가 기이하고 장난에 당돌리고 있다. 혼자서 집에 있으면 현관의 벨이 울리는데, 나가보면 아무도 없다. 아직은 직접적인 피해가 없지만, 성가시기 짝이 없다. 당신의 【사명】은 평온한 생활을 되찾는 것이다.

Handout — 비밀 / 쇼크 / 전원

사실 당신은 방문자인의 모습을 살짝 엿본 적이 있다. 현관의 불투명 유리에서 움을 굽히고 신발을 엿보려 우리 너머에서 2m는 되어 보이는데, 신이...... 새빨갰으니. 뭔가 던지 응수 없고 자신에게 달음을 붙이는 모든 응용뿐더러 기운도 나빠져서 그 이후 모두 못 본 척하고 있다. 이 【비밀】을 안 PC는 《충동》으로 공포판정.

이 비밀을 스스로 밝힐 수는 없다.

Handout PC③

이름:

사명: 당신은 PC②의 동거인이다. 당신은 병원에서 일하는데, 최근 분신자살을 기도했다가 실려 온 환자가 많아서 독촉받다가 혼자가 되는 그런 집을 할 이유가 없어 보이는 사람뿐이다. 당신의 【사명】은 연쇄된 분신자살의 원인을 밝혀내는 것이다.

Handout — 비밀 / 쇼크 / 전원

분신자살을 기도한 환자들은 모두 당신자신을 입관했... 그 순간에 「붉은 사람」을 언급했다. 「붉은 사람이 찾아에 불을 붙인다. 붉은 사람, 당신은 무슨 소리 나 하며 이해가 안 갔지만, 모두가 이지 전혀 이해가 안 되는 말을 해서 매우 께 구호성으로 겁을 먹을 말을 검사하다. 이 【비밀】을 안 PC는 《암흑》으로 공포판정.

이 비밀을 스스로 밝힐 수는 없다.

Handout PC④

이름:

사명: 당신의 친구인 「사하라 세이지」가 분신자살을 했다. 그럴 동기가 없었는데. 당신의 【사명】은 「사하라 세이지」가 죽은 원인을 밝혀내는 것이다.

Handout — 비밀 / 쇼크 / 전원

「사하라 세이지」는 분신자살 중에 신에게 전화를 걸었다. 몸이 타는 끔찍한 소리가 드는 가운데 사하라는 당신에게 말했다. 「나에게는 무리였나 봐. 미안. 늦게 숙지 마. 조용... 실례했어, 미안 부탁할게. ...단둘인 걸까? 사하라의 죽음을 무겁게 하고 있는... 라고, 사하라는 빌 하려 한 걸까? 이 【비밀】을 안 PC는 《죽음》으로 공포판정.

이 비밀을 스스로 밝힐 수는 없다.

Handout

이름	사하라 세이지
개요	

20세 후반의 프리 아르바이터. 연립 주택에 혼자 살았다.

Handout 비밀

샤크	없음

획득정보

사하라는 최근 무언가를 조사하고 있었던 모양이다. 자주 교외에 나갔다가 지저분한 꼴로 돌아오거나, 경트럭 짐칸에 드라이용 플라이휠인제 용기를 잔뜩 싣고 있다는 목격 증언을 얻었다. 본인자신에게 슬쩍 치자고 나가게 만든 「식료 판매업자」를 공개한다.

이 비밀을 스스로 밝힐 수는 없다.

Handout

이름	사하라 세이지의 유체
개요	

근육이 수축하여 웅크린 자세가 된 소사체. 탄 피부가 갈라져 체액이 흘러나온 무참한 모습이다. 왼손에 무언가를 쥐고 있다.

Handout 비밀

샤크	없음

이[비밀]이 컴퓨터 정면에 드리운한 PC

손을 억지로 펴다 보니 아예한 손가락을 부러뜨려야 했다. 타지 않은 손바닥 안을 파고들 정도로 힘껏 쥐고 있던 것은 작은 열쇠였다. 아무래도 무언가 자물쇠를 여는 열쇠인 것 같다.

프라이즈 「통 자물쇠의 열쇠」를 손에 넣는다.

《그림》으로 공표한정.

이 비밀을 스스로 밝힐 수는 없다.

Handout

장소	화재 현장
개요	

사하라 세이지가 살던 연립 주택의 화재 현장. 한 동이 통째로 전소해서 무너져졌다. 주민이 사하라 한 명밖에 없었던 것이 그나마 다행이다.

음? 불탄 자리에 누군가가 서서 고개를 숙이고 있다……?

Handout 비밀

샤크	없음

획득정보.

불탄 자리에 누군가가 있는 걸 같아서 다가가 봤는데, 자세히 보니 벽에 비친 사람의 사람처럼 보인 것에 불과했다.

지저분한 검댕 아래의 불룩덩이에 한 장의 사진이 떨어져 있다.

프라이즈 「저택 사진」을 손에 넣는다.

이 비밀을 스스로 밝힐 수는 없다.

Handout

이름	붉은 사람
개요	

화재 현장 주변에서 목격되었다는 수상한 누군가.

Handout 비밀

샤크	없음

획득정보. 「붉은 사람」에 관해 조사하면 괴담만 걸러든다. 「붉은 사람」이 찾아오면 화재가 일어난다」,「붉은 사람의 이야기를 들으려는 안 된다」처럼 든는 즉시 잊고 싶은 이야기뿐이다.

그리고 최근 듣고 있는 붉은사람이 빨어진 현장에서 빈번하게 「붉은 사람」을 목격했다고……. 확실히 기분 나쁜 한데, 쓸모 있는 정보인지는 잘 모르겠다.

이 비밀을 스스로 밝힐 수는 없다.

Handout 비밀

쇼크 | [이메일]이 보내진 장면에 등장한 PC

확산정보.

「불 태워야 한다.」에 등장하는 불을. 그야말로 전부 팔았지요. 그야 그런 건 불 태워야 하잖아요? 그럴 겁니다. 그러면 될 거예요…….」 주인은 하도 지껄 하고, 눈의 초점이 맞지 않는다. 옆에서 조급하게 담배를 피우고 있다. 이야기하다 보니 붙인해졌다. 이 사람, 괜찮을까? 《약품》으로 공포판정.

이 비밀을 스스로 밝힐 수는 없다.

Handout

이름 | 석유 판매업자

개요

석유 판매점의 주인. 생전의 사하라에게 드미를 판 것으로 보이는 업자.

Handout 비밀

쇼크 | 없음

왠지 이슬이 맺혀 있는데, 무이도 다 이지 않는다, 어디의 열쇠일까……? 《약품》으로 공포판정.

이 비밀을 스스로 밝힐 수는 없다.

Handout

이름 | 프라이즈 통 가문쇠의 열쇠

개요

사하라 세이지가 왼손에 쥐고 있던 열쇠. 소유자는 [비밀]을 볼 수 있다. 드라마 장면에서 아이템으로서 간주해 남에게 전달 가능.

Handout 비밀

쇼크 | 없음

자세히 관찰해보면 특이한 생김새 덕분에 그 저택이 교외에 있는 폐허 저택일 수 있다. 하지만…… 이 느낌은 뭘까? 사진을 통해 저택 안으로 인입하는 기분이 든다……. 핸드아웃 [저택]을 공개한다. PC 중 누군가가 이 [비밀]을 알고 있으면 클라이맥스 페이즈에 다 함께 저택에 갈 수 있다.

이 비밀을 스스로 밝힐 수는 없다.

Handout

이름 | 프라이즈 저택 사진

개요

화재 현장에 떨어져 있던 사진. 열에 노출되고 소방차의 물로 붙어서 변색되었지만, 아무래도 서양식 저택이 찍혀 있는 것 같다.

Handout 비밀

쇼크 | 전멸

확산정보.

몇 철거될 건, 관청의 요청으로 저택의 철거를 위한 업자가 사전 조사를 위해 이 저택에 들어갔다고 한다. 다음 날, 그 업자가 사무소로 전화하는 것이었다. 소행도 없었고, 어딘가 타 죽었다. 후로 소방도 차량에서 비 목조에 들어가 차량에서 순수 수도 있었다. 유해의 일부는 자양되고 있었지만, 유조를 불은 《죽음》으로 공포판정.

이 비밀을 스스로 밝힐 수는 없다.

Handout

장소 | 저택

개요

교외의 서양식 저택. 한때는 성공한 무역상이 살고 있었다는데, 지금은 황폐한 폐허이들 과하이다.

Camp Inferno

즐거운 캠프

숨은 명소라는 캠프장을 방문한 젊은이들. 하지만 즐거웠던 캠프는 비명과 함께 중단된다. 캠프장에는 살인마와 식인 괴물이 숨어 있었다.

타입: 특수형
리미트: 2
플레이어 수: 4명
프라이즈: 매혹의 힘, 낡은 배지

시나리오의 무대

이 시나리오는 「사실은 무서운 현대 일본」 세팅을 사용합니다. 무대는 어느 지방의 캠프장 「쿠로사키 캠프장」입니다. 장면표는 「캠프장 장면표」를 사용합니다.

『인세인』에 익숙하지 않은 플레이어가 있다면 PC①이나 PC④의 핸드아웃을 추천합니다. GM은 PC①을 선택한 플레이어에게 몰래 프라이즈 「매혹의 힘」을 건넵니다. 또, PC들은 모두 친구 사이입니다. 캐릭터를 작성할 때 어떤 친구인지 를 정해야 합니다. 정하기 어렵다면 같은 대학교, 같은 동아리의 멤버라고 합니다.

배경

PC들은 PC③의 고향에 있는 캠프장 「쿠로사키 캠프장」에 놀러 와서, 해가 질 무렵에 바비큐 파티를 시작했습니다. 하지만 즐거운 캠프는 어디선가 들린 비명으로 중단됩니다. 사실 캠프장에는 살인마 한 명과 식인 괴물이 숨어 있었던 것입니다.

광기

『인세인』과 『데드 루프』의 일반 【광기】와 「사실은 무서운 현대 일본」의 【광기】를 모두 1장씩 준비합니다. 그리고 그것을 섞어서 덱이 16장이 되도록 무작위로 제거합니다.

PC②에 관하여

PC②는 이미 죽었습니다. 【제령】이나 【동정/처녀】 같은 어빌리티를 습득한 PC가 있다면, 그 PC가 PC②의 【비밀】을 획득했을 때 PC②를 괴이로 간주할 수 있습니다.

도입 페이즈

도입 페이즈는 아래와 같습니다. 모든 PC가 등장하는 공용 장면입니다.

● 즐거운 바비큐 파티

PC들은 지금 PC③의 고향에 있는 쿠로사키 캠프장에 왔습니다. PC③이 숨은 명소라고 말한 대로, 호숫가라는 위치도 괜찮거니와 설비도 좋음에도 불구하고 사람이 아주 적습니다. PC들은 자동차를 타고 아침에 왔는데, 다른 손님은 학생으로 보이는 남녀 3인조 정도밖에 보이지 않습니다. 과연 숨은 명소입니다. PC들은 지금 바비큐장에서 바비큐 파티를 하고 있습니다.

그런데 호숫가에서 여성의 비명이 들립니다.

PC들이 가보니 낮에 본 3인조 중 두 명의 남녀가 서 있습니다. 그들의 발밑에서는 머리가 쩍 쪼개진 시체가 널브러져 피를 철철 흘리고 있습니다. PC 전원은 《파괴》로 공포판정을 합니다.

혼란에 빠진 두 남녀를 진정시키면, 친구가 없어져서 찾으러 왔더니 이런 꼴이 되어 있었다고 이야기합니다. 친구는 누가 봐도 살해당한 것으로 보입니다.

도입 페이즈는 끝납니다. 「오토나시 미도리」와 「야마우치 쿄우」의 핸드아웃을 공개합니다.

메인 페이즈

이 시나리오에는 아래의 마스터 장면이 발생합니다.

● 호수에는……

제1 사이클 첫 번째 장면에 발생합니다. 도입 페이즈에서 연결되며, PC 전원이 등장합니다. PC들의 주위를 어느새 하얀 안개가 감쌉니다. 이때, 호수에서 첨벙첨벙 물소리가 납니다. 정확한 것은 알 수 없지만, 안개 너머에서 커다란 생물의 그림자가 호수를 향해 사라지는 것이 보입니다. 핸드아웃 「호수의 그림자」를 공개합니다. 또, GM은 다른 플레이어 몰래 PC③에게 프라이즈 「낡은 배지」를 건넵니다.

● 결계

PC가 캠프장에서 나가려고 하면, 안개에 둘러싸여 길을 잃었다가 어찌 된 영문인지 캠프장으로 돌아와 버린다고 알려주고 《제육감》으로 공포판정을 하게 합니다.

● 또 한 번의 살인

제1 사이클 마지막 장면에 발생합니다. 만약 PC 중 누군가가 관리인의 오두막에 가겠다고 한다면 그 보다 앞당겨도 됩니다. 미도리가 비명을 지릅니다. 비명이 들린 곳에 가보면 관리인용 오두막에서 목이 잘려 죽은 관리인을 발견합니다. 《절단》으로 공포판정을 합니다.

● 습격받다

제2 사이클 세 번째 장면에 발생합니다. 쿄우가 미노리를 습격합니다. PC가 미도리나 쿄우에 대해 【감정】을 가지고 있다면 이 장면에 등장할 수 있습니다. 또, 미도리나 쿄우의 【거처】를 가지고 있다면 「특수한 전투난입」을 시도할 수 있습니다. 아무도 등장할 수 없다면 미도리는 쿄우에게 죽습니다. 누군가 등장한다면 전투를 합니다.

클라이맥스 페이즈

제2 사이클이 끝나면 클라이맥스 페이즈가 됩니다. 「살인마」와 「호수의 그림자」가 등장하여 PC를 덮칩니다. 전투입니다.

「살인마」가 쓰러지면 안개가 걷히며 캠프장 밖으로 나갈 수 있습니다.

캠프장 장면표 (2D6)	
2	호수 위에 커다란 보름달이 뜬다. 새빨간 보름달은 마치 해골 같다.
3	여러 채의 작은 오두막이 줄지어 서 있다. 너무나도 조용한데, 누가 있긴 할까?
4	캠프장 입구. 목제 간판이 즐거운 분위기를 연출하며 손님을 맞이한다.
5	오토캠핑장. 밴이나 캠핑카가 나란히 서 있는데.
6	호수의 수면이 반짝반짝 빛을 반사한다. 매우 조용하다.
7	바비큐 세트가 늘어선 바비큐장. 타닥타닥 불이 타오르는 소리가 난다.
8	숲속에서 즐거운 웃음소리가 들린다. ……기분 탓인가?
9	관리인의 오두막. 여기에서 숯이나 장작, 바비큐용 재료를 구매할 수 있긴 한데…….
10	호수 너머에 보트가 떠 있는 것이 보인다. 누가 타고 있는 건가?
11	자작나무가 늘어선 산책로. 시원한 바람이 분다.
12	활활 타오르는 캠프파이어. 사람만 많으면 포크 댄스를 췄을 텐데.

🔪 살인마

	위험도 3	속성 생물	생명력 12

호기심 폭력　　특기 《절단》, 《매장》, 《기쁨》, 《죽음》

어빌리티 【기본공격】 공격 《절단》
　　　　【연격】 서포트 《절단》　IS p181
　　　　【장갑】 장비　IS p183

해설 망설임 없이 사람을 죽일 수 있는 정신질환자입니다. 개중에는 살인에 성적인 흥분을 느끼는 자도 있습니다. 데이터는 날붙이를 주로 쓰는 살인마의 것이지만 《함정》을 쓰는 폭탄마, 《약품》을 쓰는 독살마 등도 있습니다.

호수의 그림자	위협도 3	속성 생물/괴이	생명력 10

호기심 폭력 　특기 《구타》,《노여움》,《냄새》

어빌리티 【기본공격】　공격　《노여움》
　　　　　【살육연쇄】　공격　《구타》　이식　DL p214

해설 호수 속에 사는 수수께끼의 생물입니다. 매우 굶주렸으며, 배를 채우고 싶어 합니다.

핸드아웃

프라이즈 「매혹의 힘」은 세션을 시작할 때 몰래 PC①에게 건넨다. 프라이즈 「낡은 배지」는 메인 페이즈의 마스터 장면 「호수에는……」이 끝날 때 PC③에게 건넨다. 「오토나시 미도리」, 「야마우치 쿄우」는 도입 페이즈가 끝날 때, 「호수의 그림자」는 마스터 장면 「호수에는……」이 끝날 때 공개한다.

Handout

이름　프라이즈 매혹의 힘

개요
이 프라이즈를 소지한 캐릭터는 특기 《매혹》의 특기 판정에 플러스 수정치를 얻는다. 1사이클 수 있다. '호수의 그림자'.

Handout — 쇼크 없음

비밀
이 프라이즈의 진짜 이름은 「대가 없는 신뢰」다. 누군가가 누군가에게 준 영원한 우정의 증표다. 이 프라이즈의 소유자는 언제든지 정면에 있는 그 그림자를 불러낼 수 있으며, 「호수의 그림자」가 공격할 대상을 지정할 수 있다. 또, 「호수의 그림자」의 [비밀]을 밝혀도 공포판정을 할 필요가 없다.

이 비밀은 스스로 밝힐 수는 없다.

Handout — 쇼크 없음

비밀
당신은 매력적인 인물이다. 당신이 무언가를 부탁하면 남들은 무심코 들어주고 만다. 당신은 프라이즈 「매혹의 힘」을 가지고 있다. 또, 당신은 시나리오 중 딱 한 번만 자신의 [감정]을 「애정」으로 변경할 수 있다.

이 비밀은 스스로 밝힐 수는 없다.

Handout

이름　PC①

사명
당신은 친구들과 함께 캠프를 하러 캠프장에 와 있다.
당신의 [사명]은 이 캠프 동안 연인(서로에게 「애정」의 [감정]을 가진 상대)을 만들어서 무사히 돌아가는 것이다.

Handout

이름　PC②

사명
당신은 친구들과 함께 캠프를 하러 캠프장에 와 있다.
당신의 [사명]은 이 캠프장에서 무사히 돌아가는 것이다.

Handout — 쇼크 전원

비밀
당신은 사실 죽었다. 유령이 되어 이 캠프장에 계속 건재하고 있다. 당신의 [진정한 사명]은 동료를 늘리는 것이다. 【생명력】을 0으로 만든 PC는 당신의 [애○스 페이즈]가 끝난 후에 사망하여 당신의 동료가 된다.

이 비밀은 스스로 밝힐 수는 없다.

Handout

이름	PC③

사명

이 캠프장에는 예전부터 사귄 당신의 소중한 친구가 있다. 당신의 「진정한 사람」이다. 그는 매우 친구와 배달 채우는 것이다. 친구가 어떤 모습을 하고 있는지는 기억나지 않지만, 만나면 바로 알 수 있을 것이다. 당신은 친구와 만나면 프라이즈 [대가 없는 신뢰]를 획득한다.

Handout

비밀

쇼크: 진원

이 캠프장에는 예전부터 사귄 당신의 소중한 친구가 있다. 당신의 「진정한 사람」은 매우 친구와 배달 채우는 것이다. 친구가 어떤 모습을 하고 있는지는 기억나지 않지만, 만나면 바로 알 수 있을 것이다. 당신은 친구와 만나면 프라이즈 [대가 없는 신뢰]를 획득한다.

이 비밀을 스스로 밝힐 수는 없다.

Handout

이름	PC④

사명

당신은 친구들과 함께 캠프를 하러 캠프장에 왔다.

당신의 [사명]은 이 캠프장에서 무사히 돌아가는 것이다.

Handout

비밀

쇼크: 진원

당신은 참극을 강하게 동경한다. 직접 현장을 목격하고 싶어서 견딜 수가 없었고, 이젠 참을 수 없을 지경이다. 당신의 [진정한 사람]은 참극(자신의 등장신 장면에서 누군가의 [생명력]이 0이 된다)를 목격하는 것이다.

Handout

이름	호수의 그림자

개요

안개 너머, 호수 속에서 흐늘흐늘 움직이는 그림자. 움직임이 빨라서 모습을 정확하게 볼 수 없다.

Handout

비밀

쇼크: 진원

당신은 매우 흉악하였다. 당신은 그 [사명]은 카다란 생물로 배를 채우는 것이다. 이 [비밀]을 처음으로 본 PC는 「흉암표」, 「무력화」, 「분체」를 사용하여 모습을 결정해서 여기에 기재한다.

이 [비밀]을 안 PC는 《생물학》으로 공포판정을 한다.

Handout

이름	오토나시 미도리

사명

당신은 친구들과 함께 캠프를 하러 캠프장에 왔다.

당신의 [사명]은 이 캠프장에서 무사히 돌아가는 것이다.

Handout

비밀

쇼크: 없음

당신은 지금 매우 불안하다. 당신은 무표로 강장관절을 한 캐릭터에 대해 [애정]의 [감정]을 얻느다. 또, 그 캐릭터가 있는 장소에 반드시 따라가려고(등장하려고) 한다.

이 [비밀]을 안 PC는 《생물학》으로 공포판정을 한다.

Handout

이름	야마우치 쿄우

사명

이 캠프장이 있는 장소는 당신이의 고향이다. 당신은 친구들에게 이곳을 권하여 함께 캠프를 하러 왔다.

당신의 [사명]은 이 캠프장에서 무사히 돌아가는 것이다.

Handout

비밀

쇼크: 진원

당신은 쌀인하고 싶은 경인 충동을 가지고 있었다. 드디어 진정한 자신을 해방할 때가 왔다. 당신은 무의식에 이제 마음대로 죽이려 된다. 당신의 [진정한 사람]은 캐릭터를 4명 이상의 [생명력]을 0으로 만드는 것이다.

이 [비밀]을 안 PC는 《죽음》으로 공포판정을 한다.

Converstaion Piece

가족의 초상

오랜만에 가족 여행을 떠나기로 한 일가가 선택한 곳은 어느 산장. 어디에나 있는 평범한 가족이지만, 마음속에는 비밀스러운 감정을 안고 있다. 불온한 분위기 속에서 여행이 시작된다.

타입: 특수형
리미트: 2
플레이어 수: 4명
프라이즈: 여행잡지, 여행 가방, 한 세대 전의 게임기, 일기장

시나리오의 무대

이 시나리오는 「사실은 무서운 현대 일본」 세팅을 사용합니다. 무대는 피서지에 있는, 과거에 모종의 사건이 있었던 산장입니다. 플레이어들은 오랜만의 가족 여행을 위해 그 산장에 찾아온 일가족입니다. GM은 그 점을 플레이어에게 전달하여, 참가자 모두가 협력해서 「행복한 가족」을 연출하게 합시다.

장면표는 「사실은 무서운 현대 일본 장면표」와 호러 스케이프 「폐허에서 마주치는 공포」를 사용합니다.

배경

어느 한 가족이 있었습니다. 매우 평범하고 행복하게 살아가는 가족이 있었습니다. 다툴 때도 있긴 했지만, 서로 돕고 의지하며 근사한 가정을 이루었습니다. 그런데 어느 날 불행한 사고가 일어나 막내 여동생이 세상을 떠나고 말았습니다. 그 날부터 가족의 톱니바퀴는 조금씩 어긋나기 시작했습니다. 각자 문제를 끌어안은 부친, 모친, 장남, 장녀……. 그래도 다들 가족의 형태를 유지하려고 했습니다. 어떻게든 옛

날의 행복을 되찾고 싶었던 부친은 어느 날 가족 여행을 계획했습니다.

그런데 이번에 묵을 산장에는 마리라는 소녀의 영이 씌어 있었습니다. 자기 가족에게 학대를 당한 끝에 살해된 마리는 필사적으로 관계를 회복하려는 일가를 보고 분노와 질투에 사로잡힙니다. 그리고 일가에게 가짜 기억을 심어서 서로 반목하게 했습니다. 이 사태를 조금이나마 눈치챈 것은 마리에게서 가족을 지키고자 언니와 자신을 바꿔치기한 막내 여동생의 유령, PC③뿐이었습니다. 이 가족은 잇달아 일어나

는 재앙을 극복하며 진짜 기억을 되찾고, 이 저주받은 산장에서 돌아올 수 있을까요?

진정한 비밀

이 시나리오의 PC는 거짓 기억이 심어진 가족들입니다. 이것은 그것을 나타내기 위한 특수 규칙입니다.

PC들의 핸드아웃에 적힌【비밀】은 가짜 기억입니다. 세션 중에 특정한 조건을 만족하면 기억을 되찾고【진정한 비밀】을 획득할 수 있습니다.【진정한 비밀】을 획득하면 그 PC의【비밀】은【진정한 비밀】로 교체됩니다(원래의【비밀】이 가진 효과는 더는 적용되지 않습니다).

만약 클라이맥스 페이즈에 이미 회상 장면을 연 PC가 그 후에【진정한 비밀】을 획득했다면, 다시 한 번 회상 장면을 열 수 있습니다.

광기

『인세인』과『데드 루프』의 일반【광기】와「사실은 무서운 현대 일본」의【광기】를 모두 1장씩 준비합니다. 그리고 그것을 섞어서 덱이 16장이 될 때까지 무작위로 제거합니다.

도입 페이즈

이 시나리오의 도입 페이즈는 아래와 같습니다. 또, 이 시점에서 GM은 PC①에게「여행잡지」, PC②에게「여행 가방」, PC③에게「한 세대 전의 게임기」, PC④에게「일기장」프라이즈를 건넵니다. 이때, GM은 플레이어들에게 이번 시나리오는 메인 페이즈가 시작하기 전에는 프라이즈의【비밀】을 읽어서는 안 된다고 전해둡시다.

● 장면1   산장

이 장면은 마스터 장면입니다. PC 전원이 등장합니다.

조용한 숲속에 산장 한 채가 있습니다. 지은 지 오래된 것 같지만, 넓고 쾌적한 건물입니다. 그 앞에 한 대의 차가 멈춥니다. 차에서 내린 PC들이 서로에게 말을 걸며 산장으로 짐을 옮깁니다. 상쾌한 바람이 불고, PC들은 오랜만에 해방감을 느낍니다. 짐을 다 옮겼을 때 초로의 남성이 말을 겁니다. 관리인인 스가타 씨입니다.

「어서 오세요. 잘 오셨습니다. 아무것도 없지만 느긋하게 지내기에는 좋은 장소입니다. 편안히 있으세요. 뭔가 곤란한 일이 있으면 이쪽으로 연락 주세요.」

그렇게 말하며 스가타 씨는 전화번호를 적은 메모를 건네줍니다. 그리고 산장을 떠나려다가 생각났다는 듯이 이렇게 말합니다.

「그러고 보면 여러분이 오시기 전에 남성 한 분이 찾아오셨습니다. 화려한 양복에 선글라스를 쓴 분인데, 성함이…… 쿠로다… 요지 씨었던가? 여러분과 아는 사이인가요?」

PC들이 뭐라고 대답했든 간에,

「그렇군요. 그분, 또 오겠다고 하셨습니다.」

라고 말하고 산장을 떠납니다.

GM은「쿠로다 요지」의 핸드아웃을 공개합니다.

● 장면2   단란한 가족

이 장면은 마스터 장면입니다. PC 전원이 등장합니다.

PC들은 산장의 뜰을 이용해서 바비큐 파티를 즐겼습니다. 조금 어색한 부분도 있지만, 오랜만에 가족이 모두 모인 즐거운 저녁 식사였습니다. 그때 누구랄 것도 없이「유미도 있었다면…….」하고 중얼거립니다. PC 전원은《슬픔》으로 공포판정을 합니다.

어두운 분위기가 일가를 무겁게 억누릅니다.

● 장면3   그 사건

이 장면은 마스터 장면입니다.

PC들이 장례식을 치를 무렵입니다. 하얀 꽃에 둘러싸인 영정사진에 PC③과 닮은 여성이 찍혀 있습니다. 이것은 1년 전에 치른 PC③의 쌍둥이 여동생 유미의 장례식을 PC들이 꿈에서 보며 떠올리는 장면입니다.「단란한 가족」장면이 끝난 후, 분위기가 깨지는 바람에 PC들은 각자의 방에서 잠을 자기로 했습니다.

유미는 1년 전, 혼자서 놀다가 사고를 당해 죽었습니다. GM은「그 사건」의 핸드아웃을 공개합니다.

PC들이 꿈속에서 슬퍼하고 있는데 어딘가에서 유미의 목소리가 들립니다.

「날 죽인 건, 당신이야?」

PC 전원은《원한》으로 공포판정을 합니다. 결과와 관계없이 PC는 잠에서 깹니다. 아침이 되었습니다.

메인 페이즈

GM은 각 플레이어에게 프라이즈의【비밀】을 읽으라고 전합니다. 또, 이 시나리오에서는 아래의 마스터 장면이 발생합니다.

● 산뜻한 아침 식사

제1 사이클 첫 번째 장면에 삽입합니다.

PC③과 PC④가 1층에 내려오니 밥과 된장국, 생선구이와 달걀로 차린 아침 식사가 준비되어 있습니다. 매우 맛있는 냄새가 납니다.

PC①과 PC②는 이미 식탁에 앉아 있습니다. 숲의 아침은 공기도 깨끗해서 상쾌합니다. PC 전원은 어젯밤의 일도 잊고 조금 기쁜 기분이 듭니다.

PC들이 훈훈한 분위기로 아침 식사를 들면 아까까지의 좋은 냄새가 사라지고 불쾌한 맛이 납니다. 요리가 상했습니다. PC①은 PC②가, PC②는 PC①이 아침을 차렸다고 생각했지만, 누구도 아침을 차린 기억은 없습니다. 도대체 이 아침 식사는 누가 만든 것일까요?

PC 전원은《맛》으로 공포판정을 합니다.

● 기분 나쁜 양복

제1 사이클 세 번째 장면에 삽입합니다.

PC③이 창밖을 보니 고요한 산장과는 어울리지 않는, 기분 나쁜 양복을 입고 선글라스를 쓴 남자가 서 있습니다. 아마도 이 남자가 쿠로다일 것입니다. 남자는 창 쪽을 올려다보며 씨익 웃고 그 자리를 떠납니다. PC③은 《웃음》으로 공포판정을 합니다.

● 여자에게 당했다.

제1 사이클 다섯 번째 장면에 삽입합니다.

밤이 됩니다. PC들은 뭔가가 털썩 쓰러지는 소리를 듣고 거실에 모입니다. 그곳에는 양복 차림의 남자가 쓰러져 있습니다. PC③이 낮에 본 남자입니다. 남자의 등에는 큼직한 식칼이 꽂혀 있습니다. PC 전원은 《찌르기》로 공포판정을 합니다.

자세히 보니 이 식칼은 PC들의 집에 있는 것과 비슷합니다. 남자는 마지막으로 「여자에게…… 당했다.」라고 말하고 죽습니다.

그러자 갑자기 산장의 조명이 모두 꺼집니다. 핸드폰은 전파가 닿지 않고, 산장에 설치된 전화도 연결되지 않습니다. 왠지 산장 밖으로 나가는 문은 무슨 짓을 해도 열리지 않고, 부수려고 해도 꿈쩍도 하지 않습니다. PC들은 전원《포박》으로 공포판정을 합니다. 이후 모든 장면에 암흑수정이 적용됩니다.

PC들은 어떤 초자연적인 힘으로 이 산장이 갇혔습니다. 탈출방법을 찾아내야 합니다. GM은 「저주받은 산장」의 핸드아웃을 공개합니다.

● 누구게?

이 마스터 장면은 제1 사이클 일곱 번째 장면에 발생합니다.

PC 전원의 앞에 소녀의 영으로 보이는 것이 나타납니다. 소녀의 영은 입을 크게 벌리고 좌우의 눈구멍에 자신의 두 검지와 중지를 찔러넣은 모습입니다. 손가락 끝에서는 검은 타르 같은 눈물이 흘러넘칩니다. 얼굴이나 표정은 보이지 않지만, 그 모습에서는 격렬한 분노와 저주를 느낄 수 있습니다.

그녀는 PC들을 향해 「누구게?」라고 말을 겁니다. PC는 모두《원한》으로 공포판정을 합니다. 그 후, 소녀의 영은 PC④에게 「만나고 싶어지면 내 이름을 불러.」라고 말하고 킥킥 웃으며 사라집니다.

● 산장의 괴이

이 마스터 장면은 제2 사이클 이후, PC들이 드라마 장면의 장면표를 사용하기 전에 삽입합니다. 마스터 장면을 시작하기 전에 이 장면에 누가 등장할지 정합니다. 우선 이 마스터 장면을 처리하고, 그 후에 해당 PC의 장면을 처리합니다.

장면 플레이어는 호러 스케이프 「폐허에서 마주치는 공포 (『데드 루프』 p170)」를 사용합니다. 만약 호러 스케이프의 결과가 이미 세션 중에 일어난 적이 있는 내용이라면 다른 결과가 나올 때까지 다시 굴립니다. 내용의 「폐허」는 「산장」으로 바꿔 읽어서 묘사합니다. 여기에서 하는 공포판정에는 장면에 등장한 장면 플레이어 이외의 PC 수만큼 마이너스 수정을 적용합니다(서로에 대한 의심이 공포를 증폭합니다). 공포판정에 성공한 캐릭터가 아직 【진정한 비밀】을 가지고 있지 않다면, 마리의 힘을 이겨내고 기억을 되찾을 수 있습니다. GM은 공포판정에 성공한 플레이어에게 해당 PC의 【진정한 비밀】을 건넵니다.

● 그 이름을 부르면

PC가 이 집에 씐 원령의 이름을 불렀을 때 삽입하는 마스터 장면입니다. 원령의 이름을 부른 장면에 등장한 PC 전원이 장면에 등장합니다. 우선 이 마스터 장면을 처리하고, 그 후에 해당 PC의 장면을 처리합니다.

PC가 「마리」의 이름을 부르면 이 집에 씐 마리의 원령이 나타납니다. 이때, 【진정한 비밀】을 가지지 않은 PC가 있다면 마리의 힘을 이겨내고 기억을 되찾을 수 있습니다. GM은 해당 PC에게 【진정한 비밀】을 건넵니다. 원령의 이름을 부른 PC의 장면 처리를 끝낸 후에 클라이맥스 페이즈가 됩니다.

PC가 「마리」 이외의 이름을 부르면 「킬킬」하고 소리 죽여 웃는 소리가 들릴 뿐입니다.

조킹

• 식칼은 PC②의 프라이즈 「여행 가방」의 【비밀】에 적힌 것입니다. PC②의 비밀을 본 사람은 그것을 확신할 수 있습니다. 단, 「여자에게 당했다.」 장면이 끝나면 어느새 쿠로다의 등에서 식칼이 사라져서 PC②의 여행 가방 안에 돌아옵니다.

• 「여행잡지」를 잘 조사하면 일가족 동반 자살 사건을 일으킨 가족이 「쿠로다 가」라는 것을 알 수 있습니다. 잡지 기사에 따르면 원래 이 산장은 쿠로다 쥬조라는 인물의 소유였다고 합니다. 가족 구성은 PC 일가와 마찬가지로 부친, 모친, 장남, 장녀, 차녀입니다. 하지만 가정환경은 최악이라 부친과 모친은 바람을 피우느라 여념이 없고, 장남은 폭주족 소속, 장녀는 도둑질 상습범, 차녀만이 그나마 정상적인 생활을 했습니다. 하지만 결국 부친의 사업이 파탄. 쥬조가 강제로 동반 자살을 꾸몄습니다. 밀실이 된 산장에서 모친과 장녀가 서로를 죽였고, 차녀는 부친에게 며칠에 걸친 학대를 받은 후에 죽은 것으로 보입니다. 또, 기사에 따르면 차녀 마리에 대한 학대에는 이 동반 자살 사건의 유일한 생존자인 장남 요지가 가담했다는 의혹도 있다…… 고 적혀 있습니다.

클라이맥스 페이즈

클라이맥스 페이즈는 PC들의 기억 상태에 따라 달라집니다. 아래와 같이 처리합니다.

● PC들이 모두 기억을 되찾았다

「원령」하나(마리)와「악마의 속삭임」셋이 PC 일가를 덮칩니다. 전투합니다.

● 기억을 되찾지 못한 PC가 있다

「원령」하나(마리)와「악마의 속삭임」셋이 PC③을 덮칩니다. 전투합니다.

마리는 기억을 되찾지 못한 PC에게「당신들의 욕망을 보여 줘. 가장 강한 욕망을 보여준 사람을 이 건물에서 내보내 줄게.」라고 속삭입니다.【진정한 비밀】을 가지지 않은 PC에게는 자신의【비밀】에 입각하여 전투하도록 지시합니다.

【진정한 비밀】을 가진 PC들은 【진정한 비밀】을 갖지 않은 PC에게 1점 이상 대미지를 입혔을 때, 보조행동으로 그 PC의 기억을 되돌리는 시도를 할 수 있습니다. 기억을 되돌리려면【친애】로 판정을 합니다. 성공하면 해당 PC는 자신의【진정한 비밀】을 획득합니다.

결말

전투 결과에 따라 결말은 달라집니다.

● 가족의 초상

【진정한 비밀】을 가진 PC가 승자가 되면 마리의 저주는 풀리고, 산장의 문이 열립니다. 문을 연 것은 가족들이 자기만 두고 가족 여행을 갔다는 것을 깨달은 진짜 장녀(NPC)였습니다.

PC③이【진정한 비밀】을 얻지 못했다면 이 타이밍에【진정한 비밀】을 획득합니다.

【진정한 비밀】을 갖지 못한 채 행동불능이 된 캐릭터는 기억을 되찾으며 눈을 뜹니다(사망한 PC는 눈을 뜨지 않습니다).

살아남은 PC들은 다시 가족이 되어 새로운 집으로 돌아갑니다.

● 저주의 연쇄

【진정한 비밀】을 가진 PC가 모두 행동불능이 되면, 마리는 그들을 거두어들여 더 강력한 원령이 됩니다.

단, PC③과【진정한 비밀】을 가진 PC가 모두 행동불능이 됐을 때, 거짓 기억에 조종당하는 PC가 아직 행동할 수 있다면, 마리는 그들이 서로를 죽이도록 유도합니다. 해당 PC의 플레이어는 2D6을 굴립니다. 여기에서 가장 높은 눈이 나온 플레이어의 PC는 어느새 자기 외의 가족을 모두 죽이고 산장에서 해방됩니다. 그리고 그 PC는【진정한 비밀】을 획득합니다.

절망하는 PC의 등 뒤에서 마리가 소리 높여 웃는 소리가 들리는 것만 같습니다.

● 원령		위협도 6	속성 괴이	생명력 25

호기심 정서	특기 《소각》, 《부끄러움》, 《원한》, 《인류학》, 《영혼》

어빌리티
【기본공격】 공격 《원한》
【연격】 서포트 《소각》 IS p181
【보복】 서포트 《인류학》 IS p182
【빙의】 서포트 《영혼》 지원행동. 목표를 1명 선택한다. 목표는 《영혼》으로 판정을 해야 한다. 여기에 실패하면, 목표는 이 에너미에게 빙의당한다. 빙의한 에너미가 대미지를 입으면 1D6을 굴린다. 홀수라면 빙의당한 목표가 그 대미지를 입는다. 이 효과는 빙의한 에너미가 대미지를 입을 때까지 계속된다.

해설	10년 전에 동반 자살 사건의 피해자가 된 쿠로다 마리가 원령이 된 존재. 부조리한 학대를 당한 원한을 풀기 위해 PC들을 덮친다. 쿠로다 요지의 동생이기도 하다.

● 악마의 속삭임		위협도 2	속성 괴이/현상	생명력 6

호기심 지각	특기 《협박》, 《고통》, 《소리》

어빌리티
【기본공격】 공격 《협박》
【독전파】 서포트 《고통》 지원행동. 드라마 장면에서도 사용할 수 있다. 목표 1명을 선택한다. 목표는 《고통》으로 판정해야 하며, 여기에 실패하면 미공개【광기】를 무작위로 1장 선택해서 공개한다.

해설	비극을 되풀이하게 만드는 악의. 이 악마의 속삭임을 공격할 때는 《고통》이 지정특기인 공격 어빌리티를 사용하지 않는 한 명중판정의 펌블치가 2 증가하고 -5의 수정이 적용된다.

핸드아웃

세션을 시작할 때 프라이즈 「여행잡지」는 PC①에게, 프라이즈 「여행 가방」은 PC②에게, 프라이즈 「한 세대 전의 게임기」는 PC③에게, 프라이즈 「일기장」은 PC④에게 건넨다. 「쿠로다 요지」는 도입 페이즈의 장면1에서, 「그 사건」은 도입 페이즈의 장면3에서 공개한다. 「저주받은 산장」은 제1사이클 다섯 번째 장면의 「여자에게 당했다」에서 공개한다.

Handout

이름	PC①
사명	당신은 쿠로다에의 실패에서 절망했다. 당신은 여러 가지로 엇나가버린 가족들을 위해 이번 마지막 추억으로 삼아 가족 여행을 계획했다. 당신의 [사명]은 이번 가족 여행을 즐거운 추억으로 만드는 것이다.

Handout
비밀

쇼크	전원

당신은 쿠로다에 실패해서 절망했다. 빛정이 쿠로다로 실패해서 절망했다. 이 여행을 마지막 추억으로 삼아 가족 여행을 계획했다. 당신의 [진정한 사명]은 이 가족 여행 동안 가족 모두를 행동불능으로 만드는 것이다.

이 비밀은 스스로 밝힐 수는 없다.

Handout

이름	프라이즈 여행잡지
개요	프라이즈. PC①은 이 여행잡지를 읽고 이번 가족 여행을 계획했다. 이 프라이즈의 소유자는 이 프라이즈를 [부적]으로서 1회 사용할 수 있다 (사용해도 이 프라이즈는 없어지지 않는다). 사용 횟수 ○ 이 프라이즈의 소유자는 드라마 장면만이 이 프라이즈의 [비밀]을 읽을 수 있다(정보 공유는 발생하지 않는다). 드라마 장면에서 남에게 전달 가능.

Handout
비밀

쇼크	전원

이 잡지는 사실 저속한 가십지다. 기사에 따르면 이 산장은 「저주받은 산장」이라고 불린다. 이 산장에서는 과거에 끔찍한 일가족 동반 자살 사건이 있었다. 이 잡지에는 그 사건의 자세한 내용이 적혀 있다. 기사에 따르면 그 산장에서도 몇 차례 기묘한 사고가 발생했다고 한다.

Handout

이름	PC②
사명	당신은 이 집의 모친이다. 당신은 최근 지나치게 교류가 드물어진 자식들과 다시 가까워지기 위해 여행에 참가했다. 당신의 [사명]은 이번 가족 여행을 즐거운 추억으로 만드는 것이다.

Handout
비밀

쇼크	PC①

당신은 이제 이런 생활이 지긋지긋하다. 당신은 이번 여행지에서 몰래 상대인 쿠로다와 만나기로 했다. 당신의 [진정한 사명]은 가족과 헤어져 상대인 쿠로다와 만나 어디든 아무도 모르는 곳으로 도망치는 것이다.

이 비밀은 스스로 밝힐 수는 없다.

Handout

이름	프라이즈 여행 가방
개요	프라이즈. 이번 가족 여행을 위해 이것저것 넣어둔 여행 가방. 이 프라이즈의 소유자는 회복판정을 할 때 +1의 수정을 적용한다. 이 프라이즈의 소유자는 드라마 장면만이 이 프라이즈의 [비밀]을 읽을 수 있다(정보 공유는 발생하지 않는다). 드라마 장면에서 남에게 전달 가능.

Handout
비밀

쇼크	전원

여행 가방 안에는 신중하게 숨긴 식칼이 있었다. 이 프라이즈의 소유자는 맨몸인 채로도 프라이즈 「무기」로서 사용할 수 있다(사용해도 이 프라이즈는 없어지지 않는다).

이 비밀은 스스로 밝힐 수는 없다.

핸드아웃

각 PC의 【진정한 비밀】은 메인 페이지의 마스터 장면 「산장의 괴이」에 따라 획득할 수 있다.

Handout

이름	PC③

사명

당신은 이 집의 영감(靈感)이 있는 것 같다. 이 사진에서는 무언가 정체를 알 수 없는 사악한 힘이 느껴진다. 그 힘이 당신의 가족을 조종하고 있는 것 같다. 이 【비밀】을 본 자는 《원혼》으로 공포판정을 한다. 당신의 【진정한 비밀】은 이 산장의 악의에게서 가족을 지키는 것이다.

Handout

비밀

쇼크	전연

당신에게는 일종의 영감(靈感)이 있는 것 같다. 이 사진에서는 무언가 정체를 알 수 없는 사악한 힘이 느껴진다. 그 힘이 당신의 가족을 조종하고 있는 것 같다. 이 【비밀】을 본 자는 《원혼》으로 공포판정을 한다. 당신의 【진정한 비밀】은 이 산장의 악의에게서 가족을 지키는 것이다.

이 비밀은 스스로 밝힐 수는 없다.

Handout

이름	프라이즈한 세대 전의 전자 게임기

개요

유미가 좋아했던 휴대형 게임기. 이 프라이즈의 소유자는 감정판정을 할 때 +1의 수정을 적용한다. 이 프라이즈의 소유자는 드라마 장면 이 프라이즈의 【비밀】을 읽을 수 있다. 만일 이 프라이즈의 【비밀】을 읽을 수 있다(정보 공유는 발생하지 않는다). 드라마 장면에서 남에게 전달 가능.

Handout

비밀

쇼크	없음

이 【비밀】을 공개하면 휴대형 게임기를 「힐링 장갑」을 (『데드 루프』 p181) 프라이즈로서 사용할 수 있다.

이 비밀은 스스로 밝힐 수는 없다.

Handout

이름	PC④

사명

당신은 이 집의 장남이다(PC③의 오빠다. 「그 사진」 아래 방에 들어가 히 지나갔는데, 이번에는 억지로 여행에 끌려 왔다. 당신의 【사명】은 빨리 집에 돌아가는 것이다.

Handout

비밀

쇼크	PC①, ②

당신은 유미의 죽음이 부모의 책임이라고 생각한다. 그래서 당신은 부모를 미워한다. 당신의 【진정한 비밀】은 가족여행 동안 PC①과 PC②를 잔인상태로 또는 행동불능으로 만드는 것이다.

이 비밀은 스스로 밝힐 수는 없다.

Handout

이름	프라이즈 일기장

개요

1년 전의 사진 아래 써온 PC④의 일기장. 이 프라이즈의 소유자는 이 프라이즈를 「진통제」로서 1회 사용할 수 있다(사용해도 이 프라이즈는 없어지지 않는다). 사용 횟수 ○

이 프라이즈의 소유자는 드라마 장면 이 프라이즈의 【비밀】을 읽을 음. 만일 이 프라이즈의 【비밀】을 발생하지 않는다. 드라마 장면에서 남에게 전달 가능.

Handout

비밀

쇼크	없음

읽기에는 죽은 여동생 유미와 이야기하기 위한 다양한 방법이 적혀 있다. 이 【비밀】을 본 PC④ 이외의 PC는 《마술》로 공포판정을 한다. PC④는 그 방법을 시험해봤지만, 유미와 통화하는 데는 못했다. 영을 아는 이런데 그 일의 올바른 이름을 아는 것이 중요하다고 하는데……

이 비밀은 스스로 밝힐 수는 없다.

Handout — 구모다 요지

이름	구모다 요지
사명	

당신은 정체불명의 남자이다. 무언가 목적이 있어서 PC 일가에게 접근했다. 당신은 [사명] PC 일가를 불행의 구렁텅이로 떨어뜨리는 것이다.

비밀 | 쇼크 없음

이 핸드아웃은 누구에게 공개해도 된다.

...라고 한다. 돈을 남기지 않는다면 의지로라도 배상을 생각이다. PC②의 [여행 가방]에 들어 있을 것인데……

Handout — 그 사건

사건	그 사건
개요	

PC 일가에게는 PC③의 쌍둥이 여동생인 유미가 있었다. 하지만 그녀는 1년 전에 사고로 죽었다. 유미가 죽은 이래 가족들은 어딘가 어긋나서 화목하게 지내지 못하고 있다.

비밀 | 쇼크 없음

이 핸드아웃은 누구에게 공개해도 된다.

다. 유미는 사고로 죽었다.
유미의 죽음에 의심스러운 점은 있었…

Handout — 저주받은 산장

장소	저주받은 산장
개요	

수수께끼의 피어로 인해 산장이 폐쇄되고 말았다. 무슨 짓을 해도 도망칠 수가 없다! PC들을 다른 PC들의 [거짓]를 획득한다. 낮이 세면 (2시의 세션 종결과 시) 이 산장에서 탈출할 수 있을까……?

비밀 | 진실

이 핸드아웃은 누구에게 공개해도 된다.

벽장을 조사하다가 한 장의 사진을 찾았다. 이 산장을 배경으로 어떤 가족이 찍혀 있다. 부친, 모친, 장남, 장녀, 차녀의 구성. 게다가 장녀와 차녀는 쌍둥이 소녀인데, 차녀와 똑 닮은 얼굴이 구모다로 보이는데……?

Handout — PC①의 진정한 비밀

이름	PC①의 진정한 비밀
쇼크	없음

당신은 무언가에게 기억을 조작당했지만, 이제 모든 것을 떠올렸다. 당신은 구모다라는 남자에게 금융 신은 구모다라는 남자에게 근경 엽자에게 도움을 받다는 바람에 근경 엽자에게 도움을 받다가, 소매치기하던 것을 들키고 말았다. 가족 동반 자신을 위장하여 구모다의 눈을 속이고 아빠도주를 할 생각이다. 당신의 [진정한 사명]은 가족이 세상으로 돌아가는 것이다.

이 핸드아웃을 스스로 밝힐 수는 없다.

Handout — PC②의 진정한 비밀

이름	PC②의 진정한 비밀
쇼크	없음

당신은 무언가에게 기억을 조작당했지만, 이제 모든 것을 떠올렸다. 당신은 구모다라는 남자에게 근경 신은 구모다라는 남자에게 근경 엽자에게 협박당하는 것을 알았다. 소매치기하다가 들키는 것을 발빌하는 바람에 근경에 처했다. 가족관계를 강요받은 듯하다. 당신은 탈출 자기기 위해 구모다를 이 산장에 불러냈다. 당신 사이에 는 아무런 관계도 없다. 당신의 [진정한 사명]은 가족을 지키는 것이다.

이 핸드아웃을 스스로 밝힐 수는 없다.

Handout — PC③의 진실

이름	PC③의 진실
쇼크	

당신은 무언가에게 기억을 조작당했지만, 이제 모든 것을 떠올렸다. 당신은 사고로 죽은 유미다. 가족을 구하고 싶어 저 세상에서 안나와 바꿔치기했다. 낮이 샐 때까지 이 집에 선 현령을 잠을 먼 유미로 바꾸지 않으면 안 된다.

'이것을 낮 현령으로 한다.' 이 [진정한]에 당신이 현령으로 변하는 것이다.

이 핸드아웃을 스스로 밝힐 수는 없다.

Handout — PC④의 진정한 비밀

이름	PC④의 진정한 비밀
쇼크	없음

당신은 유미가 죽은 것이 자기 때문이라고 생각하여 죄책감에 젖어서 나날을 보내고 있다. 당신은 그 사실 나갈 수 없게 되었다. 당신은 그 사실 때문에 어떻게든 유미의 대화할을 방문하고 싶어한다. 유미의 대화할을 방문하기 위해 죽은 혼을 볼 수 있으면 하고 이 혼을 볼 수 있는 [진정한]이 당신에게 향상하는 것이다.

'이것을 낮 현령으로 한다.'

이 핸드아웃을 스스로 밝힐 수는 없다.

하이 스트레인지니스

찍은 기억이 없는 사진을 계기로 PC들은 UFO와 우주인이 날뛰는 이상한 세계에 빠져든다. 부조리하고 상식이 통하지 않는 「그들」은 도대체 누구일까?

타입: 협력형
리미트: 3
플레이어 수: 4명
프라이즈: 없음

시나리오의 무대

이 시나리오는 「사실은 무서운 현대 일본」 세팅을 사용합니다. 장면표는 「사실은 무서운 현대 일본 장면표」를 사용합니다.

배경

사이 좋은 친구인 네 명의 PC들은 한 장의 사진을 보고 당황합니다. 지난주 일요일 날짜로 찍힌 그 사진에는 PC 네 사람이 찍혀 있습니다. 호수로 보이는 장소 앞에서 즐거운 얼굴로 포즈를 취한 네 사람. 하지만 아무도 그런 사진을 찍은 기억이 없습니다. 그렇기는커녕 잘 생각해보니 일요일에 뭘 했는지 기억이 애매합니다. 사진의 배경에는 기묘한 사람 모양의 그림자와 비행물체가……. 도대체 우리에게 무슨 일이 일어났던 걸까? PC들은 떠올리려 합니다.

사실 PC들은 UFO와 만나는 바람에 현실이 뒤엉켜버린 상태입니다. 아슬아슬하게 남아 있는 단편적인 기억도 앞뒤가 맞지 않는 것뿐. UFO와 만난 이후, PC들의 현실은 점점 침식당하고 있습니다. 이대로라면 UFO가 오는 「저쪽」의 현실에 삼켜지고 말 것입니다. 「이쪽」의 현실에 머물기 위하여 PC들은 UFO의 현실 침식에 저항해야 합니다.

광기

『인세인』에서 【거동수상】, 【이질적인 언어】, 【기억상실】, 【초현실주의】, 【음모론】을, 『데드 루프』에서 【왜 나만?】, 【일그러진 마음】, 【예지몽】, 【불길한 숫자】, 【빙의】, 【과대망상】, 【우행】, 【기묘한 욕구】, 【폭로】, 【기시감】, 【미시감】을 1장씩 준비합니다.

특수 규칙

● 캐릭터 메이킹 지침

PC 네 명은 사이좋은 친구입니다. 차를 운전할 수 있다면 더 바람직하므로, 대학생 정도의 연령을 추천합니다.

● 기억의 파편

시나리오 중에 조사한 핸드아웃의 【비밀】에 「기억의 파편이 되살아난다」라고 적힌 경우, 우주인의 현실에 대항할 수 있는 현실적인 기억을 「떠올립니다」. 우선 각 기억의 파편은 아래와 같습니다.

「그러고 보면 우리는 ○○○를 위해 호수에 갔었어!」
「그러고 보면 우주인이라고 생각했던 건 ○○○였던 것 같아!」
「그러고 보면 UFO라고 생각했던 건 ○○○였던 것 같아!」

○○○의 내용은 플레이어가 마음대로 정합니다. 괜찮은 아이디어가 떠오르지 않는다면 GM이 도와줍니다(예컨대 우주인이라면 불발탄 처리를 하러 온 자위대원이나 폐기된 마네킹, 곰 등. UFO라면 새, 비행기, 바람에 휘날리는 비닐봉지나 디지털카메라의 픽셀 손실 등).

이 기억의 파편들은 클라이맥스 페이즈에 지원행동으로 각각 1회씩만 사용할 수 있습니다. 사용하면 PC의 현실이 더 강고해집니다. 아래 네 가지 중에서 효과를 고릅니다.

「PC 1명의 【생명력】을 1 회복」
「PC 1명의 【이성치】를 1 회복」
「PC 1명의 현재화하지 않은 【광기】 1장을 덱의 맨 아래로 되돌린다.」
「괴이 하나에게 1D6점의 대미지를 입힌다.」

단, ○○○의 내용이 너무 초자연적이거나 황당무계하면 GM은 위의 효과를 기각하고 PC 1명의 【이성치】를 1점 감소할 수 있습니다.

도입 페이즈

이 시나리오의 도입 페이즈는 아래와 같습니다.

● 낯선 사진

이 장면은 마스터 장면입니다. PC 전원이 등장합니다.

어느 날, PC①이 다른 세 사람을 불러 모읍니다. 무슨 일인지 의아해하는 PC②, ③, ④에게 PC①은 자기 스마트폰의 화면을 보여줍니다. 거기에는 한 장의 사진이 표시되어 있습니다. 네 명의 PC가 카메라 쪽을 향해 포즈를 취하거나 V 사인을 하며 즐거운 표정을 짓고 있습니다. 언뜻 보기에는 그냥 평범한 기념 셀카지만, 곧 위화감을 느낍니다. 네 명 중 누구도 이런 사진을 찍은 기억이 없기 때문입니다.

사진의 날짜를 확인해보니 지난주 일요일입니다. 여기에서 또 한 가지 이상한 점을 알아차립니다. 애초에 일요일에 어디에서 뭘 했는지 전혀 기억나지 않습니다. 사진을 자세히 보니 배경은 산속의 호수인 듯합니다. 하늘에는 선명하지 않은 뭔가가 떠 있는데, 마치 UFO 같습니다. PC들의 등 뒤로 멀리서 누군가가 서 있습니다. 흐릿한 사람 그림자는 전신이 털투성이이며, 머리는 우주복의 헬멧을 연상시키는 광택을 내는 구체입니다.

도대체 이 사진은 뭐고, 일요일에 무슨 일이 있었던 걸까……. PC들은 사진을 앞에 두고 당황합니다.

여기에서 같은 테이블에 모인 네 명에게 자기소개를 하게 하고, 핸드아웃의 【사명】을 읽어줍니다.

메인 페이즈

메인 페이즈를 시작할 때 핸드아웃 「사진(UFO)」, 「사진(괴인)」을 공개합니다.

이 시나리오에서는 아래의 마스터 장면이 발생합니다.

● 검은 옷의 남자

「사진(UFO)」의 【비밀】이 밝혀진 타이밍에 발생하는 장면입니다. 앞 장면에서 등장한 PC가 그대로 등장합니다.

사진 속의 UFO를 보던 PC에게 검은 옷의 남자가 찾아옵니다. 남자는 딱딱한 말투로 「별것 아닙니다만……」이라며 팬케이크를 건네줍니다. 그는 포장지에 싸지도 않은 팬케이크를 그대로 손에 집어 들고 있습니다.

남자는 「그 사진에 대해서는 잊어주세요」, 「이 일은 누구에게도 말해서는 안 됩니다」라고 요구합니다. 말하는 내용은 협박이지만, 말투는 단조로우며 감정이 실려 있지 않습니다. 「몇 가지 묻고 싶은 것이 있습니다. 1975년 2월 23일, 당신은 어디에 있었습니까?」, 「후지와라라는 청년이 목성에서 주운 암석을 받은 적 없습니까?」, 「일본 항공 JL 1628호에 탄 적은?」 등등 의미불명의 질문을 하고, PC의 반응을 하나하나 수첩에 메모합니다(각 질문의 내용은 일본의 UFO 조우 사례인 「고후 사건(甲府事件)」, 「니코로 사건(仁頃事件)」, 「일본 점보기 UFO 조우 사건」에 관한 것이지만, PC들과는 실제로 아무런 관계도 없습니다). 반론이나 질문을 해도 제대로 회화가 이루어지지 않으므로 당황스러울 것입니다. 만약 PC가 어떤 식으로든 폭력을 행사하려고 한다면, 남자의 손에서 뭔가가 빛나더니 그 PC가 꼼짝도 못 하게 됩니다. 【이성치】를 1 감소합니다.

잠시 후, 남자는 갑자기 질문을 멈추고 실례했다는 말조차 없이 등을 돌려 돌아갑니다. 쫓아갈 수는 있습니다.

● 창문으로 엿보는 괴인

「사진(괴인)」의 【비밀】이 밝혀진 타이밍에 발생하는 장면입니다. 앞 장면에 등장한 PC가 그대로 등장합니다.

사진 속의 괴인을 보던 PC는 문득 시선을 느끼고 돌아봅니다. 창에서 누군가가 엿보고 있습니다. 검고 뻣뻣한 털로 뒤덮인 몸 위로 구형 헬멧이 달린 그 모습은 사진 속의 괴인과 똑같습니다. PC와 눈이 마주치면 괴물은 도망갑니다. 쫓아갈 수는 있습니다.

● UFO 박사

「원반 문화 연구소」의 【비밀】이 밝혀진 타이밍에 발생하는 장면입니다. PC 전원이 등장합니다.

원반 문화 연구소 안에서 나온 남자는 소장인 마고니와 박사라고 자기소개를 합니다. 박사의 권유에 따라 안에 들어간 PC들은 털이 긴 융단과 푹신한 소파가 있는 호화로운 응접실로 안내받습니다.

박사는 PC들에게 홍차를 대접하면서 스스로 UFO 연구가라고 칭합니다. 응접실의 책장에는 UFO나 우주인에 관한 책이 가득 꽂혀 있습니다(조사해보면 알지만, 본인의 저서는 아닙니다).

「"그들"은 우리가 인식하는 현실의 가장자리, 엣지 오브 리얼리티의 주민이야. 마주친 인간은 서서히 "그들"의 현실에 삼켜져 인생을 망치지. 이대로 놔두면 자네들도 미치고 말 거야.」 박사는 그렇게 말하며 PC들이 어떤 체험을 했는지 듣고 싶어 합니다.

검은 옷의 남자가 팬케이크를 두고 갔다는 이야기를 하면 흥분하여 「이글 리버 사건과 똑같다.」, 「우주인이라는 개념이 없던 옛날부터 인간은 요정과 만나 먹을 것을 받았지.」, 「요정의 음식에는 소금이 쓰이지 않는다는군.」이라고 떠들어댑니다.

털북숭이 괴인의 이야기가 나오면 박사는 「1954년 11월 28일, 베네수엘라의 카라카스 교외에서 목격된 괴물과 비슷해. 원구형 UFO에서 구형 머리의 괴물이 내려온 사례. 잠깐 기다리게. 어딘가에 사진이 있

었을 텐데…….」라고 중얼거리며 PC들을 남기고 응접실을 나갑니다.

그리고 박사는 그대로 돌아오지 않습니다.

사실 이 「UFO 박사와의 만남」이라는 사건 자체가 UFO를 만남으로써 일어난 현실 왜곡입니다.

● 바위 표면의 문

「기묘한 진동」의 【비밀】이 밝혀진 타이밍에 발생하는 장면입니다. 앞 장면에 등장했던 PC가 그대로 등장합니다.

바위 표면에 설치된 금속 문의 내부는 어두우며, 안에서 낮은 진동이 느껴집니다. 문은 제법 두껍습니다.

내버려 두면 아무 일도 일어나지 않으며, 그대로 장면을 끝냅니다. 안에 들어가 보면 바위를 파서 만든, 천장이 낮은 두 평 남짓한 공간에 발전기 같은 기계가 설치되어 있습니다. 이것이 진동의 원인인 것 같습니다. 설명서 따위는 없지만, 커다란 스위치가 있어서 전원이겠거니 추측할 수 있습니다.

스위치를 내리면 진동이 멈추고, 주위는 순식간에 조용해집니다.

그때 갑자기 끼이이이익! 하고 새된 소리가 울려 퍼집니다. 금속 문이 닫히고 있습니다. 장면에 등장한 PC 한 명 한 명에게 밖으로 나갈지, 그 자리에 머물지를 확인합니다. 밖으로 나가면 PC들이 보는 앞에서 문이 닫히고, 두 번 다시 열리지 않습니다.

그 자리에 머문 PC는 눈앞에서 문이 닫히는 모습을 보며 어둠 속에 남습니다. 그때, 등 뒤에서 강한 빛이 납니다. 돌아보니 그때까지 바위밖에 없었던 장소에 통로가 생겼고, 한참 앞쪽에서 눈부신 빛이 나고 있습니다. 빛 속에 서 있는, 머리가 큰 아이 같은 실루엣이 점점 다가옵니다. PC는 정체 모를 공포를 느끼며 정신을 잃습니다. 다음 순간 자택에서 눈을 뜨며, 【이성치】를 1점 잃고 【광기】를 1장 획득합니다.

여기에 있는 기계는 「산길의 입구」를 지나가려는 인간을 겁주기 위한 것입니다. 스위치를 꺼 두면 산길의 입구로 돌아갔을 때 정체 모를 공포의 오라가 사라졌다는 것을 알 수 있습니다.

■ 클라이맥스 페이즈 ●●●●●●

제3 사이클이 끝나면 클라이맥스 페이즈입니다.

장소는 산속의 호숫가입니다. 「기묘한 진동」의 【비밀】로 발생한 이벤트에서 기계의 스위치를 껐다면 자신들의 의사로 산길을 올라 호수에 도착할 수 있습니다. 스위치를 끄지 않았다면, PC들은 자신들이 대뜸 밤의 호숫가에 서 있다는 사실을 깨닫습니다. 언제 집을 나와서 산을 올랐는지 전혀 기억이 없습니다. 이 시점에서 【이성치】를 1점 잃습니다.

시각은 밤. 어두운 호수를 앞에 두고 있는데 상공에서 눈부신 빛이 내리쬡니다. 올려다보니 그곳에 거대한 시가형 UFO가 떠서 PC들을 향해 강력한 서치 라이트를 비추고 있습니다.

「보게! 제군, 보게나!」 외침에 눈을 돌리면, 바로 옆에 마고니와 박사가 서 있습니다. 박사는 황홀한 표정으로 UFO를 가리킵니다. 「저거야! 저게 바로 엣지 오브 리얼리티야! 우리 이성의 한계점이야!」

멍하니 보고 있는 사이에 담배형 UFO는 소리 없이 나는 검은색 헬리콥터로 변하더니, 이어서 거대한 비행선으로 모습을 바꿉니다. 서치라이트는 여전히 PC들을 비추고 있고, 주위는 대낮처럼 밝습니다.

「인간의 정신은 항상 현실과 비현실의 경계에서 줄타기를 해왔지. 우주인이라는 개념이 생기기 전부터 요정, 리틀 피플…… 우주선 전에는 비행선, 그전에는 하늘을 나는 범선…… "그들"은 시대에 따라 모습을 바꾸면서 불합리한 행동으로 인간의 현실을 위협해왔어. "그들"의

이미지가 굳어지기 전에는 리틀 그레이, 렙티리안, 톨화이트에 그치지 않고 온갖 종류의 우주인이 목격되었지. 그리고 지금 우리 또한 엣지 오브 리얼리티의 저편을 엿보려는 거야……! 아아, "그들"이 바로 저기에 있어. 보게, 지금 당장에라도……」

흥분하여 지리멸렬하게 외쳐대던 마고니와 박사가 빛에 삼켜지자, 그 직후 그의 말이 부자연스럽게 끊깁니다. 그리고 빛 속에서 뭔가가 다가옵니다. 전원, 《혼돈》으로 공포판정을 합니다.

전투가 벌어집니다. GM은 「기억의 파편」의 사용법을 설명합니다.

적은 「우주인」이며, 속도 6에 플롯합니다. 전투에서는 직접공격보다 【독전파】를 우선으로 사용해서, PC의 【광기】를 현재화하려 합니다.

처음에 나타난 우주인은 하나뿐이지만, 제2라운드부터 한 라운드에 하나씩 증원이 나타납니다. 증원이 하나 나타날 때마다 아래의 표로 모습을 정합니다.

두 마리째의 【생명력】은 6, 세 마리째는 3, 네 마리째는 2입니다. 두 마리째는 속도 5, 세 마리째는 속도 4, 네 마리째는 속도 3에 플롯합니다. PC들이 연이어 나타나는 적의 증원에 절망하는 기미를 보인다면, 나중에 나타난 우주인이 처음의 우주인보다 존재감이 옅고 약해 보인다고 알려줍니다.

제4라운드가 끝나면, 그 시점에서 남아있던 우주인은 모두 연기처럼 사라지며 전투에서 탈락합니다. 전투는 끝납니다.

PC가 전투에 승리하면 머리 위의 UFO가 한층 더 강렬하게 빛나며 천둥 같은 굉음이 울리는가 싶더니, 다음 순간 아무 일도 없었다는 듯이 조용한 호수의 풍경이 펼쳐집니다. PC들은 UFO의 현실침식을 저지한 것입니다.

PC가 전투에서 패배했다면 빛이 모든 것을 집어삼킵니다. 각자 아래의 UFO 배드엔드 표를 굴립니다. PC가 도망을 선택하여 전원 탈락으로 전투가 끝났다면 그 자리는 모면할 수 있지만, 며칠 뒤의 밤에 창밖에서 강렬한 빛이 비치며 우주인이 PC들을 데리러 옵니다. 마찬가지로 UFO 배드엔드 표를 굴립니다.

또, 마고니와 박사의 모습은 어디에도 없습니다. 박사의 집에 가 봐도 어느샌가 빈터가 되었습니다.

UFO 배드엔드표 (1D6)	
1	음모론을 주장하며 사악한 우주인의 위협에 대해 부르짖는 UFO 연구가가 된다. 【이성치】 상한이 1 낮아진다.
2	UFO 컨택티가 된다. 머리에 직접 전달되는 우주인의 메시지를 세계에 퍼트리는 것이 당신의 사명이다. 따로 페널티는 없음.
3	원인불명의 불치병에 걸린다. 【생명력】 상한이 1 낮아진다.
4	자위대인지 공안인지 알 수 없는 정체 모를 조직의 심문을 받고, 체험에 대해 발설하지 말라는 협박을 받는다. 무작위로 선택한 특기가 【공포심】이 된다.
5	당신은 UFO 안에서 고문이나 다름없는 인체실험을 받고 몸에 뭔가가 삽입된다. 무작위로 선택한 특기가 【공포심】이 된다.
6	당신은 우주인이 되어버린다. 이후, 당신은 괴이 NPC로 괴상한 복장으로 등장하여 지구인을 위협하거나 가축을 훔친다.

우주인 외견 결정표 (1D6)	
1	알루미늄 포일처럼 은색으로 반짝이는 우주복 (컴벌랜드 스페이스맨)
2	머리 위에서 안테나가 고속회전하는 외다리 괴물 (파시엔시아 사건)
3	신장 3m에 썩은내를 풍기는, 빛나는 눈의 괴물 (플랫우즈 몬스터)
4	금발의 아름다운 백인 (아담스키의 금성인)
5	게 같은 손을 가진 회색의 휴머노이드 (파스카 그라 사건)
6	꽃다발과 스타킹을 손에 든 소인 (센니나 사건)

우주인

			위협도 4	속성 괴이	생명력 12

호기심 기술　　特기 《전자기기》,《탈것》,《병기》,《우주》

어빌리티
【기본공격】 공격 《전자기기》
【난동】 공격 《병기》 IS p180
【독전파】 서포트 《우주》 지원행동. 드라마 장면에서도 사용할 수 있다. 목표 1명을 선택한다. 목표는 《우주》로 판정해야 하며, 여기에 실패하면 미공개 【광기】를 무작위로 1장 선택해서 공개한다.

해설 엣지 오브 리얼리티의 건너편에서 온 누군가.

핸드아웃

「사진(UFO)」, 「사진(괴인)」을 메인 페이즈가 시작할 때 공개한다. 「사진(UFO)」의 【비밀】이 공개되면 「팬케이크」, 「검은 옷의 남자」를 공개한다. 「사진(괴인)」의 【비밀】이 공개되면 「원반 문화 연구소」를 공개한다. 「원반 문화 연구소」의 【비밀】이 공개되면 「마고니와 저택」을 공개한다.

Handout

이름	PC①
사명	

당신의 스마트폰에 찍은 기억이 없는 사진이 남아 있었다. 냇가서 포즈를 취하고 있는 그 사진의 배경에는 숲속의 호수가…… 뭔가 이상한 것이 찍혀 있다. 날씨는 지난주 일요일인데, 당신은 그 날 있었던 일이 전혀 기억나지 않는다.

당신의 【사명】은 일요일에 무슨 일이 있었는지를 떠올리는 것이다.

Handout 비밀

쇼크	없음

사실 당신에게는 어렴풋한 기억이 있다. 전날의 호숫가이고 눈이 새까만 어떤에 검은 우주인에게 이끌려 의료기구 같은 신체검사를 당한 것이다. ……아니, 그럴 리 없다, 그런 일이 있을 리가 없다, 당연히 꿈이겠지……

이 비밀을 스스로 밝힐 수는 없다.

Handout

이름	PC②
사명	

PC①의 스마트폰에 찍힌 사진을 보고 당신은 고개를 갸웃거렸다. 아무리 봐도 냇이 함께 놀러 가서 찍은 사진인데, 당신에게 전혀 기억이 없다.

당신의 【사명】은 일요일에 무슨 일이 있었는지를 떠올리는 것이다.

Handout 비밀

쇼크	없음

사실 당신에게는 어렴풋한 기억이 있다. 아름답고 금발 백인의 모습을 한 우주인의 유혹을 받아 꿈처럼 진 시간을 보낼 것이다. ……잠깐, 뭐야, 이 기억!? 흥미진지도 않는 것도 정도가 있지! 이런 이야기를 남에게 할 수 있을 리가 없다.

이 비밀을 스스로 밝힐 수는 없다.

Handout

이름	PC③
사명	

PC①의 스마트폰에 있는 사진을 보고 당신은 기분이 나빠졌다. 사진 속에서 즐겁게 웃고 있는 빛 중의 명은 분명히 당신인데…… 하지만 당신에게 이런 사진을 찍은 기억이 없다.

당신의 【사명】은 일요일에 무슨 일이 있었는지를 떠올리는 것이다.

Handout 비밀

쇼크	없음

사실 당신에게는 어렴풋한 기억이 있다. 산속에서 자위대의 대우와 맞닥뜨렸다. 그들은 강렬한 빛으로 당신을 비추며 출입금지라는 말을 했었다. ……다만 앞뒤의 기억이 전혀 없다. ……꿈이었나?

이 비밀을 스스로 밝힐 수는 없다.

Handout

이름	PC④
사명	

PC①의 스마트폰에 있는 사진을 보고 당신은 뭔가 말가 알 수 없게 되었다. 사진에 찍혀 있는 것은 분명히 여러분이다. 그리고 무엇보다 으스스한 점은 다른 세 사람도 여기에 대해 기억하지 못한다는 것이다. 도대체 무슨 일이 있었던 걸까?

당신의 【사명】은 일요일에 무슨 일이 있었는지를 떠올리는 것이다.

Handout 비밀

쇼크	PC①②③

사실 당신은 명확한 기억을 가지고 있다. 일요일에는 냇이 함께 호수의 캠프장까지 드라이브를 가서 사진을 찍었어. 그런데 다른 세 사람은 왜 나자 않는다고 한다. 다른 정말로 잊어버린 건가? 이제 뭐라? 아니면 다른 숨기고 있는 건가?……당신의 【진정한 사명】은 무슨 일이 벌어졌는지를 알아내는 것이다.

시나리오 파트 1 죽음과 죽음의 땅

핸드아웃

「검은 옷의 남자」의 【비밀】이 공개되면 「산길의 입구」, 「임플란트」를 공개한다. 「산길의 입구」의 【비밀】이 공개되면 「기묘한 진동」을 공개한다.

Handout

이름 사진(UFO)

개요
확산정보.
사진에 찍힌 흥미로운 비행체를 바 한다. 이벤트, 《촬영》으로 공포 판정. 「펜케이크」, 「검은 옷의 남자」의 핸드아웃을 공개한다.

비밀
쇼크 없음

이 비밀을 스스로 밝힐 수는 없다.

Handout

이름 사진(괴인)

개요
확산정보.
사진에 찍힌 흥미로운 인영을 바라보고 있는데, 갑자기 누군가의 시선이 느껴진다. 창문에서 누군가가 엿보고 있다! 이벤트, 《눈》으로 공포 판정. 「일반 문화 연구소」이 핸드아웃을 공개한다.

비밀
쇼크 이 장면에 등장한 PC

확산정보.
저택 안에서 50대 정도의 남자가 나왔다. 안경을 쓰고 수염을 기른 침착한 분위기의 남자다. 「내 연구소에 무슨 용건이지?」 남자는 자신을 마고니와 박사라고 소개하고, PC들을 안에 들인다. 이벤트, 「마고니와 저택」의 핸드아웃을 공개.

이 비밀을 스스로 밝힐 수는 없다.

Handout

장소 일반 문화 연구소

개요
털북숭이 괴인을 쫓아왔다. 주위를 둘러보니 벽에 담쟁이덩굴이 뻗은 어떤 저택에 눈을 돌렸는다. 간판에는 「일반 문화 연구소」라는 문자가 혹시 본가 관저라도……?

비밀
쇼크 없음

이 비밀을 스스로 밝힐 수는 없다.

Handout

장소 마고니와 저택

개요
아무리 기다려도 박사는 돌아오지 않는다. 저택 안은 쥐 죽은 듯이 조용하다. 상황을 살펴라 가 보는 게 낫지 않을까?

비밀
쇼크 이 장면에 등장한 PC

확산정보. 저택 안을 둘러보다가 지하실을 발견했다. 내려가 보니 안쪽 구석 빛이 닿지 않는 메모 사진과 우주인의 일러스트, 신문 스크랩 따위를 비춘다. 그 중에 빛이 나서 함께 찍은 그 사진이 이게 왜 여기에? 《카메라》로 공포 판정.

「마고니와 저택」의 핸드아웃을 공개. ○○을 위해 호수에 갔있어! ○○을 위해 ○○

이 비밀을 스스로 밝힐 수는 없다.

Handout
이름 팬케이크
개요
검은 옷의 남자가 두고 간 팬케이크. 그걸 먹어볼까……?

쇼크 먹은 PC
비밀
확산정보.
한 입 먹어보니 맛이 없다. 소금을 쓰지 않았는지 전혀 맛이 안 난다. 뭐지? 왠지 모르게 그리운 맛이다. ……《맛》으로 공포 판정.
기억의 우주인이라고 생각했던 건 그러고 보면 우주인이라고 생각했던 건
○○○였던 것 같아!

이 비밀을 스스로 말할 수는 없다.

Handout
이름 검은 옷의 남자
개요
검은 옷의 남자는 검은 세단을 타고 떠났다. 차를 좋아가면 미행할 수 있을 것 같은데……?

쇼크 이 장면에 등장한 PC
비밀
확산정보.
산 쪽으로 가는 차를 미행하고 있는데 상공에서 경쾌한 빛을 맞췄다. …… 휘! 정신을 차려보니 산길의 입구에 서 있고, 어느새가 세 시간이나 지났다. 피부가 노출된 부위가 모조리 햇볕에 그을렸던 것이다. 《시간》으로 공포 판정. 「산길의 입구」, 「임플란트」의 핸드아웃을 공개한다.

이 비밀을 스스로 말할 수는 없다.

Handout
장소 산길의 입구
개요
검은 옷의 남자가 차를 타고 들어간 것으로 보이는 산길. 산길 좌우로는 나무와 조릿대가 길을 덮어버릴 듯이 무성하다. 혹시 이 위에 그 사진에 적혀 있던 호수가 있는 게 아닐까?

쇼크 이 장면에 등장한 PC
비밀
확산정보.
산길을 오르기 시작한다. 길가에 드문드문 수풀이 있고, 페인트로 「검입금지」, 「철렁주의」 따위의 문자가 적혀 있다. …… 휙! 갑자기 공포의 발작이 찾아온다. 아무 이유도, 전조도 없이 휭몰할 수 있는 공포에 휩싸였다. 마라카닌이 근처 비지겹이 흐른다. 산길의 특정 지점에서 한 발짝도 앞으로 나아갈 수 없다. 《체육관》으로 공포 판정. 「기묘한 진동」의 핸드아웃을 공개.

이 비밀을 스스로 말할 수는 없다.

Handout
이름 기묘한 진동
개요
산길 주변에서 기묘한 진동이 느껴진다. 귀울림인가 했지만, 기계적인 진동인 것 같다. 계속 이곳에서 진동을 느끼고 있으려니 기분이 나빠진다. 어디에서 나는 거지?

쇼크 없음
비밀
확산정보.
주위를 수색하던가 까이지드는 도중 바위의 표면에 급속하게 금이 생겨된다. 문은 열려 있고, 진동은 그 안쪽에서 느껴진다. 이벤트.

이 비밀을 스스로 말할 수는 없다.

Handout
이름 임플란트
개요
문득 손목의 피부 아래에 뭔가 작은 것이 박힌 것을 알아차린다. 이게 뭐야?

쇼크 이 장면에 등장한 PC
비밀
확산정보.
피부밑에 삽입된 것은 10엔짜리 동전 크기의 은색 금속조각이었다. 안에, 어디에서 이런 것이……? 《의학》으로 공포 판정. 그러고 보면 UFO라고 생각했던 건
○○였던 것 같아!

이 비밀을 스스로 말할 수는 없다.

Kowloon Fever

구룡열(九龍熱)

인간을 미치게 하는 감염증이 발생했다. 이대로는 판데믹이 일어나 막대한 희생자가 나올 것이다. 프로 의사인 PC들은 감염증에 맞서고자 전 세계를 누빈다.

타입: 협력형
리미트: 3
플레이어 수: 4명
프라이즈: 백신

시나리오의 무대

이 시나리오는 「사실은 무서운 현대 일본」 세팅을 사용합니다. 장면표는 「구룡열 장면표」를 사용합니다.

배경

인간을 광기에 빠지게 하는 질병 「구룡열」이 발생합니다. 홍콩에서 제일 먼저 확인된 구룡열은 순식간에 감염자를 늘려 인도로 번졌습니다. 이대로라면 전 세계로 병이 확산하여 많은 희생자가 나올 것입니다. 질병 대책의 전문가인 PC들은 병원을 정하고 치료법을 확립하기 위해 전 세계를 누빕니다.

규룡열의 병원체는 어느 특수한 균류이며, 인류가 모르는 사이에 북태평양에 콜로니를 만들었습니다. 이것을 문명사회에 가져온 것은 국제적인 과격파 자연회귀주의자 「그린 시프트」입니다. 백신을 개발하려면 이 균류의 원종이 필요하다는 것이 밝혀집니다. 멸망의 위기에 처한 인류를 구하기 위해 PC들은 병원체가 우글거리는 콜로니에 들어갑니다.

광기

『인세인』에서 【의존】, 【괴물】, 【패닉】, 【절규】, 【공포증】, 【어둠의 축복】, 【의심암귀】, 【결벽】, 【현실도피】, 【다중인격】, 【도를 넘어선 마음】, 【소외감】, 【거동수상】, 【폭력충동】, 【음모론】, 【이성에 대한 공포】를 각각 1장씩 준비합니다.

특수 규칙

● 리얼리티 레벨

이 시나리오에 초자연적인 괴이는 등장하지 않습니다. PC들은 각국에서 모인 질병 대책의 프로이며, 싸울 상대는 수수께끼의 감염증입니다. GM은 캐릭터를 제작할 때 플레이어에게 이 취지를 알립니다.

● 캐릭터 메이킹 지침

이 시나리오에서는 전원이 의사이므로 특기가 지식 분야에 몰리기 쉽습니다. 특기가 겹쳐도 별문제는 없지만, 플레이어가 곤란해한다면 GM이 조언해줍시다. PC①은 사고방식이 군인에 가깝고, PC②는 큰 조직의 상급 관리직, PC③은 학자, PC④는 현장주의…… 같은 느낌으로 개성을 붙일 수 있습니다.

● 구룡열

이 시나리오에서는 정신에 영향을 미치는 미지의 감염증 「구룡열」로 인해 【광기】를 얻습니다. 세션 중의 공포판정은 감염판정이라고 해석합니다. 현재화한 【광기】는 구룡열의 증상입니다. 【광기】가 현재화할 때마다 【생명력】에 대미지 1점을 입습니다.

핸드아웃의 【비밀】 중에 확산정보이면서 공포판정을 요구하는 것이 있는데, 공포판정을 해야 하는 것은 장면에 등장한 PC뿐입니다.

도입 페이즈

이 시나리오의 도입 페이즈는 아래와 같습니다. 모두 마스터 장면입니다.

● 장면1 홍콩

PC③이 등장합니다.

화창하게 맑은 날, 홍콩에 즐비하게 들어선 초고층 빌딩 중 하나에서 국제 질병 대책 토론회가 열립니다. 저명한 바이러스 학자인 PC③이 단상에서 토론하는데, 객석이 술렁거리기 시작합니다.

한 남자가 일어나 단상을 향해 큰소리로 뭔가 말합니다. 영어이긴 한데, 지리멸렬해서 무슨 말인지 잘 알 수 없습니다. 자세히 보니 눈빛이 이상한 것이 완전히 착란 상태입니다. 경비병이 다가가자 남자는 소리를 지르면서 줄지어 선 의자를 넘어 회장 창문으로 달려듭니다. 그리고 광기로 인해 솟아난 괴력으로 의자를 휘둘러 후려쳐서 두꺼운 유리를 깨뜨립니다. 온 회장에서 비명이 울려 퍼지는 가운데 남자는 지상 70층의 높이에서 떨어집니다. 《혼돈》으로 공포판정을 합니다.

회장은 혼란에 빠졌고, 토론회는 중지됩니다. 그날 밤, PC③은 호텔의 TV를 통해 그 남자만이 아니라 홍콩 각지의 많은 이들이 돌발적인 착란 상태에 빠졌다는 사실을 알게 됩니다. 새로운 감염증일지도 모릅니다. PC③은 조사를 개시합니다.

● 장면2 인도

PC④가 등장합니다.

국제 NGO의 의사인 PC④는 인도의 항만도시 뭄바이에서 지역 주민들을 진찰합니다. 며칠 전부터 이 지방에서 광견병과 비슷한 증상의 착란 상태에 빠진 환자가 늘고 있습니다. 임시 진찰소로 설치된 텐트 안에는 다양한 사람들이 누워서 저마다 아우성칩니다. 날뛰지 못하도록 침대에 구속한 환자도 적지 않습니다. 이런 상황은 처음입니다. 진찰소의 TV에서는 홍콩의 상황이 보도되고 있습니다. 정체 모를 감염증으로 착란을 일으킨 환자가 증가해서 의료기관이 패닉에 빠졌다는 소식입니다. 화면에서는 PC③이 「우리는 이 미지의 감염증을 구룡열이라고 부르며 대책을 모색하고 있습니다.」라고 말합니다.

그때, PC④의 전화가 울립니다. 전화를 받으니 상대는 WHO(세계보건기구)의 직원이라고 소속을 밝힙니다.

● 장면3 스위스

PC 전원이 등장합니다.

제네바의 WHO 본부에 있는 커다란 회의실. PC③과 ④가 앉아 있으니 PC②가 미군 제복 차림의 PC①을 데리고 들어옵니다.

WHO에게 소집된 네 사람은 구룡열 대책을 위한 태스크 포스를 결성합니다.

PC②가 상황을 설명합니다. 별지 핸드아웃 「구룡열 팩트 시트」에 아래의 사실을 준비했습니다. PC②에게 넘겨 모두의 앞에서 발표하게 합니다.

• 홍콩에서 처음으로 확인된 구룡열은 극동, 동남아시아를 중심으로 2차 감염자, 3차 감염자가 늘어나고 있다.

• 구룡열의 초기 증상은 감기와 비슷한데, 중증의 인플루엔자로 일어나는 환청, 환각, 착란, 이상 행동 등의 증상을 보이는 것이 특징이다. 갑상샘 호르몬이 과도하게 분비되어 전신의 대사가 활발해지며, 다동성 섬망 상태(多動性 譫妄狀態)에 빠지는 갑상샘 항진증이 함께 일어나고, 증상이 진행되면 고열, 구토, 설사, 탈수로 인해 혼수상태에 빠져 죽음에 이른다.

• 최초로 확인된 지 1주일이 지났는데 병원체, 치료법, 감염 경로에 이르기까지 아무것도 모른다. 바이러스, 세균, 스피로헤타, 화학물질…… 무엇이 원인인지도 불명.

• 잠복 기간은 매우 짧아서 고작 1~2일. 치사율은 70%에 달한다. 보통 치사율이 높으면 감염률은 낮은 법인데, 구룡열은 높은 감염률을 유지하고 있다.

• WHO는 구룡열이 「사람 대 사람의 감염이 상당수 확인됐다」고 판단하여 전염병 경계수위를 높였다. 경계 페이즈는 6단계 중 5. 판데믹(전 세계적 유행병) 직전이다.

여기에서 테이블에 앉은 네 사람에게 자기소개하게 하고, 핸드아웃의 【사명】을 읽어줍니다.

메인 페이즈

메인 페이즈가 시작할 때 「홍콩」, 「인도, 뭄바이」의 핸드아웃을 공개합니다.

이 시나리오에는 아래의 마스터 장면이 발생합니다.

● 판데믹

제1 사이클이 끝났을 때 발생하는 장면입니다. PC②가 등장합니다.

PC②의 부하에게서 카이로, 브뤼셀, 쿠알라룸푸르, 도쿄, 시드니 등 여러 대도시에 구룡열이 발생했다는 보고가 들어옵니다. WHO는 경계 페이즈를 최대치인 6으로 끌어 올렸습니다. 판데믹 발생입니다. TV를 켜니 모든 방송국이 구룡열에 관한 보도를 반복합니다.

● 파멸을 향한 초읽기

제2 사이클이 끝났을 때 발생하는 장면입니다. PC①이 등장합니다.

CDC의 상관이 PC①에게 미국이 위기에 처했다고 알립니다. 미국은 동해안, 서해안, 멕시코 국경의 세 방향에서 구룡열에 침식당하고 있습니다. 폭동이나 약탈이 꼬리를 물고, 많은 도시에 계엄령이 내렸습니다.

군의 질서는 아직 유지되고 있지만, 그것도 언제까지 버틸지 모릅니다. 상관은 핵을 쏠 수 있는 누군가의 머리가 이상해지기 전에 어떻게든 구룡열에 종지부를 찍어야 한다며 PC①을 재촉합니다.

● 폭도의 습격

「방호복을 입은 집단」 핸드아웃의 【비밀】을 조사해서 조사판정에 성공한 타이밍에 발생하는 장면입니다. 「방호복을 입은 집단」을 조사한 장면에 등장한 PC가 이어서 등장합니다.

소문을 조사하다가 살기등등한 폭도에게 둘러싸입니다. 「너희가 병을 퍼트렸지?」라며 폭도들이 덤벼듭니다. 장면에 등장한 PC와 같은 수의 「행인」(『인세인』 p247)과 전투를 합니다.

PC가 이기든 지든 전투가 끝나면 「방호복을 입은 집단」의 【비밀】을 공개합니다.

● 있을 수 없는 감염

「레벨4 실험실」 핸드아웃의 【비밀】이 밝혀진 타이밍에 발생하는 장면입니다. 「레벨4 실험실」을 조사한 장면에 등장한 PC가 이어서 등장합니다.

병원체를 확인하고자 PC가 실험실에서 해석에 몰두하고 있는데 갑자기 같은 연구실에 있던 조수가 이상해집니다. 【광기】 덱에서 1장을 뽑아 공개하여 조수가 어떤 식으로 발광했는지를 정합니다. 착란 상태의 조수는 쓰러져서 밖으로 실려 나갑니다.

관계자가 받은 충격은 이루 말할 수 없습니다. 몇 겹의 안전장치로 보호받는 레벨4 실험실에서 실험자가 감염될 리가 없기 때문입니다.

이 병원체는 평범한 바이러스가 아니다…… 그런 전율을 느낍니다.

● 적의 정체

「봉쇄된 실험실」 핸드아웃의 【비밀】이 밝혀진 타이밍에 발생하는 장면입니다. PC 전원이 등장합니다.

드디어 적의 정체가 판명되어 WHO의 회의실에서 일동이 모입니다.

별지 핸드아웃 「구룡열의 정체」에 아래의 사실을 준비했습니다. 「봉쇄된 실험실」을 조사한 PC에게 넘겨 모두의 앞에서 발표하게 합니다.

• 병원체는 미분류 플라스틱 분해균 PA-X. 아마존에서 발견된 이 균은 플라스틱 쓰레기를 처리하는 수단으로서 연구되었다.

• 이 균이 플라스틱을 분해할 때 방출하는 화학물질을 인간이 들이마시면 갑상샘 기능이 폭주하여 섬망 상태(譫妄狀態)에 빠진다. 이것이 정신 착란의 직접적인 원인이다.

• 플라스틱은 인류 사회 전반에 있으며, 미세먼지 상태로 공기 중에도 떠돌고 있다. 그래서 PA-X의 증식, 감염을 막기는 매우 어렵다. 서둘러서 백신을 개발해야 한다.

• PA-X는 균류학자 피에르 밀라르데가 발견해서 연구했다. 밀라르데는 아마존에서 연구하다가 연락이 끊겼다. 현지에 갈 필요가 있다.

● 그린 시프트의 아지트

「무장집단」 핸드아웃의 【비밀】이 밝혀진 타이밍에 발생하는 장면입니다. 「무장집단」을 조사한 장면의 PC가 이어서 등장합니다.

브라질 특수경찰 작전대대(BOPE)가 헬기로 돌입하여 격렬한 총격전을 벌인 끝에 그린 시프트의 아지트를 제압합니다. PC는 BOPE의 호위를 받으며 초연과 피 냄새가 생생한 현장에 들어갑니다.

아지트 내의 연구소에서 피에르 밀라르데를 구출합니다. 밀라르데는 그린 시프트에게 납치당해 PA-X의 배양을 강요받았다고 합니다.

「사실 PA-X는 이 아마존에서 채취한 것이 아니야. 환경을 손상시키고 싶지 않아서 발표하지 않았지만, 북태평양의 어떤 장소에서 발견한 신종이지. PA-X 원종은 거기에 가면 손에 넣을 수 있어.」

「그린 시프트는 PA-X를 사용해 문명 붕괴를 노리는 컬트야. 리더는 리오 그린인데, 심복들과 함께 북태평양에 숨어 있어. 놈은 아직 실험 단계였던 PA-X 변이종을 잔뜩 들고 갔어. 내버려 두면 더 무서운 일이 벌어질 거야. 막아야 해!」

클라이맥스 페이즈

제3 사이클이 끝난 시점에서「무장집단」,「이쿠오 미도리의 자택」중 어느 한쪽도【비밀】이 밝혀지지 않았다면 시나리오는 실패입니다. 그린 시프트의 교주 리오 그린은 백신을 개발하려는 노력을 비웃듯이 더 강력한 PA-X 변이종을 뿌려 지구상의 모든 플라스틱을 열화합니다. 많은 사람이 죽고, 인류 문명은 크게 후퇴할 것입니다.

어느 한쪽이라도【비밀】이 공개되었다면 클라이맥스 페이즈가 됩니다.

CDC의 요청을 받은 미군 헬기가 PC 전원을 태우고 하와이 기지에서 북태평양으로 날아갑니다. 뒤를 따르는 여러 대의 헬기에는 무장한 해병대원이 잔뜩 타고 있습니다.

목표 좌표에 가까워지자 아래에 큰 섬이 나타납니다. 지도에는 없는 섬입니다. 자세히 보니 그것은 쓰레기로 이루어졌습니다. 해류를 타고 온 쓰레기가 북태평양의 특정 지점에 모여 거대한 섬 같은 형태를 이룬 것입니다.

섬 위에는 하얀 나무 같은 것이 즐비합니다. 아무래도 버섯인 것 같습니다. 지면에는 마치 잡초처럼 균류가 무성합니다. PA-X 원종이 쓰레기 위에서 생태계를 구축한 것입니다.

섬 한구석에는 여러 대의 소형 선박이 보입니다. 서로 연결되어 해상 마을을 형성하고 있습니다. 그린 시프트의 배입니다.

헬기 부대는 고도를 낮추고 섬에 상륙합니다. 곧바로 해병대와 그린 시프트의 총격전이 시작됩니다. 그린 시프트 멤버는 구룡열에 감염되어 완전히 발광했습니다.

PC들은 총탄이 날아드는 가운데 PA-X 원종을 확보해서 백신을 개발해야 합니다.

「죽음의 운명」(『인세인』p262)과의 전투입니다. 단, 목적은 에너미를 직접 쓰러뜨리는 것이 아니라 전투하는 동안 의식에 성공하는 것입니다.

의식이 완료되면「죽음의 운명」이 전투에서 탈락합니다. 승자는 프라이즈「백신」을 획득할 수 있습니다.

전투가 끝나면 그린 시프트와의 총격전도 결말이 납니다. 섬에 뒹구는 시체 중 누가 리오 그린인지는…… 확인할 여유도 없고, 그것은 PC들의 역할이 아닙니다. 서둘러 헬기에 탄 PC들은 인류를 구하기 위한 귀로에 접어듭니다.

구룡열 장면표 (2D6)	
2	사람을 접하지 않은 대자연. 정말로 이런 곳에 인류를 구할 단서가 있을까?
3	슬럼의 건물에서 잇달아 감염자의 시체가 실려 나온다. 전기도, 청결한 물도 확보할 수 없는 이곳에서는 제대로 된 치료를 하기 어렵다…….
4	감염증에 관한 헛소문이나 상대방을 비방하는 글로 인터넷은 난리법석이다. 한 마디 써 올릴까? 아니, 의미 없겠지…….
5	한낮의 시가지. 슈퍼마켓과 약국은 식량이나 생필품을 사재기하려는 사람들로 대혼란이다.
6	병원에서는 의사며 간호사가 분주하게 일하고 있다. 잇달아 실려 오는 환자로 대기실이고 통로고 만원이다.
7	고층 빌딩이 즐비한 오피스 거리. 아무도 다니지 않는 거리를 구급차가 맹렬한 속도로 달린다.
8	공항 로비. 비행 일정 표시판에는 결항, 지연 표시가 수두룩하다. 기다리다 지쳐 녹초가 된 승객 중 누군가가 콜록거린다.
9	밤의 시가지. 어딘가에서 들리는 유리 깨지는 소리. 차의 도난방지 장치가 요란하게 울린다. 저쪽 하늘이 붉은 것은 화재 탓일까. 눈앞에서 사회가 무너진다…….
10	역학(疫學)연구소. 격리된 실험실 안에서 방호복을 입은 연구자가 필사적으로 연구를 계속한다.
11	정부 기관의 회견장. 기진맥진한 공무원이나 기자가 얼빠진 눈으로 오간다. 뭔가 새로운 소식이 있을까?
12	일찍이 공원이었던 곳을 셔블 카가 다시 파내서 거대한 무덤을 만든다. 군의 트럭이 잇달아 들어온다. 짐칸에는 감염자의 시체가 가득 실려 있다.

폭도
위협도 1　속성 생물　생명력 4
호기심 지각　특기《구타》,《소리》,《교양》
어빌리티【기본공격】공격《구타》
【감싸기】서포트《소리》　IS p182

해설 살기등등한 폭도. PC들이 병을 퍼트린다고 생각한다.

죽음의 운명
위협도 9　속성 괴이/현상　생명력 115
호기심 괴이　특기《소각》,《전자기기》,《약품》,《탈것》,《시간》,《죽음》
어빌리티【기본공격】공격《탈것》
【난동】공격《소각》　IS p180
【트릭】공격《전자기기》　IS p180
【죽음의 사냥개】장비　이 에너미가【거처】를 가진 캐릭터는 각 사이클이 끝날 때【생명력】이 1점 감소한다.

해설 구룡열의 증상과 주위에 날아다니는 총탄이 PC들의 생명을 위협한다.

83

의식 시트

의식명 백신 개발

단계	절차의 이름	지정특기	참가조건	페널티
1	PA-X 원종 채집	《생물학》	없음	「죽음의 운명」의 공격을 무조건 받는다
2	성분 추출	《전자기기》	1라운드에 1명만	【광기】를 1장 얻는다
3	백신 시험 제작	《화학》	없음	【광기】를 1장 현재화한다
4	즉석 임상실험	《의학》	1라운드에 1명만	【광기】를 1장 현재화한다
5				
6				

핸드아웃

「홍콩」, 「인도, 뭄바이」를 메인 페이즈가 시작할 때 공개한다. 「홍콩」의 【비밀】이 공개되면 「레벨4 실험실」을 공개한다. 「인도, 뭄바이」의 【비밀】이 공개되면 「방호복을 입은 집단」, 「화물선 드래곤 브레스」를 공개한다. 「화물선 드래곤 브레스」의 【비밀】이 공개되면 「일본인 선원」을 공개한다. 「레벨4 실험실」의 【비밀】이 공개되면 「봉쇄된 실험실」을 공개한다.

Handout

이름	PC①

사명

당신은 CDC(미국 질병 대책 센터)의 역학자(疫學者)이며, 전문은 세균감염이다. CDC는 구룡열에 맞서는 근대 갑옷의 최전선에 대응하는 근대 갑옷인 조직으로, 당신의 발상과 행동도 군인의 그것이다.

당신의 【사명】은 구룡열 대책 테스크 포스를 이끌고 감염 경로를 밝혀내는 것이다.

Handout

비밀

쇼크 없음

당신의 진짜 전문분야는 미지의 생물병기로 있다. CDC는 구룡열이 미지의 생물병기로 인해 발생했을 가능성을 염려하고 있다. 당신의 【진정한 사명】은 구룡열이 방기로 인한 것인지를 확인하는 것이다.

이 비밀은 스스로 밝힐 수는 없다.

Handout

이름	PC②

사명

당신은 WHO(세계보건기구)의 메디컬 오피서다. 감염증 방제에 대한 경계와 대책, 위험 병원체에 대한 검역 제어가 전문이다.

당신의 【사명】은 구룡열 대책 테스크 포스를 이끌고 감염 경로를 밝혀내는 것이다.

Handout

비밀

쇼크 없음

당신의 소중한 사람이 구룡열에 감염되어 있다. 빨리 백신을 손에 넣지 못하면 그 사람은 죽고 만다. 당신의 【진정한 사명】은 클라이맥스 페이즈가 끝나기 전에 백신을 개발하는 것이다.

이 비밀은 스스로 밝힐 수는 없다.

Handout

이름	PC③
사명	

당신은 고명한 바이러스 학자다. 홍콩에서 구룡열을 목격하고 급거 연구를 시작했다가, WHO의 요청을 받아 협력하기로 했다.

당신의 [사명]은 구룡열 대책 태스크 포스의 일원으로서 병원체를 밝혀내는 것이다.

Handout — 비밀

쇼크 없음

당신은 구룡열이 인공적인 생물병기의 일종이라고 의심하고 있다. 미지의 중상과 이상한 감염력은 의학 지식이 풍부한 당신으로 하여금 뒷받침하기도 했다.

당신의 [진정한 사명]은 구룡열이 인공적인 것인지를 확인하는 것이다.

이 비밀을 스스로 밝힐 수는 없다.

Handout

이름	PC④
사명	

당신은 국제 의료 NGO(민간단체)에서 자원봉사자로 임하는 의사로, 전문분야는 기생충과 화화물질이다. 개발도상국에서 상당한 의료 경험을 쌓았다.

당신의 [사명]은 구룡열 대책 태스크 포스의 일원으로서 치료법을 찾는 것이다.

Handout — 비밀

쇼크 없음

당신은 개발도상국의 유해물질 분포기와 약해(藥害)로 고통받으며 화자를 불신한다.

당신의 [진정한 사명]은 구룡열의 치료약을 선진국가가 녹점하지 못하도록 백신을 손에 넣는 것이다.

이 비밀을 스스로 밝힐 수는 없다.

Handout

장소	홍콩
개요	

제1차 발생 지점. 이성을 잃고 날뛰는 환자가 계속 늘고 있다. 사회적인 혼란이 앞서 아직 충분한 역학적(疫學的) 조사는 이루어지지 않았다.

Handout — 비밀

쇼크 없음

확산정보. 혼자의 뇌세포에서 충분한 한 생체 검사 샘플을 확보할 수 있다. 근데도 바이오 헤저드에 대미 실을 옮겨야 한다.

《약품》으로 공포판3.

「레벨4 실험실」의 핸드아웃을 공개.

이 비밀을 스스로 밝힐 수는 없다.

Handout

장소	인도, 뭄바이
개요	

제2차 발생 지점. 여기에서도 환자가 증가 일로를 걷고 있다. 홍콩에서 인도로 감염이 화산된 경로가 신경 쓰이는데……

Handout — 비밀

쇼크 없음

확산정보. 뭄바이의 초기 감염자는 한 항만 노동자나 한 그 가족인 한 가족이다. 감염 경로는 바닷길일 가능성이 크다. 필사적으로 조사한 결과 두 가지 정보를 얻었다.

《단서》로 공포판3.

「방호복을 입은 집단」, 「화물선 드레곤 브레스」의 핸드아웃을 공개.

이 비밀을 스스로 밝힐 수는 없다.

Handout

이름	화물선 드래곤 브레스
개요	

싱가포르로 선적(船籍)의 화물선. 일본에 출항, 홍콩을 경유해서 뭄바이에 입항한 이 배가 감염 경로임을 가능성이 크다. 병원체를 옮길 생물을 태우고 있었던 것이 아닌가?

Handout — 비밀

쇼크 없음

확산정보. 수상한 생물은 어디에서도 발견할 수 없었다. 기둥이나 갑자 카레의 영장을 바도 마찬가지다. 뭄바이에 내린 화물은 플라스틱 일부를 파세한 침으로, 시간이 남비 했다고 생각된 그 순간, 선원 무부에서 이상한 경을 발견한다.

《탐지》으로 공포판3.

「일본인 선원」의 핸드아웃을 공개.

이 비밀을 스스로 밝힐 수는 없다.

핸드아웃

「봉쇄된 실험실」의 【비밀】이 공개되면 「균류학자」, 「백신 연구」를 공개한다. 「균류학자」의 【비밀】이 공개되면 「무장집단」을 공개한다. 「일본인 선원」의 【비밀】이 공개되면 「이쿠오 미도리의 자택」을 공개한다. 클라이맥스 페이즈에서 의식의 최종 판정에 성공한 PC는 프라이즈 「백신」을 획득한다.

Handout

이름	방호복을 입은 집단
개요	묘한 소문이 퍼지고 있다. 구룡열이 발생하기 전날, 화학 방호복을 입은 집단이 거리를 서성거렸다는 것이다. 그 녀석들이 병을 퍼트렸다는 소문도 있어, 헛소문으로 음모론중의 강경론자들이 항상 따라다니는 것이긴 하지만…….

Handout

쇼크	전원
비밀	확산정보. 소문 탓에 노골적으로 의료 종사자를 의심하는 주민들이 많아서 조사가 곤란했다. 그 결과 알아낸 것이 있다. 소문은 사실이다. 교외에 메가장의 감시 카메라 영상에 방호복을 입은 정체불명의 집단이 적혀 있었다. 이 녀석들은 누구지……? 이벤트. 《추격》으로 공포판정.

이 비밀을 스스로 밝힐 수는 없다.

Handout

장소	레벨4 실험실
개요	지구상에서 가장 안전한 바이오 시큐리티 레벨 4의 실험실. 큐류 열이 어마무시한 과격파 연구자라면 안심하고 샘플을 분석할 수 있을 것이다.

Handout

쇼크	전원
비밀	확산정보. 이벤트. 《화학》으로 공포판정. 「봉쇄된 실험실」의 핸드아웃을 공개.

이 비밀을 스스로 밝힐 수는 없다.

Handout

이름	균류학자
개요	PA-X의 발견자이자 연구자인 피에르 밀라르비. 아마준에서 연구를 계속하고 있을 텐데, 연락이 되지 않는다. 이 남자가 흑막인가? 현지에 가서 확인해야 한다.

Handout

쇼크	전원
비밀	확산정보. 밀라르비의 연구소에 들어갔다. 안은 엉망진창이었다. 모든 플라스크를 PA-X가 뒤덮었고, 그리고 탄종과 인위적인 파괴의 흔적…… 아무래도 누군가가 밀라르비를 납치한 것 같다. 「무장집단」의 핸드아웃을 공개. 《사격》으로 공포판정.

이 비밀을 스스로 밝힐 수는 없다.

Handout

이름	무장집단
개요	밀라르비를 납치한 무장집단의 발자취를 쫓다가 밀림 숲에서 아지트를 발견했다. 국제적인 과격파 자연주의 테러리스트 단체, 그린 시프트. 어설트 라이플로 무장한 보초가 아지트 주변을 순찰하고 있다.

Handout

쇼크	없음
비밀	확산정보. 이벤트. 《전쟁》으로 공포판정.

이 비밀을 스스로 밝힐 수는 없다.

Handout

이름	일본인 선원

개요

선원 명부에 따르면 일본에서 배에 탔다. 이름은 이쿠오 미도리라는 남자의 것. 하지만 이쿠오 미도리의 완묘의 총은 진홍으로 물들어 있었다. 왜 당신은 총을 꺼냈는가? 아니, 드래곤 브레스로 무언가를 쏘려고 했던 중…누구를, 누구를 쏘려 했단 말인가?

Handout

장소	봉쇄된 실험실

개요

예상치 못한 봉쇄한 실험실 내 감염으로 봉쇄되었다면 레벨4 실험실. 그 상황 따라 그마저 해진 것이 남아 있다.

Handout

이름	백신 연구

개요

PA-X가 방출하는 화학물질의 효과를 빼제하면 구충에 대한 백신을 만들 수 있을 것이다.

Handout

장소	이쿠오 미도리의 자택

개요

드래군 브레스에 드나든 수상한 인물이 자택. 부에서 보기에는 평범한 다세대 주택의 일본부터 일 것인데……?

Handout

이름	프라이즈 백신

개요

구룡영을 치료할 백신. 이것이 있으면 인류를 구할 수 있다……!

WHO Fact Sheet

Profile of Kowloon Fever
구룡열의 정체

20XX.XX.XX

•병원체는 미분류 플라스틱 분해균 PA-X. 아마존에서 발견된 이 균은 플라스틱 쓰레기를 처리하는 수단으로서 연구되었다.

•이 균이 플라스틱을 분해할 때 방출하는 화학물질을 인간이 들이마시면 감상샘 기능이 폭주하여 섬망 상태(譫妄狀態)에 빠진다. 이것이 정신 착란의 직접적인 원인이다.

•플라스틱은 인류 사회 전반에 있으며, 미세먼지 상태로 공기 중에도 떠돌고 있다. 그래서 PA-X의 증식, 감염을 막기는 매우 어렵다. 서둘러서 백신을 개발해야 한다.

•PA-X는 균류학자 파예로 밀러드네가 발견해서 연구했다. 밀러드네는 아마존에서 연구하다가 연락이 끊겼다. 현지에 갈 필요가 있다.

WHO Fact Sheet

Kowloon Fever
구룡열 팩트 시트

20XX.XX.XX

•홍콩에서 처음으로 확인된 구룡열은 구토, 동남아시아를 중심으로 2차 감염자, 3차 감염자가 늘어나고 있다.

•구룡열의 초기 증상은 감기와 비슷한데, 중증의 인플루엔자로 일어나는 환청, 환각, 착란, 이상 행동 등의 증상을 보이는 것이 특징이다. 감상샘 호르몬이 과도하게 분비되어 전신의 대사가 활발해지며, 다동성 섬망 상태(多動性譫妄狀態)에 빠지는 감상샘 항진증이 함께 일어나고, 증상이 진행되면 고열, 구토, 설사, 탈수로 인해 혼수상태에 빠져 죽음에 이른다.

•최초로 확인된 지 1주일이 지났는데 병원체, 치료법, 감염 경로에 이르기까지 아무것도 모른다. 바이러스, 세균, 스피로헤타, 화학물질……무엇이 원인인지도 불명.

•잠복 기간은 매우 짧아서 고작 1~2일. 치사율은 70%에 달한다. 보통 치사율이 높으면 감염률은 낮은 법인데, 구룡열은 높은 감염률을 유지하고 있다.

•WHO는 구룡열이 「사람 대 사람의 감염이 상당수 확인됐다」고 판단하여 전염병 경계수위를 높였다. 정체 페이즈는 6단계 중 5. 팬데믹(전 세계적 유행병) 직전이다.

돌격 취재 ~ 마계편

심령 스폿에 처들어가 불경한 짓으로 유령을 화나게 해서 카메라에 담는 남자들「돌격 취재 특공대」. 오늘 미션의 무대는 버려진 병원. 가라, 돌격 취재 특공대!

타입: 협력형
리미트: 2
플레이어 수: 3명
프라이즈:「비디오카메라」,「나무인형(나나)」,
「시체 안치소 열쇠」

시나리오의 무대

이 시나리오는「사실은 무서운 현대 일본」세팅을 사용합니다. 무대는 도호쿠 지방의 어느 산속. PC들은 낡아빠진 폐병원「A병원」에 가서, 유령을 도발하고 꾀어내 촬영해야 합니다.

배경

현대 일본의 심령 현상을 카메라에 담기 위해 날마다 심령 스폿에 처들어가는 남자들,「돌격 취재 특공대」. 일본 전국의 심령 스폿에 카메라 한 대만 들고 돌격하는 모습을 다큐멘터리로 촬영하는 것이 그들의 역할입니다.

그들은 오늘도 거물 괴담 작가의 지령을 받고 마지못해 심령 스폿으로 돌격합니다. 하지만 단순히 심령 스폿에 돌격하는 것이 전부가 아닙니다. 그저「간 것」만으로는 유령을 촬영할 수 없습니다.

「좀 더 불경하게! 유령이 더 화나도록!」

진심으로 유령을 촬영하고 싶다면 저주를 받고 돌아갈 정도의 각오가 필요합니다. 유령을 도발해서 카메라 앞에 끌어내야만 합니다. 촬영 시간은 2시간. 그때까지 영은 모습을 드러낼까요? 이리하여 천벌 받을 미션이 막을 올립니다.

광기

【광기】는『인세인』에 수록된 일반【광기】와「사실은 무서운 현대 일본」의【광기】를 모두 1장씩 준비합니다. 그것을 섞고,【광기】의 수가 총 12장이 되도록 무작위로 뽑습니다.

또, 이번에는 처음부터 각 PC에게

【광기】를 1장씩 배포합니다. PC①에게는 【페티시】, PC②에게는 【이성에 대한 공포】, PC③에게는 【도를 넘어선 마음】을 건넵니다.

도입 페이즈

이 시나리오의 도입 페이즈는 아래와 같습니다. 모든 PC가 등장하는 공용 장면입니다.

● 장면1 기획 설명

이 장면은 마스터 장면입니다.

스태프가 폐허인 「A병원」 내에 고정 카메라를 설치한 후, 출연자인 PC①, ②, ③은 병원 입구에 모여 방송의 오프닝을 촬영하면서 기획에 관한 설명을 듣습니다.

「사실 이 병원의 소문은 PC③이 조사해 왔는데요, 오오…… 굉장한 곳이네요. 고정 카메라를 설치하러 갔던 스태프도 무서워하더라고요.」

「아직 아무 일도 일어나지 않은 것 같지만, 과연 유령이 카메라에 찍힐까요? 이제부터 여러분은 실컷 불경한 짓을 저질러서 유령을 화나게 해주셔야 합니다.」

「참고로 PC② 씨가 예비 조사 때 나무인형인 나나를 어딘가에 숨겨두었습니다. 여러분은 그녀도 찾아 주셔야 합니다.」

「그럼 누구부터 가시겠어요?」

이런 대화가 오간 후, PC들이 어떤 순서로 돌격할지를 정했다면 그 순서대로 메인 페이즈를 진행합니다.

여기에서 플레이어에게 이번 시나리오의 각 장면에서는 장면 플레이어 이외의 PC가 1명까지밖에 등장할 수 없음을 알려줍니다. 그리고 첫 장면 플레이어에게 프라이즈 「비디오카메라」를 건넵니다. 이 프라이즈는 각 장면이 시작할 때 장면 플레이어에게 건네줍니다. 또, 클라이맥스 페이즈에서는 보조행동으로 다른 캐릭터에게 넘길 수 있습니다.

프라이즈

드라마 장면이라면 언제든지 프라이즈를 남에게 전달할 수 있습니다.

특수 규칙

이 시나리오에서는 아래의 특수 규칙을 사용합니다.

● 장면표

이 시나리오에는 PC의 【비밀】이외에 「10호실」, 「102호실」, 「복도」, 「수술실」, 「진찰실」, 「계단」등 여섯 구역의 핸드아웃이 있습니다. 메인 페이즈가 시작할 때 모든 구역의 핸드아웃을 공개합니다.

장면 플레이어는 장면표를 사용하는 대신 구역을 하나 지정해서 그곳으로 이동하겠다고 선언할 수 있습니다. 이때, 장면 플레이어는 다른 캐릭터에게 동행을 요청할 수 있습니다. 동행을 요청받은 캐릭터가 동의하면 그 장면 플레이어의 PC와 함께 해당 구역으로 이동합니다.

메인 페이즈에서 장면 플레이어와 동행자 이외의 PC는 병원 입구에 있는 것으로 봅니다.

● 미션

특공대는 카메라에 영의 모습을 담기 위해 심령 스폿에서 불경한 짓을 저질러 유령을 도발해야 합니다. 이것을 「미션」이라고 부릅니다.

이번 시나리오에서는 다양한 미션이 준비되어 있으며, 조사판정 대신 이런 미션에 관한 판정을 합니다.

장면 플레이어가 각 구역을 조사할 때는 먼저 무슨 짓을 저질러서 미션을 할지를 정합니다. 그 미션을 연출하고 나서 판정에 성공하면 영을 화나게 하여 대상의 【비밀】을 알 수 있습니다.

미션을 선언한 플레이어는 1D6을 2회 굴려서 「미션표 · 어떻게」, 「미션표 · 행동하다」의 결과를 조합하여 어떤 식으로 불경을 저질렀는지를 결정합니다. 「미션표 · 행동하다」로 결정한 분야에서 PC가 습득한 특기로 판정합니다. PC가 그 분야의 특기를 습득하지 않았다면,

2D6을 굴려 해당 분야에서 무작위로 선택한 특기로 판정합니다.

장면을 연출하고 나면 「미션표 · 행동하다」로 정한 특기로 판정. 성공하면 【비밀】을 획득합니다.

또, 미션에 성공하면 영이 점점 화가 납니다. GM은 PC가 미션에 성공한 횟수를 기록합니다. 클라이맥스 페이즈에서 에너미가 취하는 플롯의 수치는 미션에 성공한 횟수와 같습니다.

클라이맥스 페이즈

PC가 「시체 안치소」에 간다고 선언하면 클라이맥스 페이즈가 됩니다.

전투 종료 조건은 PC 전원이 사망하거나 도주판정에 성공하는 것입니다.

이 장면에서 도주하려면 먼저 누군가가 「비디오카메라」로 심령현상을 촬영하고, 그 후 《암흑》 판정에 성공해야 합니다.

또, 「시체 안치소」에 가지 않은 채로 제2 사이클이 끝나면, 갑자기 PC들이 가진 조명이 모두 꺼집니다. 그리고 주위가 어둠으로 덮이면서 기분 나쁜 신음이 들리더니 클라이맥스 페이즈가 되어 「기분 나쁜 신음 소리」와의 전투가 벌어집니다.

● 심령현상의 촬영에 관해

이번 보스는 모습이 보이지 않습니다. 그러므로 GM은 플롯을 결정할 때 플롯치를 플레이어에게 공개하지 않습니다.

버팅이 발생하면 규칙대로 처리하고, 전투의 차례도 플롯 수치 순서로 합니다.

프라이즈 「비디오카메라」를 소지한 PC는 1라운드의 행동을 소비해서 플롯치를 지정하여 그곳에 있는 괴이를 촬영할 수 있습니다. 만약 보스의 플롯치와 같은 수치를 지정하면 무언가가 촬영되었음을 알 수 있습니다.

● 「기분 나쁜 신음 소리」와의 전투

전투의 종료 조건은 에너미를 쓰러뜨리거나, PC 전원이 도주에 성공하는 것입니다. 이 전투는 암흑으로 인해 캐릭터가 자신의 위치를 알 수 없습니다. 라운드가 종료할 때마다 새로운 플롯을 합니다.

그 후

병원에서 도망쳐 나온 특공대는 카메라로 촬영한 영상을 확인합니다. 그리고 클라이맥스 페이즈의 촬영 장면을 재생합니다.

「알아보시겠는지요? 그럼 다시 한 번…….」

지하에 갔다면 영상에는 「형용표」+「그림자」가, 가지 않았다면 「형용표」+「목소리」가 찍혀 있습니다.

……찍혔다!!

● 기분 나쁜 신음 소리

			위협도 7	속성 괴이	생명력 100

호기심 괴이	특기	《협박》,《소리》,《혼돈》,《영혼》,《꿈》

어빌리티 【기본공격】 공격 《협박》
【발소리】 서포트 《소리》 라운드가 종료할 때 사용할 수 있다. 판정에 성공하면 【전장 이동】을 사용할 수 있다.
【불안의 씨앗】 공격 《괴이:가변》 이 어빌리티를 사용하면 지정한 캐릭터가 지정특기를 사용한 공포판정을 하게 할 수 있다.

해설 A병원에 숨어 있는 악령.

미션표 · 어떻게 (1D6)	
1	혼자서
2	인형과(인형에게)
3	팬티 바람으로
4	코스튬 플레이를 하면서
5	의료기기로
6	세발자전거에 타고

미션표 · 행동하다 (1D6)	
1	「폭력」을 행사한다
2	「정서」를 폭발시킨다
3	「지각」의 페티즘에 눈을 뜬다
4	「기술」을 선보인다
5	「지식」을 떠벌린다
6	「괴이」를 조롱한다

핸드아웃

프라이즈 「비디오카메라」는 도입 페이즈가 끝나면 장면 플레이어에게 건넨다. 또, 「101호실」, 「102호실」, 「복도」, 「수술실」, 「진찰실」, 「계단」의 핸드아웃은 시나리오가 시작할 때 공개한다. 프라이즈 「나무인형」은 「101호실」에 대한 미션에 성공한 PC가 획득한다.

Handout

이름	프라이즈 시체 안치소 열쇠

개요

지하에 있는 시체 안치소의 열쇠. 이 프라이즈의 사용을 선언하면 시체 안치소에 들어갈 수 있으며, 클라이맥스 페이즈의 무대가 된다.

Handout

이름	프라이즈 나무인형

개요

이름은 OOO다.
돌격 취재 특공대 유일의 여성 대원이며, 머투의 마스코트에 해당하는 존재. 이 시나리오에서는 여성 캐릭터로 간주한다. 귀엽다.

Handout

이름	프라이즈 비디오카메라

개요

이 프라이즈를 소지했을 때, 당신은 자신의 등장 장면을 촬영할 수 있다. 또, 전투 중에는 플롯을 하나 지정하면 그 장소에 있는 것이나 광경, 음성을 촬영할 수 있다. 만약 자기에 피어가 존재한다면 신영영상을 찍을 수 있다. 촬영하려면 《카메라》로 판정해서 성공해야 한다.

시나리오 파트1 총원판 둘째마당의 핸드아웃

1

Handout 비밀

쇼크 전원

당신은 이 병원에 오고 나서 어떤 기척을 느끼고 있다. 목소리가 들리는 것 같다. 그건 우가……, 못 나가……, 라고. 하지만 동물들에게 이 이야기를 하면 괴로워 그들이 태연할 수 있을까? 《소리》로 공포판정. 당신은 처음부터 [광기]로 [페티시]를 가지고 있다.

이 비밀을 스스로 밝힐 수는 없다.

Handout

이름	PC①

사명

당신은 돌격 취재 특공대다. 이제까지 영의 모습을 좇아 다양한 심령 스폿에 돌격했다. 당신의 [사명]은 영의 모습을 카메라에 담는 것이다.

Handout 비밀

쇼크 「북도,나 101호실의 [비밀]을 아는 PC」

당신은 심령 스폿의 탐색 상황을 촬영하기 위해 병원에 카메라를 설치했다. 그런데 그때 카메라를 「나무인형」을 잃어버렸다. 당신의 [진정한 사명]은 프라이즈 「나무인형」을 찾는 것이다. 당신은 처음부터 [광기]로 [이성]에 대한 공포를 가지고 있다.

이 비밀을 스스로 밝힐 수는 없다.

Handout

이름	PC②

사명

당신은 돌격 취재 특공대다. 이제까지 영의 모습을 좇아 다양한 심령 스폿에 돌격했다. 당신의 [사명]은 영의 모습을 카메라에 담는 것이다.

Handout 비밀

쇼크 전원

사실 이 병원에서는 참살 사건이 일어난 적이 있다. 그건 흉악 사건이었고, 이를 줄이기 위해 당신의 준비한 가짓 정보주기 위해 무서워하는 충격자를 촬영하기 위한 역줄이었다. 그래서 했다. 이 정보의 정보 모아들이는 「나무인형」에 대한 이야기의 「감정」을 남어선 마음을 가지고 있다.

이 비밀을 스스로 밝힐 수는 없다.

Handout

이름	PC③

사명

당신은 돌격 취재 특공대다. 이제까지 영의 모습을 좇아 다양한 심령 스폿에 돌격했다. 당신의 [사명]은 영의 모습을 카메라에 담는 것이다.

Handout 비밀

쇼크 없음

흉산정보, 침대 두 개가 나란히 있다. 인쪽 침대에 깔린 이불이 살짝 솟아올랐고, 이불을 치우면 누워있는 나무인형을 발견한다. 이 정면의 정면 돌아이는 「나무인형」에 대해 「예감」의 「감정」을 프라이즈 「나무인형」을 획득한다.

이 비밀을 스스로 밝힐 수는 없다.

Handout

장소	101호실

개요

입원 환자용 병실. 문에는 불투명 유리가 달려서 안의 모습은 보이지 않는다. 들어가는 문은 잠겨 있어서 이대로는 안에 들어갈 수도, 조사할 수도 없다.

Handout — 102호실

장소 102호실

개요
101호실 옆에 있는 병실.

쇼크 | **없음**

비밀

확산정보. 침대 밑에서 일기를 찾았다. 가까이 있던 한
권의 일기까.

열쇠 X일

그 내성 숙였는 말 듣다. 다행히 가까이는 시체를 숨...
기까이 맞좋은 장수가 있다.

열쇠 X일

밤이 되자 누의 무소가가 들린다. 그런 타가 있다. 밤밤
해 죽었는데, 이건 환청이다. 열을 먹고 있지.
선반 안에는 악을 발견한다. [진통제를 1개 획득한다.]
경란 플레이어와 동행자는 《아픔》으로 공포판정.

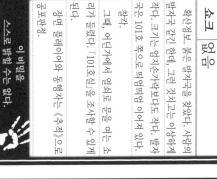

이 비밀을 스스로 밝힐 수는 없다.

Handout — 복도

장소 복도

개요
캄캄한 복도. 기분 나쁜 정적 속에
서 자신의 발소리가 크게 울린다.

쇼크 | **없음**

비밀

확산정보. 붉은 발자국을 찾았다. 사람의
발자국 같긴 한데, 그린 것치고는 이상하게
작다. 크기는 엄지손가락보다도 작다. 발자
국은 101호 쪽으로 박연박연 이어져 있다.
결각.
그때, 아단가에서 열쇠도 문을 여는 소
리가 들렸다. 「101호실」을 조사할 수 있게
된다.
경란 플레이어와 동행자는 《쥬정》으로
공포판정.

이 비밀을 스스로 밝힐 수는 없다.

Handout — 수술실

장소 수술실

개요
엉망진창이 된 수술실. 당신이 아는 기계
가 그대로 남아 있다.

쇼크 | **없음**

비밀

확산정보. 벽에는 말단불은 피가 잔
뜩 묻어 있고, 수술대에는 무수한 메
스가 꽂힌 마네킹이 누워 있다. 수술
대 주위에는 그 크기를 발급하는 듯
검처럼 빨간 신물 자국이 남아 있었
다. [무기](칼게 누는 메스)를 1개 획
득한다.
경란 플레이어와 동행자는 《통》으로
공포판정.

이 비밀을 스스로 밝힐 수는 없다.

Handout — 진찰실

장소 진찰실

개요
매우 어지럽혀진 진찰실.

쇼크 | **없음**

비밀

확산정보. 낡은 카드테를 발견한다.
○ 열 X일 102호실의 환자가 왕 호소
한다.
○ 열 X일 환청 증상으 환자가 느았다
한다.
○ 열 X일 지하에서 무언가를 들린다고 한
다. 그래 내게도 소리가 들린다. 그리우면
서도 기분 나쁜 소리가.
○ 열 X일 나는 그 장소를 분이하기로 했다.
프라이즈 「시체 안치소 열쇠」를 획득한다. 경
면 플레이어와 동행자는 《아픔》으로 공포판정.

이 비밀을 스스로 밝힐 수는 없다.

Handout — 계단

장소 계단

개요
지하로 가는 계단. 지하로 가는 길
은 바리케이드로 봉쇄되어있다.

쇼크 | **없음**

비밀

확산정보. 바리케이드 너머도 시체
안치소라는 플레이트가 보인다. 방의
문은 튼튼한 동 자물쇠와 정정 경우
시시소에 안치소에 들어갈 수 있다면 시체
「시체 안치소에 들어갈 수 있다. 클라이맥
스 페이즈가 된다.

이 비밀을 스스로 밝힐 수는 없다.

Winter Morning
겨울 아침

누구도 이불에서 나가고 싶지 않을 몹시 추운 겨울 아침. 오늘도 따뜻한 이불에서 나가야만 하는 시간이 되었다. 그래도 역시 나가고 싶지 않은, 너무나도 추운 겨울 아침……

타입: 특수형
리미트: 2
플레이어 수: 1명
프라이즈: 없음

시나리오의 무대 ●●●●●●●

이 시나리오는 「사실은 무서운 현대 일본」 세팅을 사용한 시나리오입니다. 장면표는 「이불 속 장면표」를 사용합니다.

그리고, 이 시나리오에서는 【광기】를 【변명】, 【공포판정】을 【유혹판정】이라고 바꿔 읽습니다. 또, 게임이 시작할 때 PC의 【이성치】는 3, 소지할 수 있는 아이템 수는 1개입니다.

배경

겨울 아침은 전국 각지의 이불 속에서 고독한 싸움이 펼쳐지는 시간입니다. 혹자는 승리의 개가를 올리고, 혹자는 유혹에 져서 베개를 적십니다. 승자는 자부심을, 패자는 후회를 각자의 가슴에 새기고 그 날을 살아갑니다. 그런데 당신은 깨달으셨습니까? 싸움의 배후에서 숨을 죽이고 있는 간사한 음모의 기척을.

광기

이 시나리오에서는 【의존】, 【소외감】, 【현실도피】, 【초현실주의】를 준비합니다.

도입 페이즈 ●●●●●●●

PC는 지금 이불 안에 있습니다. 몹시 추운 겨울 아침입니다. 조금 전에 자명종이 울렸지만, PC는 그것을 꺼버렸습니다. 평소 같으면 「동거인」이 깨우러 와주겠지만 그럴 기미도 없습니다. PC①의 핸드아웃을 확인하고 「이불」, 「동거인」,

「자명종」의 핸드아웃을 공개하면 도입 페이즈는 끝납니다.

클라이맥스 페이즈

이 시나리오의 클라이맥스 페이즈는 PC①의 머릿속(꿈속)이나 이불 주변에서 펼쳐집니다. 아래의 분기에 따라 싸울 상대를 정합니다. 전투에 승리하면 PC①의 【사명】은 달성됩니다.

● 이보울의 【비밀】을 모른다

에너미 「자기 자신」과 전투를 합니다. 【사명】을 변경했다면 자신의 양심, 변경하지 않았다면 삿된 마음과 싸웁니다.

「자기 자신」의 데이터는 PC①과 동일합니다. 단, 아이템은 가지지 않습니다.

● 이보울의 【비밀】을 안다

다시 【사명】을 변경하지 않았다면 꿈속에서 「이보울」과 전투를 합니다. 「이보울」의 데이터는 PC①과 같습니다. 단, 아이템은 가지고 있지 않으며, 기본 공격의 지정특기는 《꿈》입니다.

【사명】을 변경했다면 근성으로 깨우러 온 「동거인」과 전투를 합니다.

결말

PC①이 이불에서 나오면 아무 일 없이 일상으로 귀환합니다.

PC①이 이불에서 나오지 않으면 졸면서 이야기를 끝냅니다. 이보울의 【비밀】이 밝혀지지 않았더라도 공개할 필요는 없습니다. 공개되지 않은 【비밀】은 진실이 아닌 셈입니다.

이불 속 장면표 (2D6)	
2	이불 속에 있다. 만약 이불 속에서 모든 작업이 완결되는 환경이 있다면 영원한 평화가 실현되지 않을까?
3	이불 속에 있다. 한숨 더 자서 머리를 개운하게 하면 일어나기 더 쉽겠지?
4	이불 속에 있다. 좋아. 앞으로 10초 후에 나가자. 9…… 8…… 0. 역시 10초만 더.
5	이불 속에 있다. 어쩌면 일정을 착각했을 뿐 오늘은 휴일 아닐까?
6	이불 속에 있다. 바깥은 추울 것 같다. 정말 가혹한 세계야.
7	이불 속에 있다. 졸다가 기묘한 꿈을 꿨다. 「꿈속 장면표」를 사용한다.
8	이불 속에 있다. 잠이 덜 깨서 아직 멍하다.
9	이불 속에 있다. 자면서 몸을 뒤척이다가 발이 이불 밖으로 나왔다. 추워! 황급히 다시 집어넣는다.
10	이불 속에 있다. 이불에서 나가면 열심히 할 테니까 지금은 이대로 좀 놔둬….
11	이불 속에 있다. 시간이란 인류가 만들어낸 개념이다. 왜 인간이 스스로 만들어낸 것에게 지배당해야 하는 거냐고.
12	이불 속에 있다. 혹시 세상이 멸망하면 이불 밖으로 나가지 않아도 되는 거 아닐까?

꿈속 장면표

1D6을 3회 굴려서 A표, B표, C표의 단어를 조합한다. 다른 어휘라도 상관없다.

A표 (1D6)	
1	구름 위에서
2	추억의 교실에서
3	폐허에서
4	정글에서
5	밤거리에서
6	이야기 속 세계에서

B표 (1D6)	
1	낯선 사람과
2	오랜 친구와
3	닌자와
4	우주인과
5	대왕오징어와
6	드래곤과

C표 (1D6)	
1	보드게임
2	추격전
3	옛날이야기
4	익스트림 아이로닝
5	티 파티
6	탄핵 재판을 하는 꿈

동거인		위험도 1	속성 생물	생명력 4
호기심 지각	특기 《구타》, 《소리》, 《교양》			

어빌리티
【기본공격】 공격 《구타》
【감싸기】 서포트 《소리》 IS p182

해설 PC의 동거인. 평범하기 그지없는 일반인으로, PC를 깨우려 한다.

핸드아웃

도입 페이즈가 끝날 때 「이불」, 「동거인」, 「자명종」을 공개한다.

Handout

이름	PC① (추천: 학우, 하생, 샌님, 리더 등)

사명

당신은 세상이 싫어서 자취를 권하는 중이다. 이불 밖은 끔찍하게 춥다. 이때로 따뜻한 이불 속에서 좋고 싶지만 그럴 수 우아 없다.

당신의 [사명]은 이불에서 나가는 것이다.

Handout 비밀

쇼크 없음

당신은 세상이 싫어서 자퇴할 때 [광기]를 1장 손에 넣는다.

당신은 어떤 이유로 인해 오늘도 외출할 의욕이 나지 않는다. 변명(설정)은 정해둔다.

이 비밀은 스스로 밝힐 수는 없었다.

Handout

이름	동거인

사명

PC①의 연인, 부모, 형제, 아이, 소꿉친구 등.

항상 PC①을 깨우러 와주는 동거인 (설정은 플레이어와 상담해서 결정한다). 평소 같으면 슬슬 슬을 깨가 되었는데 오늘은 아직 그럴 기미가 안 보인다. 늦잠이라도 자나?

당신의 [사명]은 PC①을 깨우는 것이다.

Handout 비밀

쇼크 없음

감기몸살과 싸우다가 이럽풋이 떨을 있었다. 동거인은 어제 새로운 기알 침대로 자명봇 베개를 손에 넣었다. 이 주위에 있어나왔을 타기 있다.

당신은 고립무원의 몸이다. 당신은 거리낌 없이 [사명]을 이불에서 나가지 않느느다로 변경할 수 있다(변경하지 않아도 된다).

이 비밀은 스스로 밝힐 수는 없었다.

《원한》으로 공포판정을 한다.

Handout

이름	이불

사명

PC①이 자고 있는 따뜻한 이불.

당신의 [사명]은 PC①을 따스하게 감싸는 것이다.

Handout 비밀

쇼크 전원

이 이불은으로 「요괴 이불」의 화신, 인류가 나태하게 변하도록 유혹하여 타락시키는 우주적 공포다. PC①이 죽순에, 이불은 PC①을 매개로 하여 인류 전체를 영겁 잠에 유혹한다.

이 [사명]을 달성하기 위해 이불은 자신이 유혹한 [사명]이 변경되지 않아도 된다. 이 이불에 나가지 않는다면 수에 않는다.

《꿈》으로 공포판정을 한다.

Handout

이름	자명종

개요

시간을 재서 PC①에게 일어날 시각을 알려준다. 조금 전에 시끄럽게 울어 젖혔다. 뭐, 앞으로 10분쯤 이불 속에서 좋아도, 나갈 준비를 평소보다 빨리 마치면 문제없다.

Handout 비밀

쇼크 PC①

어떤 원인으로 인해 시계가 실제 시간보다 늦는다는 것이 판명됐다(스마트폰이라면 스케줄 관리 기능이 작동하지 않는다). 이대로는 지각하고, 서둘러 해! (만약 당신의 [사명]이 변경되었다면 소그나 공포판정을 받으하지 않는다)

《부끄럼》으로 공포판정을 한다.

이 비밀은 스스로 밝힐 수 없다.

죽음의 컨벤션

컨벤션 회장에서 무시무시한 죽음의 세션에 참가하고 만 PC들. 살아남으려면 컨벤션 회장에 전해지는 게이머들의 도시전설을 조사할 수밖에 없다!?

타입: 협력형

리미트: 2

플레이어 수: 4명

프라이즈: 있을 리 없는 주사위

시나리오의 무대 ●●●●●●

이 시나리오는「사실은 무서운 현대 일본」세팅을 사용합니다. 숙박형 TRPG 이벤트「JGC」가 개최되는「구 요코하마 프린세스 호텔」이 무대입니다. 장면표는「컨벤션 장면표」를 사용합니다.

PC는 죽음을 부르는 세션에 참가하고 만 TRPG 게이머입니다. 총 2 사이클로 끝나는, 코미디 성향이 강한 호러입니다.

이 시나리오는 JGC 2014의「Yellow Submarine Con」에서 플레이한 것입니다.

배경 ●●●●●●

숙박형 컨벤션「JGC」에 놀러 간 PC들은「죽음의 세션」에 참가하고 말았습니다. PC들은 살아남을 힌트를 찾아 JGC 회장에 전해지는 여러 가지 소문을 조사합니다.

사실 네 명의 PC 중 세 명은 이미 죽었습니다. 하지만 잘만 하면 전원이 생환하는 것도 가능합니다.

광기 ●●●●●●

『인세인』에서【의심암귀】,【확산하는 공포】,【소외감】,【거동수상】,【말을 잃다】,【패닉】,【피에 대한 갈망】,【절규】,【괴물】,【이질적인 언어】,【어둠의 축복】,【다중인격】,【결벽】,【공포증】,【폭력충동】,【미신】을 각각 1장씩 준비합니다.

도입 페이즈

이 시나리오의 도입 페이즈는 아래와 같습니다. 모든 PC가 등장하는 공용 장면입니다.

● JGC

이 장면은 마스터 장면입니다.

PC①~④는 구 요코하마 프린세스 호텔에서 개최 중인 게임 컨벤션, JGC에 왔습니다.

JGC란 1년에 한 번 개최하는 숙박형 컨벤션으로, 호텔에 묵으며 사흘간 TRPG나 아날로그 게임을 플레이하는 이벤트입니다.

플레이어 중 누군가가 「컨벤션 이름 결정표 J」, 「컨벤션 이름 결정표 G」를 각각 굴려서 「JGC」가 무엇의 약칭인지 정합니다. C는 「컨벤션」의 약자입니다.

PC들은 JGC 이틀째에 떠들썩한 프리 플레이 룸에서 TRPG 세션을 시작하려 합니다.

그때, PC들은 문득 위화감을 느낍니다.

(어라? 이 세션, GM 한 명에 플레이어 두 명으로 세 명에서 시작하는 거 아니었나?)

그렇습니다. 이 세션은 모집한 플레이어에 결원이 생겨서 어쩔 수 없이 셋이서 시작했습니다. 하지만 테이블에는 네 명이 있습니다.

곤혹스러워하고 있는데 전원의 머릿속에 소년이 킥킥 웃는 소리가 들립니다.

「왜 그래? 게임을 계속하자. 더 놀자고. 죽을 때까지…….」

그러고 보면…… 하고 PC①이 떠올립니다. 「예전에 JGC에 오고 싶었는데 오지 못하고 죽은 소년이 있었다. 그 소년은 영원히 플레이하기 위해 매년 참가자가 한 명 부족한 테이블에 끼어들어서 세션 참가자를 저승으로 끌고 간다……. 그런 소문이 있어.」

PC들은 어느샌가 죽음의 세션에 참가하고 만 것입니다!

뇌리에 울리는 소년의 웃음소리에

서 악의를 느끼며, 전원 《웃음》으로 공포판정을 합니다.

여기에서 같은 테이블에 앉은 네 명에게 자기소개하게 하고, 핸드아웃의 【사명】을 읽어줍니다. 또, 이 타이밍에서 「세션에 소년이 끼어든다」, 「펌블이 뜨면 죽는다」, 「누드 TRPG룸이 있다」, 「불법 판매를 하는 구역이 있다」, 「하얀 악어가 나온다」의 핸드아웃을 공개합니다. PC들은 이 소문들을 조사해서 살아남을 힌트를 찾게 됩니다.

이 장면은 끝나고, 도입 페이즈가 종료됩니다.

메인 페이즈

이 시나리오에는 아래의 마스터 장면이 발생합니다.

● 종업원의 속삭임

제1 사이클이 종료한 타이밍에 시작하는 장면입니다.

PC들이 조사하는데, 호텔 종업원이 소문에 관해 이야기하는 것이 들립니다.

「이 이벤트, 매년 행방불명자가 나온대.」「무섭다.」「어디로 가 버린 걸까?」 같은 말을 하고 있는데, 점점 내용이 이상해집니다. 「행방불명된 사람은 종잇조각이 되어버린대.」「무섭다.」「올해는 몇 명이 사라질까?」「기대되는데.」……어? 하고 돌아보니 그곳에는 아무도 없습니다. 전원, 《소리》로 공포판정을 합니다.

● 타락한 게이머

조사가 지나치게 순조롭게 진행되어 GM이 뭔가 부족하다고 느낄 때, 장면과 장면 사이에 삽입할 수 있는 장면입니다.

앞 장면에 등장한 PC에게 수상한 게이머 두 사람이 휘청거리며 다가옵니다. 자세히 보니 그것은 사람이 아닙니다. 살색 고깃덩어리가 게이머의 모습을 흉내 낸 가짜 게이머입니다! 《의학》으로 공포판정을 한 후,

전투합니다. 전투에 승리한 PC는 아이템을 1개 입수할 수 있습니다.

괴이

「하얀 악어가 나온다」로 등장한 하얀 악어는 「개」(『인세인』p247)의 데이터를 사용합니다. 「타락한 게이머」의 가짜 게이머는 「실패작」(『인세인』p250)의 데이터를 사용합니다. PC가 전투에 승리하면 어느 적이건 찢어진 캐릭터 시트 다발이 되어 무너집니다.

클라이맥스 페이즈

제2 사이클이 끝나면 클라이맥스 페이즈가 됩니다.

PC들은 원래의 테이블에 돌아와서 이야기합니다. 문득 깨닫고 보니 주위의 소리가 들리지 않습니다. 그렇게 시끌벅적했던 프리 플레이 룸이 쥐 죽은 듯 조용합니다.

고개를 들어보니 주위의 사람들이 모두 PC들 쪽을 무표정하게 보고 있습니다. 그 눈에서, 귀에서, 입에서 붉은 것이 걸쭉하게 넘쳐나와 바닥에 고입니다. 그 안에서 앳된 소년이 나타납니다.

소년은 「자, 즐거운 세션도 이제 끝이야.」라고 말하더니 손에 든 두툼한 종이 다발을 펄럭펄럭 넘깁니다. 「너희도 내 캐릭터 시트 컬렉션에 더해줄게.」

소년은 괴물이 되어 덤벼듭니다. 그 모습은 다양한 게임에서 본 적이 있는 몬스터의 집합체처럼 보입니다. 전원, 《혼돈》으로 공포판정을 합니다. 전투가 벌어집니다.

소년의 데이터는 「살인마」를 사용합니다. 단, 【생명력】은 20점입니다. 매 라운드가 끝날 때 소년은 【생명력】을 1D6점 회복합니다. 【생명력】이 0이 되면 더는 회복하지 않습니다. 최대치인 20점을 웃도는 일도 없습니다.

소년의 캐릭터 시트를 공격하겠다고 선언하면 공격 판정에 -1의 페널티가 적용됩니다. 이 공격으로 대미

지를 입혔다면 이후 소년의 【생명력】은 회복하지 않습니다.

PC④의 【비밀】에 적힌 것을 비롯하여 소년이 잊고 있던 게임의 즐거움을 떠올리게 할 만한 행동을 취했다면 소년은 동요합니다. 이후, 소년에게 입히는 대미지는 2배가 됩니다.

소년을 쓰러뜨리면 캐릭터 시트가 사방에 흩날리며 잡혀 있던 혼이 해방됩니다. 컨벤션 참가자가 잇달아 승천합니다. 사실 이 컨벤션 자체가 죽은 자들의 컨벤션이며, 산 사람은 PC④ 한 명뿐이었습니다. PC①~③은 되살아날지, 승천할지를 고를 수 있습니다.

살아남은 사람은 원래 참가했던 프리 플레이 룸의 소란 속에서 정신을 차립니다. 산 자의 세상으로 돌아온 모양입니다…….

컨벤션 이름 결정표 J (1D6)	
1	점보
2	주니어
3	점핑
4	조크스
5	조이풀
6	정글

컨벤션 이름 결정표 G (1D6)	
1	갓
2	긱(Geek)
3	그늒그늒
4	게릴라
5	고스트
6	고릴라

컨벤션 장면표 (2D6)	
2	테이블에 둘러앉은 사람들이 TRPG를 플레이하고 있다. 주사위가 구르자 와~ 하고 탄성을 지른다.
3	게이머들이 모인 카페. 커피나 홍차를 마시며 게임 이야기로 꽃을 피운다.
4	피 냄새가 풍기는 장소. 여기에서 무슨 일이 있었던 걸까……?
5	토크쇼 회장이다. 단상 위의 토크로 분위기를 띄운다.
6	사람으로 붐비는 시끌벅적한 홀. 다양한 소문이 난무한다. 코스튬 플레이어의 모습도 눈에 띈다.
7	인기척 없는 통로. 벽이나 문 너머로 이벤트가 진행되는 떠들썩한 소리가 들린다.
8	조용한 방 안. 여기라면 뭘 해도 쓸데없이 꼬치꼬치 캐묻는 사람은 없겠지.
9	소란 속에서 안내방송이 들린다. 뭘 말하는지 잘 안 들린다…….
10	숍 부스가 나란히 선 판매 구역. 호객하는 소리로 시끌벅적하다.
11	게스트들이 모인 대기실. 기품 있는 미소 아래로 어떤 음모가 진행되고 있을까?
12	안뜰의 분숫가. 나무 꼭대기에서 작은 새들이 지저귄다.

하얀 악어

		위협도 2	속성 생물	생명력 7

호기심 지각   **특기** 《찌르기》,《냄새》,《그늘》

어빌리티 【기본공격】 공격 《그늘》
【강타】 공격 《찌르기》 IS p180

해설 화장실에 나타나는 하얀 악어.

가짜 게이머

		위협도 1	속성 괴이/기물	생명력 3

호기심 지각   **특기** 《인내》,《고통》,《제육감》,《암흑》

어빌리티 【기본공격】 공격 《분해》
【연격】 서포트 《찌르기》 IS p181

해설 살덩어리가 게이머 차림을 한 가짜 게이머.

핸드아웃

「세션에 소년이 끼어든다」, 「펌블이 뜨면 죽는다」, 「누드 TRPG룸이 있다」, 「불법 판매를 하는 구역이 있다」, 「하얀 악어가 나온다」를 도입 페이즈 마지막에 공개한다. 「세션에 소년이 끼어든다」의 【비밀】이 공개되면 「영혼의 캐릭터 시트가 있다」를 공개한다. 「펌블이 뜨면 죽는다」의 【비밀】을 얻은 PC는 프라이즈 「있을 리 없는 주사위」를 획득한다.

Handout

PC①

이름

사명

당신은 숙련된 베테랑 게이머다. 컨벤션에 놀러 온 당신은 죽음의 세션에 참가하고 말았다.

당신의 【사명】은 이 컨벤션에서 살아남는 것이다.

Handout

소크
없음

이름

비밀

당신은 예전에 죽음의 컨벤션에 발생하는 원인이 된 소년과 함께 플레이한 적이 있다. 소년은 줄곧 당신과 함께 있었을 뿐인데 지금은 나무 밑동에서 당신의 【정점한 사명】은 소년을 성불시키는 것이다.

소스로 밝힐 수는 없다.

이 비밀을

1

Handout

이름	PC②

사명

당신은 TRPG를 갓 시작한 초보자다. 자기 쓰러진 기억이 간신히 있다. 혹시나 나 온 당신은 죽음의……? 그런 건가……? 그런 건 싫다! 세션에 참가하고 말았다. 당신의 [사명]은 이 컨벤션에서 살아남는 것이다.

비밀

쇼크 전원

당신은 컨벤션 회장 어딘가에서 깬 자기 쓰러진 기억이 간신히 있다. 혹시나 미 죽은 건가……? 그런 건 싫다! 당신의 [진정한 사명]은 이 컨벤션에서 살아남는 것을 확인하는 것이다.

이 비밀은 스스로 밝힐 수는 없다.

Handout

이름	PC③

사명

당신은 나름대로 경험을 쌓은 게이머다. 컨벤션에 놀러 온 당신은 죽음의 세션에서 GM이 되고 말았다. 당신의 [사명]은 이 컨벤션에서 살아남는 것이다.

비밀

쇼크 전원

당신은 죽음의 세션에 불려온 많자다. 몇 번이나 반복되던 죽음의 세션에서 GM을 하며 많은 게이머가 죽어가는 걸 봐 왔다. 이제 지긋지긋하다! 당신의 [진정한 사명]은 죽음의 세션에서 해방되는 것이다.

이 비밀은 스스로 밝힐 수는 없다.

Handout

이름	PC④

사명

당신은 게이머인 친구의 권유로 컨벤션에 온 소년인 미경험자다. 그런데 친구가 갑자기 일이 생겨서 오지 못한 바람에 당신 혼자 참가하게 되었다. 하필이면 그 상황에 당신은 죽음의 세션에 참가했다. 당신의 [사명]은 이 컨벤션에서 살아남는 것이다.

비밀

쇼크 없음

당신은 오직 못한 비경험 친구에게서 세션을 즐기는 비결을 배웠다. 그것은 「자신이 아니라 모두가 즐길 수 있도록 하는 것」이라고 한다. 음음, 그 좋단 말이지……?

Handout

이름	펌프이 뜨면 죽는다

개요

그 해, 회장에서 가장 저렴한 펌프를 낸 사람은 죽는다…… 그런 소문이 있다.

비밀

쇼크 PC②, 이 장면에 등장한 PC

응해도 펌블로 죽은 내신이 세션을 따라가 보니 쓰지 않는 카드란 방에 도달한다. 안에는 테이블이 하나, 개나이 캐이마를 자구도 죽이고 있는 터 시트를 구긴 채 앞아져 있는 것을 봤다. 시체의 손 그치에는 있을 리 없는 (②의 시체였다!

인간이 이런 펌블을 할 수 있는 건가……!? 《수하》으로 공포판정.

이 비밀은 스스로 밝힐 수는 없다.

Handout

이름	세션에 소년이 끼어든다

개요

예전의 컨벤션에 오고 싶었느니 오지 못하고 죽은 소년이 있었으니. 그 소년은 영원히 플레이하기 위해 매년 참가자가 한 명 부족한 테이블에 끼어 든다는, 세션 참가자를 저승으로 끌고 간다…… 그런 소문이 있다.

비밀

쇼크 전원

황산정보. 사실 그 소문은 오래된 버전이다. 세월이 흐르면서 소년은 경험 사악해지고, 다양한 도시전설에 나온 캐이마를 자구도 죽이고 있는 터 시트로 만들어 모으고 있단다 캐이마 시트를 그렇게 빼앗은 영혼을 《영혼》으로 공포판정. 핸드아웃 「영혼의 캐이마 시트가」 있음 더 있는 주사위를 손에 넣는다.

이 비밀은 스스로 밝힐 수는 없다.

Handout

이름	누드 TRPG룸이 있다
개요	숙소 어딘가에는 누드로 세션을 하는 방이 있으며, 그곳에 가면 개방적인 즐거움을 맛볼 수 있다…… 그런 소문이 있다.

비밀

쇼크 · PC①, 이 장면에 등장한 PC

소문에 충해서 누드로 TRPG룸에 도달했다. 주사위를 굴리는 소리가 들린다. 문을 열자 어두컴컴한 객실 안에서 살색 물체가 꿈틀거리고 있다. 자세히 보니 그것은 인간이 되다 만 듯한 이형의 생물들이다. 늘어서 소리를 절렀더니 내색들은 벽의 구멍 속으로 도망친다. 그 자리에 남겨진 것은…… PC①의 시체다! 《부끄러움》으로 공포판정.

이 비밀을 스스로 밝힐 수는 없다.

Handout

이름	불법 펫매를 하는 구역이 있다
개요	회장 지하에는 불법 판매가 이루어지는 곳이 있으며, 매우 희귀한 중고 게임, 발매되지 못했던 규격제, 발매를 앞둔 게임의 유출 원고까지 거래되고 있다…… 그런 소문이 있다.

비밀

쇼크 · 이 장면에 등장한 PC

확산정보. 소문에 충해서 불법 판매 구역에 드립했다. 어둠 속에 기묘한 물건들이 진열되어 있다. 여기서 서 화폐로 쓰는 건 죽은 사람의 혼이 붙은 캐릭터 시트다.

이 비밀을 스스로 밝힐 수는 없다.

Handout

이름	하얀 악어가 나온다
개요	회장의 화장실에 혼자 있으면 하얀 악어가 습격한다…… 그런 소문이 있다.

비밀

쇼크 · 이 장면에 등장한 PC

확산정보. 화장실에 들어갔더니 하얀 악어가 덤벼들었다! 악어와 전투한다. 이기면 아이템을 1개 입수할 수 있다. 《생물학》으로 공포판정.

이 비밀을 스스로 밝힐 수는 없다.

Handout

이름	영혼의 캐릭터 시트가 있다
개요	소년이 죽은 자의 혼을 캐릭터 시트로 모으고 있다…… 그런 소문이 있다.

비밀

쇼크 없음

확산정보. 소년의 컬렉션 중에는 당신 자신의 캐릭터 시트도 있는 듯하다. 소년의 앞혼도 가까이 들어있을지도 모른다.

이 비밀을 게임 중에 스스로 밝히거나 남에게 밝힐 수는 없다.

Handout

이름	있을 리 없는 주사위
개요	프라이즈. 있을 리 없는 숫자가 새겨진 주사위. 보기만 해도 머리가 이상해질 것 같다. 드라마 장면에서 아이템으로서 남에게 전달할 수 있다. 소유자는 마음대로 이 프라이즈의 [비밀]을 볼 수 있다.

비밀

쇼크 없음

이 주사위의 소유자는 [이성치]를 1점 소비할 때마다 집 게임 판 장면 1회 다시 굴릴 수 있다.

이 비밀을 게임 중에 스스로 밝히거나 남에게 밝힐 수는 없다.

Shark Insane
샤크 인세인

그 상어는 분명히 처치했다. 그런데 왜!? 아무리 죽여도 되살아나며, 육지든 하늘이든 가리지 않고 나타나는 수수께끼의 존재, 상어. 그 정체를 밝혀서 인류를 위협하는 상어를 처치하라!

타입 : 협력형
리미트: 3
플레이어 수: 3~4명
프라이즈: 상어 퇴치용 결전병기

시나리오의 무대

이 시나리오는 「사실은 무서운 현대 일본」 세팅을 사용합니다. 장면표는 「상어 장면표」를 사용합니다.

배경

해변에 갑자기 나타난 무시무시한 식인 상어. 사람들이 무서워 떠는 것도 잠시, 용감한 봉마인들이 상어를 무찌르고 평화를 되찾았습니다. 그런데 상어는 죽지 않았습니다! 밀림, 대도시, 설산, 그리고 우주. PC들은 온갖 장소에 나타나는 상어와 대치합니다.

상어는 왠지 물에서 나와도 멀쩡히 살아있고, 공중을 날거나 물질을 투과하는 능력을 얻기도 합니다. 그 정체는 세션 중에 밝혀질 것입니다.

광기

일반 【광기】와 「사실은 무서운 현대 일본」의 【광기】를 모두 1장씩 준비하고, 무작위로 16장을 고릅니다.

PC④의 【비밀】에 관하여

제2 사이클 이후에 다른 개체와 싸우게 되었더라도 PC④의 【사명】은 바뀌지 않습니다. 「제1 사이클에 나타난 상어 뱃속의 내용물이 제2 사이클 이후의 상어에게 옮겨졌다」, 「설령 개체가 다르더라도 PC④는 그때 그 상어라고 믿고 있다」와 같은 이유를 플레이어와 상담해서 정합니다.

도입 페이즈

이 시나리오의 도입 페이즈는 아래와 같습니다. 모든 PC가 등장하는 공용 장면입니다.

● 싸움은 끝났을 텐데

PC들은 모두 해변에 있습니다. 눈앞에는 힘이 다한 상어의 사체가 널브러져 있습니다. PC들은 바로 지금 사투 끝에 상어를 무찔렀습니다. 겨우 찾아온 평화를 음미하며 PC들은 한 사람, 또 한 사람 해변을 떠납니다.

아무도 상어의 죽음을 의심하지 않았습니다. 모든 PC가 떠나는 모습을 연출했다면, 마지막으로 분명히 죽었던 상어가 움찔 움직이는 연출을 합니다.

「상어」의 핸드아웃을 공개하고 도입 페이즈는 끝납니다.

상어의 【비밀】

상어에게는 여러 개의 【비밀】이 있습니다. 아래의 타이밍에 핸드아웃을 공개합니다.

상어2: 「상어」의 【비밀】이 공개됐을 때

상어3: 제2사이클의 맨 처음

상어4: 「상어2」, 「상어3」의 【비밀】이 공개됐을 때

상어5: 「상어2」, 「상어3」의 【비밀】이 공개됐을 때

상어의 【비밀】은 모두 전과로 선택할 수 없습니다.

GM이 바란다면 상어의 【비밀】 내용을 정할 때 표를 사용하지 않고 미리 직접 내용을 골라둬도 됩니다.

메인 페이즈

이 시나리오에는 아래의 마스터 장면이 발생합니다.

● 부활한 상어

제1 사이클의 맨 처음에 발생하는 장면입니다.

푸른 바다, 하얀 모래사장, 눈부시게 빛나는 태양. PC들은 해변의 휴양지에 있습니다. 해변에는 각자의 바캉스를 즐기는 사람들과 잔잔한 바람에 흔들리는 야자나무. 하지만 물가에서 노는 수영복 차림의 미녀들 뒤로 물속에서 조용히 다가오는 으스스한 그림자가 나타납니다.

상어입니다. 분명히 죽였던 상어가 부활했습니다. 《생물학》으로 공포판정을 합니다.

● 이런 곳까지!

제2 사이클 이후, 사이클마다 맨 처음에 발생하는 장면입니다. 2D6을 굴리고 「어어!? 이런 곳까지 상어가!? 표」를 참조해서 그 사이클의 무대가 될 장소를 정합니다. 무대의 설정을 묘사하고, 그 장소에서 상어가 날뛰는 연출을 합니다. 그리고 PC마다 왜 그곳에 있는지를 연출하게 하면서 PC 전원을 등장시킵니다. 마지막으로 GM이 연출에 따라 특기를 선택하여 공포판정을 시킵니다. 적당한 것이 떠오르지 않는다면 무작위로 특기를 선택해도 됩니다.

어어!? 이런 곳까지 상어가!? 표 (1D6)	
1	상어와 싸운 지 3D6개월이 지났다. 여러분은 지금 해변의 휴양지에 있다. 푸른 바다, 하얀 모래사장. 이곳은 남쪽의 파라다이스. 상어 소동을 잊고 이번에야말로 휴가를 만끽하자! 그런데 물가에서 노는 비키니 차림의 미녀들을 향해 또다시 물속에서 조용히 다가오는 으스스한 그림자가…….
2	상어와 싸운 지 3D6개월이 지났다. 여러분은 지금 이런저런 사정으로 밀림 깊숙한 곳에 있다. 하지만 아득히 먼 대하를 거슬러 올라오며 놈이 나타났다! 담수고 해수고 관계없다! 쪽배를 통째로 잡수신다! 게다가 육지에도 올라온다!
3	상어와 싸운 지 3D6개월이 지났다. 여러분은 지금 설산에 있다. 스키 연습장을 장식하는 스키웨어. 백은빛 아침 햇살이 빛나는 산에서 가루눈을 헤치며 질주해오는 것은…… 상어다!? 버진 스노우가 선혈로 물든다!
4	상어와 싸운 지 3D6개월이 지났다. 여러분은 지금 시끌벅적한 대도시에 있다. 하지만 그곳에서 아스팔트를 누비며 조용히 다가오는 삼각형 등지느러미. 다음 순간, 스마트폰으로 통화하며 길을 걷던 사업가 차림의 남자가 지면으로 끌려 들어갔다!!
5	상어와 싸운 지 3D6개월이 지났다. 여러분은 지금 동굴 안에 있다. 왜냐하면, 동굴에는 꿈이 있고, 로망이 있기 때문이다! 어쩌면 금은보화도 있을지도!? 좌우간 뭔가를 노리고 찾아온 사람들은 그곳에서 살아있는 악몽을 목격한다.
6	상어와 싸운 지 3D6개월이 지났다. 여러분은 지금 우주 정거장에 있다. 폐쇄된 환경 내에서 잇달아 무참히 잡아먹히는 사람! 탈출은 불가능! 무중력을 제압한 상어의 공포를 인류는 아직 모른다…….

상어 장면표 (2D6)	
2	이제까지의 소동이 거짓말이었던 것처럼 조용한 한때. 하지만 그것은 거대한 폭풍의 전조에 불과하다.
3	상어의 습격으로 물자를 잃을 위기에! 장면에 등장한 PC는 모두 GM이 무작위로 정한 「폭력」 분야의 특기로 판정한다. 실패하면 가지고 있는 아이템 중 임의의 것을 1개 잃는다.
4	미치광이 노인이 갑자기 외친다. 「그래서 경고했건만……! 모두 놈에게 잡아먹혀 죽을 게야! 히히히히히!」 이 장면에 등장한 PC는 《혼돈》으로 공포판정을 한다.
5	긴박한 상태가 이어진 나머지 사소한 계기로 심한 말다툼. 이제 이런 건 지긋지긋하다.
6	벌써 몇 번째인지 모를 대책 회의를 연다. 답답한 분위기. 이젠 대책이 없는 걸까…….
7	여러분의 노력에도 불구하고 또다시 무참한 희생자……. 사람들의 한탄과 분노가 하늘을 찌른다.
8	습격에 대비하여 주변을 순찰한다. 아직 놈의 기척은 느껴지지 않지만…….
9	너 나 할 것 없이 신세 한탄을 시작한다. 누군가와 이야기하지 않으면 불안해서 미칠 것 같다.
10	수중에 있는 술이나 식량을 가지고 모여 별 이유도 없이 파티를 연다. 현실도피에 불과하더라도 절망만 하는 것보다는 낫다.
11	응급처치 키트를 발견. 가벼운 상처라면 어떻게 될 것 같다. 장면 플레이어는 《의학》으로 판정한다. 성공하면 장면에 등장한 PC(자신 포함) 1명의 【생명력】을 1점 회복할 수 있다.
12	유비무환. 이 장면에 등장한 PC는 GM이 무작위로 정한 「기술」 분야의 특기로 판정한다. 성공하면 임의의 아이템을 1개 손에 넣는다.

● 상어와의 싸움

각 사이클 마지막에 일어나는 장면입니다. 상어와 전투를 합니다. 이 전투에서 탈락한 PC는 【광기】를 1장 뽑습니다. 어떻게든 살아남았지만, 상어 때문에 마음에 상처를 입은 것입니다.

클라이맥스 페이즈 ●●●●●●

상어와의 전투입니다. 단, 상어의 모든 【비밀】이 밝혀지지 않았다면 클라이맥스 페이즈는 발생하지 않습니다. PC는 모두 배드엔드표를 사용하여 결과를 적용합니다.

상어의 이유표 (1D6)	
1	배가 고파서
2	바다를 더럽힌 인류에게 화가 나서
3	인간이라는 존재에 대한 호기심(물리)
4	가족이 살해당해서
5	인간이 맛있어서
6	태양이 눈 부셔서

상어의 약점표 (1D6)	
1	특수한 음파
2	특수한 약품
3	특수한 광물
4	특수한 세균
5	특수한 식품
6	특수한 광선

죽지 않는 이유표 (1D6)	
1	실은 쏙 빼닮은 다른 개체
2	실은 클론
3	실은 메카
4	실은 회복력이 매우 뛰어나다
5	실은 지난번 상어의 자식
6	실은 좀비

유인 수단표 (1D6)	
1	특별한 노래
2	특별한 의식
3	특별한 먹이
4	특별한 광신호(光信號)
5	특별한 장소
6	특별한 시간

상어의 정체표 (1D6)	
1	그냥 커다란 상어
2	옛 신의 종자
3	살아남은 고대종
4	어느 군이 개발한 생체병기
5	해양오염으로 탄생한 돌연변이종
6	우주생물

● 상어

		위협도 6	속성 생물/괴이	생명력 40

호기심 지각 **특기** 《절단》,《맛》,《제육감》,《탈것》,《심해》

어빌리티
【기본공격】 공격 《심해》
【난동】 공격 《절단》 IS p180
【위험감지】 서포트 《제육감》 IS p181
【짓뭉개기】 장비 이 캐릭터와 함께 버팅이 발생한 캐릭터는 추가로 1점의 대미지를 입는다.

해설 거대한 상어입니다. 몇 번을 죽여도 되살아나 온갖 장소에 나타납니다. 그 정체는 수수께끼입니다.

핸드아웃

「상어」는 도입 페이즈가 끝날 때 공개한다. 「상어2」는 「상어」의 【비밀】이 공개됐을 때, 「상어3」은 제2사이클 맨 처음에, 「상어4」와 「상어5」는 「상어2」, 「상어3」의 【비밀】이 모두 공개됐을 때 공개한다. 프라이즈 「상어 퇴치용 결전병기」는 「상어4」의 【비밀】 공개 후, 판정에 성공하면 손에 넣는다.

Handout

장치 프레즈 상어 퇴치용 결전병기

개요
이 프라이즈의 소유자는 명중판정을 할 때 전에 사용을 선언함으로써 공격에 쓴 어빌리티의 대미지에 더하여 상대에게 6D6점까지의 대미지를 입힐 수 있다. 단, 대미지를 입힐 때 주사위로 【생명력】이나 굴림 주사위의 수만큼 [생명력]이나 [이성]를 감소해야 한다. 상어는 회 판정의 난이도에 이 프라이즈를 사용한 공격을 회피할 횟수를 더한다. 이 프라이즈는 클라이맥스 페이즈에서 서 사망했을 때 (야인)의 효과를 사용하면 다른 사람에게 넘길 수 있다.

Handout

광기 페티시

트리거 당신이 감정판정의 목표가 된다.

당신은 인조물에 대한 편애에 눈을 뜬다. 이 새로운 사랑의 행태를 마음에 알리고 싶다. 이 【광기】가 한 체화된 장면에 등장한 당신 이외의 PC 전원은 기술나 분야에서 무작위로 특 기 하나를 선택해서 공포판정을 해야 한다.

이 광기를
스스로 발험할 수는 없다.

Handout 비밀

쇼크 없음

당신은 예전에 소중한 사람을 사고로 잃었다. 더는 누구도 잃고 싶지 않다.

당신의 [진정한 사명]은 [클라이맥스] 페이즈에서 상어를 처치하고, 또한 당신이 플러스 [감정]을 맺은 캐릭터 전원이 죽지 않게 하는 것이다.

당신에 대해 플러스 [감정]을 가진 캐릭터는 당신에 대해 강경수정을 할 때 [생명력]이나 [이성치]를 소비하지 않아도 된다.

이 비밀을 스스로 밝힐 수는 없다.

Handout

이름	PC① (주권: 경찰)
사명	당신은 우연히 상어 소동에 말려든 용감한 경찰관이다. 당신의 [사명]은 상어를 처치하고 사람들을 지키는 것이다.

Handout 비밀

쇼크 없음

당신은 사람에 살고 사람에 죽는 타입이다. 설령 자신에 위기가 닥치더라도 동료들의 예감을 무시할 수 없다.

당신의 [진정한 사명]은 PC 중 누군가와 서로 [애정], 또는 [광기]의 [감정]을 맺는 것이다.

이 비밀을 스스로 밝힐 수는 없다.

Handout

이름	PC② (주권: 없음)
사명	당신은 우연히 상어 소동에 말려든 관광객이다. 당신의 [사명]은 상어를 처치하고 사람들을 지키는 것이다.

Handout 비밀

쇼크 전원

당신은 자신의 취미와 기호가 다른 사람과는 매우 엇갈린다는 사실을 자각하고 있다. 평소에는 주위와 멀어지지 않도록 이야기를 맞추고 있지만, 실은 자신을 이해해줄 사람을 계속 찾고 있다. 이야기를 들어줄 만한 사람이 있다면 하룻밤 내내라도 떠들 것이다.

당신은 처음부터 [광기]로 [페티시]를 가지고 있다.

이 비밀을 스스로 밝힐 수는 없다.

Handout

이름	PC③ (주권: 교수)
사명	당신은 우연히 상어 소동에 말려든 연구자다. 어떤 연구를 하는지는 GM과 이야기해서 정한다. 여하튼 당신은 상어에 흥미가 생겨 조사해보고 싶어졌다. 당신의 [사명]은 상어의 수수께끼를 푸는 것이다.

Handout 비밀

쇼크 전원

당신은 이혼 문제로 다투던가 무심코 자신의 아내(남편)를 죽이고 말았다. 증거를 은폐하기 위해 당신은 상어 소동에 편승해서 시체를 상어에게 먹였다. 상어의 체내에서 인육 사체가 나오면 귀찮아진다. 위장재로 산산조각을 내서 없애야 한다. 당신의 [진정한 사명]은 상어를 없애는 것(클라이맥스에서 [생명력]을 0으로 만드는 것)이다.

이 비밀을 스스로 밝힐 수는 없다.

Handout

이름	PC④ (주권: 없음)
사명	당신은 우연히 상어 소동에 말려든 행인이다. 당신의 [사명]은 상어에게서 도망치는 것이다.

Handout
비밀

쇼크 장면에 등장한 PC

확산정보. 상어의 정체가 판명된다. 1D6을 굴려서 「상어」의 정체표로 정체를 정한다.

이 비밀을 스스로 밝힐 수는 없다.

Handout

상어	
이름	
사명	

당신은 항상 배가 고프다.
당신의 [사명]은 오로지 인간을 잡아먹는 것이다.

Handout
비밀

쇼크 장면에 등장한 PC

확산정보. 1D6을 굴려서 「상어」의 이유표로 상어가 인간을 습격하는 이유를 정한다.

이 비밀을 스스로 밝힐 수는 없다.

Handout

상어2	
이름	
사명	

당신은 항상 배가 고프다.
당신의 [사명]은 오로지 인간을 습격하는 것이다.

Handout
비밀

쇼크 장면에 등장한 PC

확산정보. 1D6을 굴려서 「상어」의 이유표로 상어가 목적지 않는 이유를 정한다.

이 비밀을 스스로 밝힐 수는 없다.

Handout

상어3	
이름	
사명	

당신은 항상 배가 고프다.
당신의 [사명]은 오로지 인간을 잡아먹는 것이다.

Handout
비밀

쇼크 없음

확산정보. 상어의 약점을 알아낸다. 1D6을 굴려서 「상어」의 약점표로 정한 수에 도전할 수 있다. 무기를 입수하는 방법을 설명하고, 가까이 이름[에스에서 생각하는 [프라이즈: 상어 퇴치용 결전병기]의 이 「상어」 퇴치용 결전병기를 가진 캐릭터의 공격으로 인해 상어를 죽일 수 없다.

이 비밀을 스스로 밝힐 수는 없다.

Handout

상어4	
이름	
사명	

당신은 항상 배가 고프다.
당신의 [사명]은 오로지 인간을 잡아먹는 것이다.

Handout
비밀

쇼크 없음

확산정보. 1D6을 굴려서 「유인 수단」표로 상어를 유인할 수단을 정한다.

이 비밀을 스스로 밝힐 수는 없다.

Handout

상어5	
이름	
사명	

당신은 항상 배가 고프다.
당신의 [사명]은 오로지 인간을 잡아먹는 것이다.

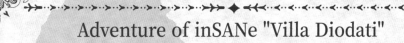

Adventure of inSANe "Villa Diodati"

시나리오 파트 2

암흑과 마술의 방

이 파트에는 시나리오 세팅 「빅토리아의 어둠」의 시나리오를 2개 수록했습니다. 한편으로는 번영을 이루었으나, 한편으로는 신비와 공포를 내포하고 있는 대영제국을 무대로 하는 괴담이 당신의 방문을 기다립니다.

 **주의** 이 시나리오 파트를 **플레이어로** 플레이할 예정이라면 **읽지 마십시오.**

빌라 디오다티의 괴담 모임

그 저택에서는 남녀가 모여 괴담을 주고받는다. 그들의 기묘한 이야기가 이 세상에 새로운 공포를 낳는다. 그것은 도대체 무엇을 위한 향연일까?

타입: 특수형
리미트: 2
플레이어 수: 3명
프라이즈: 공포 목록

시나리오의 무대 ●●●●●●●

이 시나리오는 「빅토리아의 어둠」 세팅을 사용합니다. 플레이어나 GM이 바란다면 「반복되는 참극」 캠페인 세팅을 사용해도 됩니다. 무대는 스위스의 레만호 근처에 있는 빌라 디오다티라는 저택입니다. 플레이어들은 그곳에서 개최되는 비밀 야회 「빌라 디오다티의 괴담 모임」에서 괴담을 선보일 초대객입니다. GM은 그 취지를 플레이어에게 전하고, 참가자 전원이 「새로운 공포를 만들어낼 하룻밤의 야회」를 연

출하도록 협력을 구합시다.

장면표는 이 시나리오에 부속된 「빌라 디오다티 장면표」를 사용합니다.

배경 ●●●●●●●

1816년 스위스에서 시인 바이런 경이 빌린 별장으로 다섯 명의 남녀가 모여 각자 창작한 괴담을 선보였습니다. 그 별장이 바로 빌라 디오다티 입니다. 그곳에서 다섯 명은 서로에게 영향을 미쳐 메리 셸리가 『프랑켄슈타인: 또는 현대의 프로

메테우스』를, 폴리도리가 『흡혈귀』라는 후세에 길이 남을 무시무시한 이야기를 내놓았습니다.

그런데 그들이 했던 것은 단순한 괴담 모임이 아니었습니다. 사실 이것은 빌라 디오다티 지하에서 겉잠에 빠진 「공포의 신」에게 저주받은 산 제물을 바치는 의식이었습니다. 다른 참가자를 산 제물로 바치고 자신의 혼까지 바친 메리 셸리는 「공포의 신」에게 영감을 얻어 『프랑켄슈타인』이라는 걸작을 낼 수 있었습니다. 그 후, 메리 셸리는 「공포의 신」의 사제로서 겉잠에 든 신의

지루함을 달래기 위해 단 하룻밤의 괴담 모임을 몇 번이나 되풀이했습니다. 오늘 밤도 역시 비밀의 야회가 열리려 합니다.

발표회

이 시나리오에서 플레이어들은 괴담을 선보입니다. 아래는 이를 위한 특수 규칙입니다.

발표회는 도입 페이즈와 제1사이클, 제2사이클이 끝날 때마다 각각 한 번씩 총 3회 실시 합니다. 첫 번째 발표회는 PC①부터 시계 방향으로 괴담을 발표합니다. 두 번째 발표회는 PC②부터 시계 방향으로, 세 번째 발표회는 PC③부터 시계 방향으로 합니다.

발표할 차례가 된 플레이어는 먼저 그 괴담에 등장할 괴이를 정합니다. 괴이는 이 시나리오에 실린 「형용표」, 「부위표」, 「본체표」를 사용해서 정합니다. 각 표에는 주사위 눈에 대응하는 공포 요소가 설정되어 있습니다. D66을 3회 굴려서 이 표에 대조하면 「(형용표의 결과) (부위표의 결과)를 가진 (본체표의 결과)」라는 괴이를 작성할 수 있습니다. 두 번째 이후의 발표회에서는 주사위를 굴리지 않고 플레이어가 각 표에서 임의의 공포 요소를 선택해도 됩니다.

각 요소에는 최소 1점, 최대 10점의 【공포점】이 비밀리에 설정되어 있습니다. 이 수치의 합계가 그 괴담이 얼마나 무서웠는지를 나타냅니다. GM은 플레이어가 만든 괴이의 각 요소가 지닌 【공포점】을 플레이어 몰래 더해서 메모합니다.

괴이와 【공포점】을 정했다면, 발표할 플레이어는 그 괴이가 어떤 이야기에 등장하면 재미있을지를 생각해서 GM이나 다른 플레이어에게 이야기합니다. 선보일 이야기는 상세하지 않아도 됩니다. 여기에서 발표하는 것은 플레이어들이 이제부터 만들 괴담의 중간 과정에 불과합니다. 단편이나 개요, 약간의 아이디어만으로도 충분합니다. 발표가 끝나면 발표를 한 플레이어 이외의 PC는 공포판정을 합니다. 이 판정에 사용할 특기는 발표한 플레이어가 괴이나 이야기와 관계가 있다고 생각하는 특기를 하나 선택해서 지정합니다.

전원이 이야기를 선보이면 평가를 합니다. 이것은 「공적점 획득」에서 심금을 울린 플레이어를 선택할 때와 같은 절차로 처리합니다. 각 플레이어는 선보인 이야기 중에서 가장 마음에 든 것을 마음속으로 고릅니다. 그리고 GM의 신호와 동시에 그 이야기를 선보인 플레이어를 가리킵니다. 이때, 자신을 고를 수는 없습니다. 또, 「공적점 획득」 때와는 달리 이 평가에는 GM도 NPC를 통해 참가합니다. 1명이 가리킬 때마다 그 PC가 만든 최종적인 괴이의 【공포점】에 1점의 보너스를 더합니다.

두 번째나 세 번째 발표회에서 각 플레이어는 「변경 없음」이라고 발표할 수 있습니다. 이러면 지난번에 발표한 괴담을 그대로 유지한 것으로 봅니다. 「변경 없음」을 발표한 플레이어의 차례는 건너뛰고, 다음 플레이어가 발표합니다. 전원이 「변경 없음」을 발표했다면 그 발표회는 끝납니다. 만약 지난번에 발표한 괴담이 성에 차지 않는 플레이어가 있다면, 그 후에 얻은 정보나 발표회의 반응을 참조하여 괴이나 이야기를 변경해 새로운 괴담을 선보일 수 있습니다. 이때는 공포판정도 합니다. 누구든 한 명이라도 새로운 괴담을 선보였다면 새로 평가를 하여 전원의 득점을 다시 계산합니다. 이때 「변경 없음」을 발표한 플레이어가 있다면 지난번 발표를 평가의 대상으로 선택합니다. 새로 평가했을 때도 이전에 얻은 보너스는 잃지 않습니다(보너스는 누적됩니다).

인스피레이션

이 시나리오에서 PC들은 일반적인 조사판정 대신 「자기 괴담에 대한 반응」과 「공포 요소」를 조사할 수 있습니다.

「자기 괴담에 대한 반응」에 대한 조사판정에 성공하면 아무나 PC 1명을 목표로 선택할 수 있습니다. GM은 조사판정을 한 PC와 목표 PC가 그 시점에서 가진 【공포점】을 몰래 확인합니다. 그리고 조사판정을 한 PC의 【공포점】이 목표의 【공포점】보다 「위」인지, 「아래」인지, 혹은 「동등」한지를 조사판정을 한 플레이어에게 몰래 알려줍니다.

「공포 요소」에 대한 조사판정에 성공하면 「형용표」, 「부위표」, 「본체표」에서 2개의 요소를 선택할 수 있습니다. GM은 두 요소의 「공포점」을 몰래 확인합니다. 그리고 【공포점】이 높은 쪽의 「공포 요소」를 공포판정을 한 플레이어에게 몰래 알려줍니다(수치가 같으면 같다고 알려줍니다).

또, 이 시나리오 동안에는 플레이어가 【광기】를 획득하면 「형용표」, 「부위표」, 「본체표」에서 임의의 「공포 요소」를 1개 선택할 수 있습니다. GM은 그 「공포 요소」의 【공포점】을 【광기】를 획득한 플레이어에게 몰래 알려줍니다.

인스피레이션으로 얻은 정보에는 정보공유가 발생하지 않습니다.

광기

【광기】는 『인세인』에서 【의심암귀】, 【괴물】, 【절규】, 【다중인격】, 【패닉】, 【어둠의 축복】, 【의존】, 【폭력충동】, 【기억상실】, 【확산하는 공포】, 【이질적인 언어】, 【소외감】을 각각 1장씩 준비합니다. 「반복되는 참극」 세팅을 사용한다면 【의존】, 【기억상실】 대신 【허무감】, 【미시감】을 넣습니다.

도입 페이즈

이 시나리오의 도입 페이즈는 아래와 같습니다.

● 장면1

이 장면은 마스터 장면입니다. PC 전원이 등장합니다.

PC들은 빌라 디오다티의 거실 원탁에 앉아 있습니다. 거실의 조명은 원탁 중앙의 촛대뿐이며, 서로의 얼굴은 잘 보이지 않습니다. PC들은 모두 동물 가면을 쓰고 있습니다. 그 밖에도 마찬가지로 가면을 쓴 인물이 있습니다. 이 다섯 명이 괴담 모임의 참가자입니다. 그중 한 명, 새 가면을 쓴 인물이 아래와 같이 이야기하기 시작합니다.

「비밀의 야회『빌라 디오다티의 괴담 모임』에 오신 것을 환영합니다. 주인을 대신해서 감사의 인사를 드립니다. 저는 이 저택의 주인을 대신해 오늘 밤의 사회를 맡은 자입니다. 『대리인』이라고 불러 주십시오.」

새 가면의 「대리인」은 공손히 머리를 숙입니다. GM은 「대리인」의 핸드아웃을 공개하며 아래와 같이 말을 잇습니다.

「오늘 밤의 괴담 모임은 밤의 아름다움을 아는 자만이 모이는 비밀의 연회. 여러분의 정체를 알 수 없도록 가면의 착용을 부탁드렸습니다. 이 빌라 디오다티에서는 속세의 일을 잊고 새로운 괴담을 만드는 것에만 전념해주시기 바랍니다. 이 저택 안에서는 절대 가면을 벗지 마십시오. ……그렇지만 서로의 이름도 몰라서야 연회도 무르익지 않겠지요. 오늘 밤에만 사용할 거짓된 신분을 알려주시기 바랍니다.」

여기에서 GM은 각 플레이어에게 PC들의 자기소개를 하게 합니다. 괜찮다면 어떤 가면을 쓰고 있는지도 정합니다. PC들의 자기소개가 끝나면 GM은 NPC인 존 스미스의 핸드아웃을 공개하고 소개합니다. 그리고 「대리인」으로서 다시 아래와 같이 말합니다.

「오늘 밤, 여러분은 비장의 괴담을 선보이셔야 합니다. 가장 우수한 괴담을 선보이신 분에게 드릴 소소한 선물을 준비했습니다.」

GM은 발표회의 규칙을 설명합니다. 규칙 설명을 마치면 이렇게 말합니다.

「여러분에게는 한 분마다 하나씩의 방을 준비했습니다. 저택의 설비는 마음대로 쓰셔도 됩니다. 단, 이 괴담 모임이 끝날 때까지 절대 밖으로 나갈 수 없습니다. 첫 발표회는 1시간 뒤가 될 예정입니다. 그럼 좋은 밤이 되시기를.」

● 장면2

이 장면은 마스터 장면입니다. PC 전원이 등장합니다.

아까의 원탁에서 괴담 모임이 시작됩니다. 발표회를 처리합니다.

PC들의 발표가 끝나면 NPC 존이 발표할 차례가 됩니다. 하지만 스미스 씨는 횡설수설하며 「죄송합니다. 아직 아무것도 떠오르지 않습니다. 다음 발표까지 시간을 주세요.」라고 변명합니다. 새 가면의 대리인은 「저는 괴담에는 참가하지 않습니다. 여러분의 괴담을 심사해드리겠습니다. 자, 평가를 시작합시다.」라고 말합니다. GM은 평가를 시작합니다.

평가가 끝나면 「대리인」은 「여러분, 멋진 이야기였습니다. 다음 발표가 기대되는군요.」라고 말하고 일단 해산을 재촉합니다.

메인 페이즈

메인 페이즈가 시작하면 GM은 플레이어에게 인스피레이션에 관한 설명을 하고, 「자기 괴담에 대한 반응」, 「공포 요소」의 핸드아웃을 공개합니다.

또, 이 시나리오에서는 아래의 마스터 장면이 발생합니다.

● 괴물

이 마스터 장면은 제1 사이클의 두 번째 장면에 발생합니다.

PC들은 모두 누군가의 절규를 듣습니다. 이때, GM은 각 플레이어에게 장면에 등장할지를 묻습니다. 등장하기를 원하는 플레이어의 PC가 이 장면에 등장합니다.

PC들이 소리가 들린 방향으로 가면 스미스 씨의 객실이 나옵니다. PC들이 방 안에 들어가면 무참히 살해된 스미스 씨의 시체를 발견합니다. 스미스 씨의 유체는 압도적인 힘으로 인해 몇 개의 조각으로 찢겼습니다. 방의 침대나 세간도 마치 거인이 화풀이라도 한 것처럼 휘거나 산산조각이 났습니다. 《파괴》로 공포판정을 합니다. 그리고 GM은 「괴물」의 핸드아웃을 공개합니다.

이 장면 이후, PC들이 스미스 씨나 괴물에 대해 호소해도 「대리인」은 전혀 개의치 않고 아래와 같이 말합니다.

「괜찮아요. 일종의 여흥입니다. 그 유체는 만들어낸 가짜입니다. 스미스 씨는 집으로 돌아가셨습니다. 그보다 다음 발표회 준비는 잘 되고 계신가요?」

● 두 번째 발표회

제1 사이클이 끝날 때 합니다. 스미스는 참가하지 않습니다. PC끼리 발표회를 처리합니다.

● 습격

제2 사이클의 두 번째 장면에 발생합니다. 【공포점】이 최하위인 PC의 앞에 「괴물」이 나타납니다. 전투합니다.

괴물이 승자가 되면 그 전과로 인해 【공포점】이 최하위인 PC가 【광기】를 획득합니다.

● 세 번째 발표회

제2 사이클이 끝날 때 합니다. PC끼리 발표회를 처리합니다.

조킹

• 어떤 알 수 없는 힘이 작용하는 탓

인지 저택에서 나갈 수는 없습니다.

• 스미스 씨의 짐을 조사하면 「진통제」 1개를 발견합니다.

클라이맥스 페이즈

클라이맥스 페이즈는 PC 전원의 【공포점】 합계에 따라 달라집니다. 아래와 같이 처리합니다.

● 60점 미만

「대리인」은 무자비하게 아래와 같이 말합니다.

「유감스럽지만 오늘 밤의 괴담 모임은 저희 주인이 바란 것이 아니었던 것 같습니다.」

그렇게 말하자 방이 어두워지고, PC들은 어딘가로 떨어지기 시작합니다. PC들은 모두 사망합니다.

● 60점 이상

만약 PC 중에 본인의 【공포점】이 21점 미만인 자가 있다면 「대리인」은 그 PC 쪽을 보며 무자비하게 아래와 같이 말합니다.

「오늘 밤의 괴담 모임은 정말 멋졌습니다. 하지만 모처럼의 멋진 밤을 더럽힌 자가 있습니다.」

바닥에서 기묘한 촉수가 나타나 【공포점】이 21점 미만인 PC의 가슴을 꿰뚫습니다. 그 PC는 사망합니다. 나머지 PC는 《혼돈》으로 공포판정을 합니다.

만약 이 시점에서 살아남은 PC가 있다면 「대리인」은 가장 【공포점】이 높은 PC에게 「소원」을 듣습니다.

그 소원이 「빌라 디오다티에서 탈출하는 것」이라면 그 PC는 어딘가로 사라집니다. 결말에서 「빌라 디오다티에서 탈출하는 것」 항목을 참조합니다. 그리고 「대리인」은 나머지 PC에게 「자, 오늘 밤의 괴담 모임은 끝입니다. 여러분은 잠자리에 들어주시기 바랍니다.」라고 말합니다. PC들은 여기에 반발하여 「대리인」과 싸울 수도 있습니다. 전투하는 경우, 「대리인」은 「괴물」과 함께 덤벼듭니다.

소원이 「공포의 사제가 되는 것」이었다면 그 PC의 【공포점】이 관건입니다. 28점 미만이라면 「대리인」은 격분해서 「자격도 없는 주제에!」라고 말하며 「괴물」과 함께 PC들에게 덤벼듭니다. 전투합니다. 반면, 그 소원을 말한 자가 28점 이상의 【공포점】을 획득했다면 전투가 발생하지 않습니다. 「대리인」은 갑자기 당황합니다. 「그럴 수가! 저는 이리도 충실하게 당신을 모셨는데……」라고 말하자마자 「대리인」과 「괴물」은 바닥에서 나타난 기묘한 촉수에 가슴이 꿰뚫려 사망합니다.

다른 소원을 빌었다면 「대리인」은 「그럼 당신이 그 소원에 어울리는 존재인지 시험해보겠습니다.」라고 말하며 「괴물」과 함께 PC들에게 덤벼듭니다.

결말

어떤 상황이든 간에 전투가 끝나면 남은 PC 모두의 뇌리에 「무엇을 원하느냐?」라는 누군가의 목소리가 울립니다. 소원에 따라 각자 아래와 같이 결말을 묘사합니다.

● 살아남는 것

「살아남는 것」을 바란 PC가 있다면, 그 PC는 빌라 디오다티에서 다시 잠듭니다. 깨어나 보면 가면을 쓴 채 다시 그 거실, 그 원탁에 앉아

있습니다. 또다시 괴담 모임이 시작합니다.

● 공포의 사제가 되는 것

새로운 「공포의 사제가 되는 것」을 바란 PC가 있다면, 그 PC는 「공포의 신」을 알현하게 됩니다. GM은 「공포의 신」의 모습으로서 그 PC를 맡은 플레이어의 모습을 묘사합니다. 그리고 그 PC는 자신이 이야기의 등장인물에 불과하다는 것을 깨닫습니다.

● 빌라 디오다티에서 탈출하는 것

「빌라 디오다티에서 탈출하는 것」을 선택한 PC가 있다면, 그 PC는 새벽의 레만호를 목격합니다. 눈부신 햇살 속에서 그 PC를 발견한 어린 소녀가 말을 겁니다. 하지만 그 PC가 대답을 하면 쓰고 있는 가면이 스르르 벗겨지며 소녀가 얼어붙습니다. 가면 아래에는 그 PC가 만든 괴담에 등장한 괴이와 똑같이 생긴 존재가 있습니다.

● 그 밖의 소원

GM은 소원의 종류에 따라 결말을 묘사합니다. 하지만 「공포의 신」은 결코 상냥한 신이 아닙니다. 분수를 모르는 소원에는 얄궂은 결말을 준비해야 합니다.

빌라 디오다티 장면표 (2D6)	
2	창밖은 어둡다. 원래대로라면 호수가 보여야 할 텐데…….
3	이 저택에는 곳곳에 거대한 전신 거울이 설치되어 있다. 가면을 쓴 자신의 모습이 비친다. 그것을 보니 왠지 불안한 기분이 든다.
4	멋진 박제가 여럿 장식되어 있다. 마치 살아있는 것 같다. ……그런데 이 기묘한 동물은 대체 무슨 동물이지?
5	당신은 계단에서 문득 발을 멈췄다. 누군가의 발소리가 다가오는 것 같다.
6	당신에게 할당된 침실. 침대는 푹신하고, 세간도 모두 고급품이긴 한데…….
7	현관의 홀. 낡은 벽시계의 시보가 울리는 가운데 저택 주인의 초상화가 당신을 내려다보고 있다.
8	식당. 얼룩 하나 없는 식탁보로 덮인 긴 식탁. 그 위는 오래된 촛대와 꽃으로 장식되어 있다.
9	긴 복도의 어딘가. 이 저택은 너무 넓어서 길을 잃을 것 같다.
10	장난삼아 오락실에 들어가 봤다. 그곳에는 당구대와 다트판, 몇 벌의 플레잉 카드가 흩어진 포커 테이블이 있었다.
11	곰팡내 나는 도서실. 저택의 역대 주인들에 관한 기록이나 동서고금의 명작이 책장에 빼곡하게 꽂혀 있다.
12	일족의 봉안당이 있다. 냉기와 독기로 가득한 그곳으로 기묘한 외침이 들려온다. 멀리서 새가 우는 소리일까? 아니면 죽은 자의 원망 어린 소리인가……?

대리인

	위협도 2	속성 생물/괴이	생명력 10

호기심 괴이　　특기 《예술》,《교양》,《죽음》,《꿈》

어빌리티 【기본공격】 공격 《죽음》
【소환】 공격 가변 IS p180
【죽음의 무대】 장비 전투에서 라운드가 끝날 때, 가장 속도가 낮은 캐릭터는 1점의 대미지를 입는다.

해설 새 가면을 쓴, 성별을 알 수 없는 인물. 정체는 30년도 전에 죽은 것으로 알려진 메리 셸리다. 지금은 공포의 신을 모시는 사제가 되어 저주받은 괴담 모임을 되풀이하고 있다.

「괴물」

	위협도 6	속성 괴이/기물	생명력 27

호기심 기술　　특기 《파괴》,《부끄러움》,《전자기기》,《효율》,《병기》

어빌리티 【기본공격】 공격 《파괴》
【난동】 공격 《병기》 IS p180
【감싸기】 서포트 《부끄러움》 IS p182
【장갑】 장비 IS p183

해설 메리 셸리가 창작한 「프랑켄슈타인의 괴물」. 속성이 기물이므로 【비밀】을 모르는 자에게는 2점 이상의 대미지를 입지 않는다.

형용표 (GM용)		
D66	공포 요소	공포점
11	부풀어 오른	6
12	피를 뚝뚝 흘리는	4
13	비늘이 있는	1
14	모독적인	5
15	곤충 같은	6
16	이상하게 증식한	10
22	있을 수 없는 형태로 일그러진	7
23	까악까악 우는	2
24	무수한	8
25	털투성이	2
26	색채가 없는	3
33	늘었다 줄었다 하는	5
34	불꽃에 휩싸인	7
35	거대한	6
36	금속으로 된	3
44	점액투성이의	4
45	끊임없이 변화하는	9
46	부패한	9
55	뼈가 드러난	8
56	하늘하늘 떠 있는	5
66	무지갯빛으로 빛나는	7

부위표 (GM용)		
D66	공포 요소	공포점
11	얼굴	9
12	다리/발	5
13	팔/손	8
14	머리카락/수염/갈기	3
15	입/혀	7
16	눈동자	10
22	뿔/더듬이	6
23	코	1
24	귀	4
25	꼬리	2
26	촉수	6
33	유방	2
34	그림자	7
35	이빨	5
36	날개	6
44	손가락/갈고리발톱	7
45	몸통/피부	3
46	내장	9
55	가시/바늘	5
56	뇌	8
66	가지/나뭇잎/덩굴	4

본체표 (GM용)		
D66	공포 요소	공포점
11	남자	4
12	개	3
13	쥐	2
14	유령	8
15	민달팽이	8
16	벌레	9
22	보석	5
23	고양이	2
24	지렁이	7
25	소	1
26	새	3
33	기계	4
34	식물	5
35	뱀	6
36	노인	7
44	아메바	5
45	어린아이	9
46	여자	10
55	문어	6
56	특정 부위(「부위표」로 결정)	7
66	난쟁이	6

Villa Diodati

핸드아웃

「대리인」의 핸드아웃은 도입 페이즈의 장면1 도중에 「대리인」이 등장하면 공개한다. 「존 스미스」의 핸드아웃도 도입 페이즈의 장면1 도중에 「존 스미스」가 등장하면 공개한다. 「괴물」의 핸드아웃은 메인 페이즈 제1 사이클 두 번째 장면(마스터 장면)에서 괴물이 등장하면 공개한다.

Handout

이름	PC①
사명	

당신은 이 시대의 저명한 「공포의 신」인 작가다. 메리 셸리의 「프랑켄슈타인 또는 현대의 프로메테우스」, 혹은 러브크래프트의 『크툴루 신화』에 비견될 수 있는 그 「공포의 신」의 사제가 되어 세기의 걸작을 만들 수 있다면 본인 또한 걸작을 쓰고 싶어 한다.

당신의 [사명]은 신세대에게 지지 않는 새로운 괴담을 만들어내는 것이다.

Handout 비밀

쇼크	전원

당신은 이 시대의 저명한 「공포의 신」인 작가다. 메리 셸리의 「프랑켄슈타인 또는 현대의 프로메테우스」, 혹은 러브크래프트의 『크툴루 신화』에 비견될 수 있는 작가다. 그 「공포의 신」의 사제가 되어 세기의 걸작을 만들 수 있다면 본인 또한 걸작을 쓰고 싶어 한다.

당신의 [진정한 사명]은 [공포점]이 28점 이상인 괴담을 만들어내어 장소 새로운 공포의 사제가 되는 것이다.

이 비밀을 스스로 밝힐 수는 없다.

Handout

이름	PC②
사명	

당신은 비밀 괴담 모임에 초대받은 괴담 수집가다. 언제나 흥미로운 괴담을 들을 수 있다는 기대에 가까이 초대에 응했다.

당신의 [사명]은 근사한 괴담을 듣는 것이다.

Handout 비밀

쇼크	전원

당신은 이 괴담 모임의 소문을 들은 적이 있다. 듣자 하니 「밤마다 다수의 괴담을 주인의 성에 차지 않는 괴담을 이야기한 자는 모임이 끝날 때쯤 무언가 이야기를 끝낼 때쯤 언가 ...」 만약 이야기한 괴담이 [공포점]이 20점 미만인 괴담이 있다면 해당 캐터드는 블러디메스 베이즈가 시작할 때 사망한다.

당신의 [진정한 사명]은 오늘 밤에 살아남는 것이다.

이 비밀을 스스로 밝힐 수는 없다.

Handout

이름	PC③
사명	

당신은 비밀 괴담 모임에 초대받은 시인이다. 대체 누가 이런 비밀 괴담 모임을 주최하는 걸까?

당신의 [사명]은 이 비밀 괴담 모임을 주최한 자의 정체를 밝히는 것이다.

Handout 비밀

쇼크	전원

당신은 괴담 모임에서 무사히 돌아온 자가 거의 없다고 들었다. 당신은 이 저택 바깥으로 아무렇게 해서든 이 저택 바깥으로 나가고 싶다. 여기에서 나가려면 괴담 모임에서 가장 높은 [공포점]을 획득해야 한다.

당신의 [진정한 사명]은 이 저택 밖으로 나가는 것이다.

Handout

이름	대리인
사명	

당신은 괴담을 특히 좋아하는 빌라 디오다티의 주인이 내세운 대리인이다. 주인을 대신해서 괴담 모임에 사회를 맡는다. 오늘 밤의 괴담 모임은 어떤 결과가 나올까?

당신의 [사명]은 괴담 모임을 성공시키는 것이다.

Handout 비밀

쇼크	전원

당신의 정체는 30년 전에 죽었다는 메리 셸리다. 당신은 「공포의 신」에게 혼을 바친 대가로 고 목록을 손에 넣었다. 당신은 그 걸작이 「프랑켄슈타인」이라는 이야기를 썼다가 [비밀]을 아는 PC는 「대리인」으로부터 괴담의 목록을 빼앗을 수 있다. 당신은 오늘 밤의 괴담 모임이 블러드스타(참가자 미만이라면) 괴담의 걸작이 60점 이상의 괴담이라면 [공포점] 합계가 참가자 수로 경계로 시 비친다(참가자로도 경계로 사망한다).

핸드아웃

「자기 괴담에 대한 반응」, 「공포 요소」는 메인 페이즈가 시작할 때 공개한다. 프라이즈 「공포 목록」은 「대리인」의 【비밀】을 아는 캐릭터가 전투에서 승리하면 전과로 손에 넣을 수 있다.

Handout

이름	존 스미스
사명	

당신은 비밀 괴담 모임에 초대받은 유명 작가다. 아마추어의 괴담 모임에는 별 흥미 없지만, 기분 전환 삼아 참가했다.

당신의 [사명]은 이 괴담 모임의 다른 참가자들에게 전채 작가의 실력을 보여주는 것이다.

Handout

	비밀
쇼크	없음

사실 당신은 별과 디오다티를 관리하는 부동산업자다. 방이 방마다 기묘한 정화가 걸린다는 이야기를 듣고 그 저택에 겁을해봤다. 심장이 약해서 기묘한 이야기는 참 질색이고, 집무실 안쪽으로 가는 걸 꺼리고 의 저택이 도질 때 말을 아끼고 찾지만……

당신의 [사명]은 이 괴담 모임을 멈추는 것이다.

Handout

이름	괴물
개요	

스미스 씨를 끔찍하게 살해한 존재. 필시 터무니없는 괴력의 소유자일 것이다. [괴물]을 조사하려면 《파괴》, 《부끄러움》, 《신자크기》, 《흉용》, 《병기》 중 임의의 특기로 조사판정을 해야 한다.

Handout

	비밀
쇼크	전원

이 [비밀]을 본 자는 쇼크를 받을 수 없을 정도로 중요한 용모의 기물을 목격하고, 그 모습은 마치 《인류혹》으로 공포의 정을 한다. 그 [프랑켄슈타인]의 각 사이클의 두 번째 장면마다 그 시점에서 가장 [공포점]이 낮은 캐릭터를 습격한다(전투를 건다).

Handout

이름	프라이즈 공포 목록
개요	

이 책의 소유자는 다양한 공포에 관한 지혜를 얻을 수 있다. 이 프라이즈의 소유자는 이 책에 대해 조사판정을 시도할 수 있다. 성공하면 「형용할 수 있다. 이 정보에 정보공포를 발표 시도할 수 있다. 성공하면 [형용표, 부위표, 문제표] 중에서 임의 표를 하나 선택한다. 그 표의 [공포점]을 GM에 표 요소에게 지정된 [공포점]을 GM에게서 전부 들을 수 있다.

Handout

이름	공포 요소
개요	

이 [비밀]을 획득하면 「형용표」, 「표랑표」, 「부위표(신체표)」 중 임의로 2개(표에서 선택[공포점]) 표를 획득할 수 있다. 이 중 「정 표공포」을 획득하는 과정에서 발생하는 정보공포는 발생하지 않는다.

Handout

특수	자기 괴담에 대한 반응
개요	

이 [비밀]을 획득하면 아무나 PC 1명을 목표로 선택하여 그 PC와 자신 중 어느 쪽이 [공포점]이 더 높은지를 알 수 있다. 이 정보에 정보공포는 발생하지 않는다.

형용표	
D66	공포 요소
11	부풀어 오른
12	피를 뚝뚝 흘리는
13	비늘이 있는
14	모독적인
15	곤충 같은
16	이상하게 증식한
22	있을 수 없는 형태로 일그러진
23	까악까악 우는
24	무수한
25	털투성이
26	색채가 없는
33	늘었다 줄었다 하는
34	불꽃에 휩싸인
35	거대한
36	금속으로 된
44	점액투성이의
45	끊임없이 변화하는
46	부패한
55	뼈가 드러난
56	하늘하늘 떠 잇는
66	무지갯빛으로 빛나는

부위표	
D66	공포 요소
11	얼굴
12	다리/발
13	팔/손
14	머리카락/수염/갈기
15	입/혀
16	눈동자
22	뿔/더듬이
23	코
24	귀
25	꼬리
26	촉수
33	유방
34	그림자
35	이빨
36	날개
44	손가락/갈고리발톱
45	몸통/피부
46	내장
55	가시/바늘
56	뇌
66	가지/나뭇잎/덩굴

본체표	
D66	공포 요소
11	남자
12	개
13	쥐
14	유령
15	민달팽이
16	벌레
22	보석
23	고양이
24	지렁이
25	소
26	새
33	기계
34	식물
35	뱀
36	노인
44	아메바
45	어린아이
46	여자
55	문어
56	특정 부위(「부위표」로 결정)
66	난쟁이

Villa Diodati

▲공개용

A Study in Scarlet
주홍색 연구

19세기 말의 런던을 떠들썩하게 한 흡혈귀 사건. 그 사건으로 약혼자를 잃은 청년은 약혼자의 친구와 함께 조사에 나선다. 사건의 그림자에 숨은 가공할 존재의 정체란!?

타입: 특수형
리미트: 4
플레이어 수: 4명
프라이즈: 성서, 향수, 천사의 알, 집사, 졸라

시나리오의 무대

이것은 「빅토리아의 어둠」 세팅을 사용한 시나리오입니다. 무대는 빅토리아 시대의 런던과 그 지하에 펼쳐진 광대한 미궁입니다. 플레이어들은 런던을 떠들썩하게 한 흡혈귀 사건을 조사합니다.

이 시나리오는 4사이클 구성으로, 상당히 긴 시나리오입니다. 시간이 넉넉할 때 플레이해보시기 바랍니다. 실제 세션을 할 때는 틈틈이 휴식 시간을 가집시다.

장면표는 「빅토리아의 어둠 장면표」를 사용합니다.

배경

1897년 5월, 거리를 떠들썩하게 하는 연쇄 살인사건이 발생했습니다. 목덜미에서 피를 빨려 실혈사(失血死)한 여성이 런던에서 잇달아 발견된 것입니다. 신문은 「흡혈귀 사건」이랍시고 떠들어대고, 경찰은 시민에게 야간 외출을 삼가도록 통지하고, 런던 시민들은 공포에 떨었습니다. 하지만 사실 이 사건의 흑막은 시민들이 상상한 흡혈귀가 아닙니다. 지구 침략을 노리는 화성인이 파견한 정찰부대의 소행이었습니다. 낮은 기온을 선호하는 그들은 런던 지하에 잠복해서 인류의 기술이나 사회를 조사하고 있습니다. 그러다가 식량으로 인간이나 동물의 혈액을 섭취했습니다. 발견된 시체는 그들의 식사로는 적합하지 않은 특수한 「감염자」였습니다.

지하 미궁

이 시나리오에서 PC들은 흡혈귀가 잠복했다는 런던 지하를 탐색합니다. 아래는 이를 위한 특수 규칙입니다.

이 규칙을 사용하면 GM은「런던 지하 백지도」를 공개합니다. 그리고「런던 지하 상세지도」를 보며 백지도에 대응하는 장소에「지하로 가는 입구」가 될 핸드아웃(「지하철 베이커 스트리트 역」이나「지하 양돈장」)의 이름을 기재합니다.

이후, 장면 플레이어는 지하를 수색할 때 장면표를 사용하는 대신「런던 지하 백지도」에서 해당 장면의 무대가 될 장소를 선택합니다. 단, 핸드아웃이 공개되지 않은 장소를 무대로 선택할 수는 없습니다. 또, 각 장소의 핸드아웃은 해당하는 장소를 무대로 하지 않으면 조사판정의 대상으로 선택할 수 없습니다. 지하가 무대인 장면에서는 PC 전원이 등장합니다.

지하의 새로운 장소를 무대로 장면을 열면, 해당 장소와 통로로 연결된 공간의 미공개 핸드아웃이 공개됩니다. 새로운 지하 공간의 핸드아웃이 공개되면 GM은「런던 지하 상세지도」를 보고 백지도의 대응하는 장소에 해당하는 핸드아웃의 이름을 기재합니다.

지하에서 전투할 때는 특수한 처리가 발생합니다. 만약 PC 전원이 참가한 전투에서 모든 PC가 행동불능이 되면 거기에서 세션은 끝납니다. 플레이어는 각자「배드엔드표」를 사용합니다.

광기

『인세인』과 『데드 루프』의 일반【광기】와 「빅토리아의 어둠」의 【광기】를 모두 1장씩 준비합니다. 그리고 그것을 섞어서 덱이 16장이 될 때까지 무작위로 제거합니다.

도입 페이즈

이 시나리오의 도입 페이즈는 아래와 같습니다.

● 장면1 희생자

이 장면은 마스터 장면입니다.

런던 교외의 고급 주택지, 햄스테드의 어느 골목. 밤중에 아름다운 옷차림의 여성이 마차에서 내려 어느 건물로 향합니다. 연인의 집이라도 찾아가는 모양입니다. 그녀는 청초한 하얀 드레스를 입고 활짝 웃고 있습니다. 하지만 그녀는 행복에 취한 나머지 등 뒤에서 다가오는 기묘한 그림자를 알아차리지 못했습니다. 그림자는 여성을 덮치고, 햄스테드의 거리에 비명이 울려 퍼집니다.

잠시 후, 여성은 돌바닥 위에 쓰러졌습니다. 목덜미에서 흐르는 피로 드레스의 앞가슴을 붉게 물들인 채…….

● 장면2 장례식

이 장면은 마스터 장면입니다. PC①과 PC②가 등장합니다.

PC들은 장례식을 치릅니다. PC①의 약혼녀이자 PC②의 친구인 루시 웨스튼라를 매장하는 중입니다. 루시는 약혼자인 PC①의 집에 오다가 누군가에게 살해당했습니다. 외상은 목에 남은 이빨 자국뿐. 사인은 실혈사라고 합니다.

조금 제멋대로이긴 했지만 상냥하고 솔직했던 루시는 모두에게 사랑받았습니다. 조문객들은 슬픔에 잠긴 PC①을 위로합니다. 또, 조문객들은 루시를 죽인 것이 최근 도시를 떠들썩하게 하는「흡혈귀」가 아니냐며 떠들고 있습니다. 루시를 죽인 상대가 정말로 흡혈귀인지는 모르지만, PC①과 PC②는 범인을 밝혀내기로 합니다.

● 장면3 흡혈귀 사냥꾼

이 장면은 마스터 장면입니다. PC①과 PC②, PC③이 등장합니다.

장면2의 장례식 날 밤, PC①과 PC②, 그리고 PC③이 루시가 매장된 예배당 앞에 섭니다. 하늘을 덮은 먹구름 사이로 종종 엿보이는 달빛이 으스스하게 PC③을 비춥니다. 금방이라도 비가 내릴듯한 날씨입니다.

PC③은 PC①의 은사이며, 흡혈귀를 비롯한 이 세상의 존재가 아닌 것들을 연구합니다. PC①의 의뢰로 흡혈귀를 퇴치하러 왔습니다.

PC들은 PC③에게 이끌려 예배당 앞에 왔습니다. 과거의 연구에 따르면「불사자(不死者)」에게 희생되어 죽은 자 또한「불사자」로 되살아난다는 이야기가 있기 때문입니다.

PC③을 선두로 예배당에 들어가자 몇 개의 관이 안치되어 있습니다. 루시의 것을 찾아 관 뚜껑을 열었는데, 그곳에 그녀의 시체는 없었습니다.

멀리서 천둥소리가 나며 장면은 끝납니다.

● 장면4 웨스트민스터 괴담

이 장면은 마스터 장면입니다. PC①, ②, ③, ④가 등장합니다.

PC①, ②, ③은 스코틀랜드 야드에 있습니다. 사건의 수사 상황을 들으러 왔다가 일언지하에 거절당한 참입니다.

PC들이 어찌할 바를 모르고 있는데 대기실에서 어떤 사람이 읽고 있는 신문의 표제가 눈에 들어옵니다.「런던의 괴사건. 지금 런던 부근은『웨스트민스터 괴담』이나『피를 빠는 검은 그림자』,『유괴 거리』등 괴기 작가의 작품명 같은 일련의 괴사건으로 떠들썩하다. 믿을 만한 소식통에 따르면 이미 3명의 부녀자가 이 무시무시한 흡혈귀에게 희생되어 실혈사했다.」

그리고 신문을 읽던 인물이 일어서더니 PC① 일행에게 인사합니다. 이 인물이 바로 사건을 조사하러 온 PC④입니다.

PC④를 본 경찰서장은「아니, (PC④의 이름) 님 아닙니까!!」라며 달려오더니, 그의 신발을 핥기라도 할 것처럼 저자세가 되어 PC들에게 협력적인 태도를 보입니다.

서장의 말에 따르면 신문에 적힌 대로 희생자는 3명. 시체는 모두 묘지나 시체 안치소에서 사라졌다고 합니다. 이 일은 기자들에게는 공개하지 않았지만, 소문을 막을 수는 없는지 서서히 새어나가기 시작한 모양입니다.

PC④가 자기소개를 하고 조사에 협력하겠다고 말하면 장면은 끝납니다.

메인 페이즈

메인 페이즈가 시작하면 GM은 「흡혈귀에 관한 소문」, 「사라진 시체」의 핸드아웃을 공개합니다.

또, 이 시나리오에서는 아래의 마스터 장면이 발생합니다.

● 메이슨 저택

PC 중 누군가가 메이슨 저택에 가기로 하면 삽입합니다. 메이슨 저택으로 향한 PC 모두가 장면에 등장합니다. 우선 이 마스터 장면을 처리한 후에 해당 PC의 장면을 처리합니다.

메이슨 저택은 진찰실을 겸합니다. 환자는 모두 주변에 사는 지위가 높거나 경제력을 갖춘 사람들인 듯한데, 덕분에 위세가 대단합니다. PC들이 찾아가 보니 메이슨씨는 아들이 유괴당한 탓인지 상당히 초췌해졌습니다. 그에게 어떤 태도를 보이는지에 따라 반응은 달라집니다.

PC들이 메이슨의 아들에게 벌어진 사건에 대해 동정적인 태도를 보이거나 사건의 조사에 협력하고 싶다는 취지를 전하면 그는 경찰의 무능함을 호소하기 시작합니다. 「흡혈귀 사건」 이야기를 꺼내면 메이슨 씨는 「말도 안 돼! 그런 비과학적인 것이 존재할 리가 없어!」라고 언성을 높입니다. 하지만 그 목소리는 조금 부자연스럽습니다. 이 말을 들은 PC는 뭔가 숨기고 있는 게 아닐까? 하고 느낍니다. 메이슨 씨에 대해 조사판정을 할 때 +1의 수정

을 적용합니다.

그의 【비밀】이 밝혀지면 메이슨 씨는 「갑자기 이런 부탁을 하면 이상하다 여길지도 모르지만……」하고 입을 열더니 PC들에게 아들을 구해달라고 의뢰합니다. 만약 이 의뢰를 받아들이면 「메이슨 씨의 아들을 구출한다」가 새로 【사명】에 추가됩니다. 이 의뢰를 받은 PC는 자신이 본래 가진 【사명】과 새로 받은 【사명】을 둘 다 달성하면 【사명】 달성의 공적점을 획득할 수 있습니다(어느 한쪽의 【사명】밖에 달성하지 못하면 【사명】 달성의 공적점을 획득할 수 없습니다). 또, 이때 보너스로 2점의 추가 공적점을 획득할 수 있습니다.

만약 PC들이 아들의 사건에 무관심한 모습을 보이거나 비판적인 태도를 보이면 그는 PC들을 쫓아냅니다(메이슨 씨에 대해 조사판정을 할수는 있습니다).

● 불량배

「이스트엔드의 가축 도둑」의 【비밀】이 공개되었을 때 삽입합니다. 이스트엔드에 간 PC 모두가 등장합니다. 우선 이 마스터 장면을 처리한 후에 해당 PC의 장면을 처리합니다.

추잡한 이스트엔드의 큰길에서 PC들의 주위를 불량배들이 둘러쌉니다. 그것을 보고 주변에서 시끄럽게 굴던 사람들도 살금살금 자리를 뜹니다. 불량배들은 아무래도 이스트엔드를 거점으로 삼은 갱인 것 같습니다. 그들은 자기들이 경영하는 양돈장에 관해 캐고 다니는 PC들을 자기네 아지트로 연행하려 합니다. 이 장면에 등장한 PC는 《협박》으로 공포판정을 합니다.

PC들이 갱에게 반항하는 태도를 보이면 「불량배들」과의 전투가 벌어집니다. 불량배들이 패배하면 그들의 보스로 보이는 인물이 측근을 데리고 나타납니다. 중국 옷을 입은, 키가 크고 야윈 남성입니다. 긴

손톱과 긴 수염, 그리고 무엇보다도 악마처럼 차가운 눈동자가 특징적입니다. 불량배들은 그에게 절대복종합니다.

그가 측근에게 귀엣말하자, 측근은 PC들의 기량을 칭찬합니다. 그리고 최근 일어나는 가축 도난에 관해 알려줍니다. 설명에 따르면, 그의 산하에 들어온 갱이 경영하는 지하 양돈장 중 몇 군데가 피해를 봤다고 합니다. 모두 지하에서 온 괴물들의 소행으로, 돼지의 피가 목적인 것 같다고 합니다. 그 괴물이 나온 구멍 안에 피를 빨린 돼지의 사체가 방치되어 있었던 것입니다. 그는 이어서 「사실 너희가 때려눕힌 놈들에게 시킬 생각이었지만……. 어때? 그 녀석들 대신 괴물을 퇴치해주지 않겠나? 우리를 대신해서 가축 도둑질이 얼마나 큰 죄인지를 뼈저리게 느끼게 해줬으면 한다.」라고 PC들에게 의뢰합니다. 만약 이 의뢰를 받아들이면 「지하의 괴물을 퇴치한다」가 새로 【사명】에 추가됩니다. 이 의뢰를 받은 PC는 자신이 본래 가진 【사명】과 새로 받은 【사명】을 둘 다 달성하면 【사명】 달성의 공적점을 획득할 수 있습니다(어느 한쪽의 【사명】밖에 달성하지 못하면 【사명】 달성의 공적점을 획득할 수 없습니다). 또, 이때 보너스로 2점의 추가 공적점을 획득할 수 있습니다.

만약 PC들이 갱들에게 반항하지 않았거나 전투에서 졌다면, 이스트엔드 지하의 아지트로 연행됩니다.

그곳에서는 한 남자가 갱의 보스로 보이는 남자에게 끔찍한 고문을 받고 있습니다. 이 장면에 등장한 PC는 《고문》으로 공포판정을 합니다. 보스로 보이는 남자가 측근에게 귀엣말하자, 측근은 PC들에게 왜 가축 도둑을 조사했는지를 묻습니다. PC들이 입을 다물면 갱은 약해 보이는 PC(여자나 아이, 노인 등) 1명을 무작위로 선택해서 때려 1점의 대미지를 입힙니다. PC들이 진위를 불문하고 뭐든 간에 사정을 설

명하면, 측근은 최근 일어난 가축 도난에 관해 알려줍니다. 내용은 전투에 승리한 후에 들을 수 있는 것과 같습니다. 또, 마찬가지로「지하의 괴물을 퇴치한다」를 의뢰받습니다. 단, 아지트에서 이 의뢰를 받으면 거절할 수 없습니다. 그들의 본거지인 지하 아지트에서 이 악마 같은 보스의 부탁을 거절한다는 말은 곧 죽음을 의미한다고 모두 직감합니다.

● 지하로 손짓하는 유혹

이 마스터 장면은 메이슨 씨나 갱의 보스에게 의뢰를 받은 후에 삽입합니다. GM은 메이슨 씨에게 의뢰받았을 때는「지하철 베이커 스트리트 역」, 갱의 보스에게 의뢰받았다면「지하 양돈장」의 핸드아웃을 공개합니다. 그리고「지하 미궁」규칙을 설명합니다.

PC들이 지하에 들어가기로 하면 깊은 어둠 속으로 PC들이 사라지며 장면이 끝납니다.

● 화성인

이 마스터 장면은「하수도」를 무대로 하는 장면이 끝난 후에 삽입합니다. 이 마스터 장면은「하수도」를 무대로 하면 몇 번이든 일어납니다.

PC들의 눈앞에 머리가 크고 사지가 퇴화한 문어 같은 생물이 나타나 덤벼듭니다. 이 생물은 화성인입니다. 처음으로 이 생물과 만났다면「수수께끼의 생물」핸드아웃을 공개합니다. 또, 처음으로 이 생물과 만난 PC는《우주》로 공포판정을 합니다.

화성인 셋과 전투를 합니다. 전투에 승리하면 전과로 프라이즈「졸라」를 얻을 수 있습니다. 졸라는 그 생물이 잡아가던 한 명의 소녀입니다. 그녀는 아래와 같은 내용을 알려줍니다.
• 그 문어 대가리는 지하에 만든 아지트에서 뭔가 위험한 짓을 하고 있어!
• 나도 문어 대가리의 아지트에서 큰

일 날 뻔했는데, 쓸모가 없었나 봐. 잘 차려입은 도련님이 나랑 같이 여기에 끌려왔는데 어디 갔을까? (외견을 자세히 들어보면 메이슨 씨의 아들이라는 것이 판명된다).
• 자는 사이에 끌려와서 아지트의 위치는 몰라. 하지만 빨리 (제4 사이클이 끝나기 전에) 거기 가서 어떻게든 하지 않으면 터무니없는 일이 일어날 거야.

또, 그녀는 아이들만 사는 지하 왕국의 주민입니다. 그녀를 데리고「벽에 난 굴」을 무대로 장면을 열면 자동으로「벽에 난 굴」의【비밀】이 공개됩니다.

● 아드님 구출!

이 마스터 장면은「하수도」의【비밀】이 공개됐을 때 삽입합니다. 우선 이 마스터 장면을 처리한 후에 해당 PC의 장면을 처리합니다.

메이슨 씨의 아들을 구출했습니다.「메이슨 씨의 아들을 구출한다」를 달성합니다. 그는 의식을 잃었지만,「진통제」를 사용하거나 그를 대상으로 회복판정을 하면 정신을 차립니다.

메이슨 씨의 아들은 정신을 차리면 자기가 본 것을 알려줍니다.

• 기묘한 생물이 나를 끌고 왔어요. 그 생물은 다른 생물의 피를 먹이로 삼는 것 같습니다.
• 그 생물은 뭔가 생물학적인 연구를 하는 것으로 보였습니다. 아버지에게 들은 백신 연구와 비슷했던 것 같아요.
• 의식을 잃기 직전, 상냥한 여성이 저에게 피를 나누어준 것 같습니다. 그건 착각이었을까요?

● 지하왕국

이 마스터 장면은「벽에 난 굴」의【비밀】이 공개됐을 때, 또는「벽에 난 굴」의【비밀】이 이미 공개된 상황에서 PC 중 누군가가「벽에 난 굴」로 가기로 했을 때 삽입합니다.

우선 이 마스터 장면을 처리한 후에 해당 PC의 장면을 처리합니다.

지하왕국의 아이들은 PC들을 크게 경계합니다. PC들 중 대표 한 명이《친애》판정에 성공하거나 졸라를 데려왔다면 그들은 PC들을 왕국의 손님으로 받아들이고, 아래와 같은 사실을 알려줍니다.

몹 관리 시트	집단명		불량배들	
지배자의 이름	위협도	속성	호기심과 특기	어빌리티 외
센 양	3	생물	폭력《협박》《구타》《절단》《노여움》	【기본공격】공격《구타》【연격】서포트《노여움》【장갑】장비
생명력 10				
우선순위	몹의 이름	위협도	속성	호기심과 특기	어빌리티 외
1	갱 A	1	생물	지각《찌르기》《소리》《교양》	【기본공격】공격《찌르기》【감싸기】서포트《소리》
2	갱 B				
3	갱 C				
4					
5					

• 댁들이 찾는 건 그 「문어 대가리」겠지.
• 놈들은 최근 런던 지하에 자리를 잡은 참이야.
• 피를 빠는 위험한 놈들이야. 단, 추운 곳에만 나와. 놈들을 만나고 싶지 않다면 추운 곳은 피해.
• 문어 대가리의 아지트에는 눈에 보이지 않는 불길을 쏘는 기묘한 기계가 있어.

또, 그들은 「문어 대가리」의 아지트에 잠입하기 위한 비밀 도구를 가지고 있다고 합니다. 그것은 「은 원반」입니다. 이 원반을 쳐들면 문어 머리 생물은 「보이지 않는 불길」을 쏘지 않는다고 합니다. 아이들은 「은 원반」을 PC가 가진 값나가는 것(프라이즈) 1개와 교환해줍니다. 만약 졸라를 데려왔다면 조건 없이 「은 원반」을 줍니다. 단, 「천사의 알」과 「은 원반」을 교환하면 지하 왕국을 알아차린 화성인들이 이 장소를 없애버립니다. 이후 「벽에 난 굴」을 방문하면 「화성인」 마스터 장면을 삽입합니다. 이때 전투에서 화성인에게 승리하면 프라이즈로 「천사의 알」을 입수할 수 있습니다.

이 장소에서는 《친애》 판정의 결과와 관계없이 주민들과 거래할 수 있습니다. 이 장면에 등장한 PC는 《효율》 판정에 성공하면 임의의 아이템 1개를 「진통제」 1개와 교환할 수 있습니다.

● 열차

PC 중 누군가가 「선로」에 가기로 하면 삽입합니다. 우선 이 마스터 장면을 처리한 후에 해당 PC의 장면을 처리합니다.

선로에 간 PC들은 증기 기관차에 치일 뻔합니다. 장면에 등장한 PC 전원은 《탈것》으로 판정합니다. 실패한 캐릭터는 직접 1D6점의 대미지를 입을지, 다음 장면의 무대를 「지하철 베이커 스트리트 역」으로 할지를 선택할 수 있습니다.

● 지성이 생긴 쥐

이 마스터 장면은 「쥐가 다니는 길」의 【비밀】을 공개했을 때, 또는 「쥐가 다니는 길」의 【비밀】이 이미 공개된 상황에서 PC 중 누군가가 「쥐가 다니는 길」에 가기로 했을 때 삽입합니다. 우선 이 마스터 장면을 처리한 후에 해당 PC의 장면을 처리합니다.

쥐들이 수정을 두드리자 수정에 비친 영상이 변합니다. PC들은 아래의 행동 중 아무거나 하나를 1회할 수 있습니다. 「쥐가 다니는 길」의 【비밀】로 인한 공포판정에 성공한 PC는 아래 행동의 판정에 +2의 수정을 적용합니다.

• 수정을 관찰한다. 《풍경》으로 판정한다. 성공하면 수정이 일종의 통신 장치라는 것을 안다. 표면을 두드리면 수정끼리 영상으로 통신할 수 있는 듯하다. 지하의 곳곳이 비친다.
• 쥐를 관찰한다. 《생물학》으로 판정한다. 성공하면 이것이 고도의 지성을 가진 생명체에게 개조되어 지성을 얻은 쥐라는 사실을 알 수 있다.

● 천사의 알

이 마스터 장면은 「쥐가 다니는 길」에서 얻은 정보나 그에 준하는 정보를 기반으로, 지하 어딘든 간에 지하를 무대로 하는 장면에서 PC가 프라이즈 「천사의 알」의 표면을 두드렸을 때 삽입합니다. 우선 이 마스터 장면을 처리한 후에 해당 PC의 장면을 처리합니다.

PC가 「천사의 알」을 두드리면 거기에 기묘한 영상이 떠오릅니다. 영상에 비친 것은 「저수지」입니다. 「저수지」에 머리가 크고 사지가 퇴화한 문어 같은 생물이 나타납니다. 이 생물은 화성인입니다. PC들이 처음으로 이 생물을 접했다면 「수수께끼의 생물」 핸드아웃을 공개합니다. 또, 처음으로 이 생물과 만난 PC는 《우주》로 공포판정을 합니다. 그들이 저수지에 다가가자 그

안에서 원통형의 탈것이 떠오릅니다. 그리고 그들이 기묘한 언어를 말하자 원통형 탈것의 벽면이 스윽 열립니다. 기묘한 생물이 안으로 들어가자 그 원통형 탈것은 다시 저수지에 가라앉습니다. 아무래도 이 원통형 탈것에 타려면 아까의 기묘한 말을 해야 하는 것 같습니다. 이때 「저수지」 핸드아웃이 아직 공개되지 않았다면 그것을 공개하고 「런던 지하 백지도」에서 대응하는 장소에 「저수지」라고 적습니다.

또, 이후 「천사의 알」의 소유자는 한 장면에 1회, 「런던 지하 백지도」에서 핸드아웃이 공개되지 않은 공간을 하나 선택해서 그곳의 핸드아웃을 공개할 수 있습니다(「벽에 난 굴」에는 알 모양 수정이 설치되어 있지 않으므로 이 효과로 「벽에 난 굴」의 핸드아웃을 공개할 수는 없습니다).

● 루시

이 마스터 장면은 「플리트 강」의 【비밀】이 공개됐을 때 삽입합니다. 우선 이 마스터 장면을 처리한 후에 해당 PC의 장면을 처리합니다.

PC들은 플리트 강에 쓰러진 루시를 발견합니다. 그녀를 안아 올리면 하반신이 먼지가 되었다는 것을 깨닫습니다. 그리고 상반신도 서서히 먼지로 변하고 있습니다. 루시는 그런 모습을 PC①에게 보이면 「미안해요. 당신을 속일 생각은 없었는데……」라며 자신의 정체를 밝힙니다.

루시는 남의 피를 빨며 무한한 시간을 살아가는 흡혈귀였습니다. 그녀는 PC①의 집에 가다가 런던 지하에 정착한 정체 모를 생물에게 피를 빼앗겼습니다. 하지만 그녀의 저주받은 피는 그들의 식량으로는 적합하지 않았는지, 그녀는 런던 거리에 버려졌습니다. 마찬가지로 흡혈귀 사건의 희생자로 알려진 여성들도 사실은 모두 흡혈귀였습니다.

생명의 원천인 피를 잃고 휴면 상

태가 된 루시였으나, 마지막 힘을 짜내 자신을 습격한 괴물을 쓰러뜨리기 위해 지하까지 왔습니다. 그 괴물에게서 PC①과 PC②를 지키기 위해서입니다. 루시는 흡혈귀였지만 PC①을 사랑하는 마음은 거짓이 아니었습니다.

하지만 저수지에서 괴물이 쏜「보이지 않는 불길」에 맞아 결국 그녀도 마지막 순간을 앞두고 있습니다. 그녀는 마지막으로 PC①에게 한 번 더 사과하고, 사랑한다고 말합니다. 아직「천사의 알」마스터 장면을 겪지 않았다면 그녀는 PC 중 누군가가 가진「천사의 알」을 가리키며 먼지가 되어 소멸합니다.

● 불가사의한 원통

이 마스터 장면은「저수지」의【비밀】이 공개됐을 때, 또는「저수지」의【비밀】이 이미 공개된 상황에 PC 중 누군가가「저수지」에 가기로 했을 때 삽입합니다. 우선 이 마스터 장면을 처리한 후에 해당 PC의 마스터 장면을 처리합니다.

만약 PC들이「은 원반」을 가지고 있지 않다면「보이지 않는 불길」이 PC들을 공격합니다. PC 전원은《함정》으로 판정합니다. 실패한 PC는 2점의 대미지를 입습니다.

그 후, PC들이 이 장소에서「천사의 알」의 마스터 장면을 통해 알아낸 기묘한 언어를 말하면 원통형 탈것의 문이 열리며 안으로 들어갈 수 있게 됩니다. 탈것 안으로 들어가면 클라이맥스 페이즈가 됩니다.

조킹

• 「벽에 난 굴」을 제외한 지하의 장소에서 알 모양 수정을 찾으면 그것들이 교묘하게 설치되어 있다는 것을 알아차립니다. 한 장소당 1개의「천사의 알」을 입수할 수 있습니다.

클라이맥스 페이즈

클라이맥스 페이즈는 PC들이 획득한 정보에 따라 달라집니다. 아래와 같이 처리합니다.

● 원통형 탈것에 침입한다

제4 사이클이 끝나기 전에 PC들이 원통형 탈것에 침입하면 아래와 같이 처리합니다.

PC들은 화성인의 정찰기지에 들어섰습니다. 그곳은 어떤 생물학적 실험 시설이었습니다. PC들의 갑작스러운 침입에 화성인들은 매우 당황합니다.

화성인 넷, 방위기계 하나와 전투를 합니다.

● 원통형 탈것에 돌격한다

제4 사이클이 끝났을 때 PC들이 화성인의 아지트 위치와 원통형 탈것에 들어가기 위한 기묘한 말을 알고 있다면, 당장에라도 우주로 날아오르려는 원통형 탈것에 올라타 전투를 할 수 있습니다.

화성인 넷, 방위기계 하나와 전투를 합니다. 화성인들은 이 시점에서 어떤 중요한 연구를 완성했습니다. GM은 6라운드가 지나면 그들이 연구 성과를 가지고 지구를 이탈한다

는 것을 알려줍니다.

또, PC들은 전투에서 탈락을 선택하면 이 원통형 탈것에서 내릴 수 있습니다.

● 원통형 탈것의 출발을 지켜본다

제4 사이클이 끝나는 시점에서 PC들이 화성인의 아지트 위치와 원통형 탈것에 들어가기 위한 기묘한 말 중 어느 한쪽이라도 모른다면, 바로 눈 앞에서 우주로 날아오르는 원통형 탈것을 지켜보기만 해야 합니다. 결말을 처리합니다.

결말

이 시나리오의 결말은 전투 결과와 화성인들이 필요한 정보를 입수했는지에 따라 정해집니다.

● 우주전쟁

PC들이 제4 사이클이 끝나기 전에 원통형 탈것에 침입해서 정찰부대의 연구가 완성되지 못했거나, 또는 연구가 완성됐더라도 그 성과의 반출을 저지했을 때의 결말입니다.

몇 개월간의 짧은 평화가 지나간 후, 화성인들의 침략부대가 지구를 습격합니다. 침략으로부터 15일 후, 화성인들은 지구의 어느 병원

화성인

| | | 위협도 2 | 속성 생물/괴이 | 생명력 6 |

호기심 기술 　 특기 《포박》,《분해》,《기계》,《우주》

어빌리티 【기본공격】 공격 《우주》
【염동】 공격 《포박》 DL p214
【흡혈장치】 장비 이 캐릭터의 명중판정에 스페셜이 발생하면, 거기에 대한 회피판정은 스페셜이 아닌 한 실패한다.

해설 화성에서 지구를 침략하기 위해 찾아온 정찰부대. 지구상의 특정한 균에 약해서《약품》으로 공격받으면 회피판정에 -3의 수정을 적용한다.

방위기계

| | | 위협도 4 | 속성 기물 | 생명력 13 |

호기심 기술 　 특기 《전자기기》,《함정》,《병기》,《우주》

어빌리티 【기본공격】 공격 《병기》
【보이지 않는 불길】 장비 라운드가 끝날 때, 가장 낮은 속도에 있는 PC는《함정》으로 판정한다. 실패한 캐릭터는 2점의 대미지를 입는다.

해설 화성인이 만들어낸 기계.「수수께끼의 생물」의【비밀】을 획득했다면「방위기계」의【비밀】을 가진 것으로 간주한다.

체로 인해 사멸합니다. 이 병원체의 정체는 감기라고도 하고, 어떤 저주받은 불사자의 피에 흐르던 특수한 바이러스라고도 합니다.

● **침략 완료**

정찰부대의 연구가 완성된 상태로 그들이 지구를 이탈했을 때의 결말입니다. 몇 개월간의 짧은 평화가 지나간 후, 화성인들의 침략부대가 지구를 습격합니다. 그들의 침략은 성공합니다. 화성인의 지구 통치가 시작되고, 인류는 그들의 노예가 됩니다.

● **인연**

마지막 전투 결과, PC②의 행동이나 시나리오 동향에 따라서는 다소 결말이 달라질 가능성이 있습니다. 또, 클라이맥스 페이즈에서 PC들이 전투에 승리하면 「지하의 괴물을 퇴치한다」를 달성합니다.

핸드아웃

세션이 시작할 때 프라이즈 「성서」는 PC①에게, 프라이즈 「향수」는 PC②에게, 프라이즈 「천사의 알」은 PC③에게, 프라이즈 「집사」는 PC④에게 건넨다. 「흡혈귀에 관한 소문」, 「사라진 시체」는 메인 페이즈가 시작할 때 공개한다. 「흡혈귀에 관한 소문」의 【비밀】이 공개되면 「메이슨 씨」와 「이스트엔드의 가축 도둑」을 공개한다.

Handout

PC①

이름

사명

당신은 흡혈귀 사건으로 사망한 여성, 루시의 약혼자다. 약혼자를 죽인 상대를 절대 용서할 수 없다.

당신의 [사명]은 흡혈귀의 정체를 밝혀 정의의 철퇴를 내리치는 것이다.

Handout

비밀

쇼크

전율

당신은 무슨 수를 써서라도 흡혈귀에게 복수하고 싶다. 그래서 친구에게 다이너마이트를 받았다. 여차하면 이것을 사용해서 루시를 죽인 상대에게 복수를 생각이다.

스스로만 읽을 수 있다. 다른 사람에게 보여줄 수 없다.

Handout

장치	프라이즈 성서

개요

프라이즈. 루서가 당신에게 남긴 유품. 이 프라이즈는 「진통제」, 「부적」으로서 지원행동으로 사용할 수 있다 (사용해도 이 프라이즈는 없어지지 않는다).

「부적」사용 횟수 ○

「진통제」사용 횟수 ○

쇼크 PC① 이외

비밀

이 프라이즈 안에는 다이너마이트가 숨겨져 있다. 이 프라이즈의 소유자는 전투 중에 지원행동으로 이 프라이즈를 사용할 수 있다. 사용하면 그 전투에 참가한 캐릭터 전원은 GM이 무작위로 정한 특기로 판정한다. 실패한 캐릭터는 행동불능이 된다. 이 프라이즈는 한 번 사용하면 없어진다.

이 비밀을 스스로 밝힐 수는 없다.

Handout

이름	PC②

사명

당신은 흡혈귀 사건으로 사망한 여성, 루시의 친구다. 친구를 죽인 상대를 절대 용서할 수 없다.

당신의 [사명]은 흡혈귀의 정체를 밝히고 정의의 철퇴를 내리려는 것이다.

쇼크 전원

비밀

당신은 「그림자 내각」의 의뢰를 받아 이 흡혈귀 사건을 조사하는 에이전트이다. 정부는 당신에게 '실체로 전신이 드러나는 불사자(不死者)가 실재한다'고 주장하는 당신이 제정신이 아니라고 생각한다. 단면, 생포로 싶으나 있었어, 산 채로 데리고 돌아가면 당신은 주변 공적처럼 1척 획득한다.

이 비밀을 스스로 밝힐 수는 없다.

Handout

장치	프라이즈 향수

개요

프라이즈. 루서에게 받은 향수. 이 프라이즈의 소유자는 「악취」로 인한 페널티를 무시할 수 있다. 또, 이 프라이즈는 한 번만 「진통제」로 사용할 수 있다 (사용해도 이 프라이즈는 없어지지 않는다).

사용 횟수 ○

이 프라이즈의 소유자는 드라마 장면만 이 프라이즈의 [비밀]을 읽을 수 있다 (정보 공유는 발생하지 않는다). 드라마 장면에서 남에게 전달도 가능.

쇼크 PC② 이외

비밀

이 프라이즈는 불사자인 흡혈귀의 포박에는 효과가 있다. 이 프라이즈와의 전투에서 전투가 되었을 때 이 [비밀]을 공개하여, 전투로서 흡혈귀를 포획할 수 있다 (프라이즈로서 소유한 것으로 간주한다). 만약 그 후에 흡혈귀가 가진 이 소유자와 전투를 해서 승리한다면 해방될 수 있다.

이 비밀을 스스로 밝힐 수는 없다.

Handout

이름	PC③

사명

당신은 흡혈귀 사냥꾼이다. PC①의 은사이며, PC①을 이리로 그늘의 흡혈귀를 돕기로 했다.

당신의 [사명]은 PC①의 [사명]을 달성하는 것이다.

쇼크 전원

비밀

사실 당신은 흡혈귀 사냥꾼 따위가 아니라, 그냥 인터리 오컬트리스트다. 가지고 있는 금은보화를 이것저것 가지고 있지만, 최대 전투능력에서 도움이 될 만한 것은 없다. 당신의 [정체]은 이 페이지에 행동불능이 되지 않는 것이다. (클라이맥스 페이지에 행동불능이 되지 않는 것)

이 비밀을 스스로 밝힐 수는 없다.

시나리오 파트 2 안흥귀와 마술의 알

2

Handout

이름	프라이즈 전사의 일

개요

프라이즈, 알 모양의 주홍색 수정으로, 흐릿한 주홍색을 방출한다. 이 프라이즈의 소유자는 전투에서 지원행동으로 이 프라이즈를 사용해서 흡혈귀에게 1D6점의 대미지를 입힐 수 있다. 이 프라이즈의 소유자는 드라마 장면이 프라이즈의 [비밀]을 읽을 수 있다(정보 공유는 발생하지 않는다). 드라마 장면에서 남에게 전달 가능.

Handout

쇼크	없음

비밀

Handout

이름	PC④

사명

본명을 밝힐 수는 없지만, 당신은 어느 매우 고귀한 혈통을 이었다. 귀족의 이름을 걸고 런던을 여자걸이하는 흡혈귀 사건을 해결할 생각이다. 당신의 [사명]은 흡혈귀 사건의 진상을 밝히는 것이다.

Handout

쇼크	전원

비밀

당신은 불사자(不死者)로 악명 높은 흡혈귀이다(가이드로 간주하지만, 극 포판정은 한다. 이 인물의 작전상태는 되지 않는다). 이 런던의 사건이 흡혈귀의 소행이라면 떠들썩한데, 그 밖에 매우 흥미가 아파졌다. 동료의 것이든 아니면 소중이 더 커지기 전에 사건을 해결하고 싶다. 이 [비밀]을 보는 건에 소중이 《암흑》으로 공포판정을 한다.

Handout

이름	프라이즈 집사

개요

프라이즈, 당신의 시종을 들여주는 충실한 종복. 이 프라이즈의 소유자는 자신의 대미지를 입을 때, 막 한 번만 그 대미지를 1D6점 경감할 수 있다. 이 프라이즈는 단 한 번 사용하면 없어진다. 이 프라이즈의 소유자는 드라마 장면에 이 프라이즈의 [비밀]을 읽을 수 있다(정보 공유는 발생하지 않는다). 드라마 장면에서 남에게 전달 가능.

Handout

쇼크	PC④ 이외

비밀

검사의 정체는 늑대인간이다. 이 [비밀]을 보는 자는 《생물학》으로 공포판정을 한다. 이 프라이즈의 소유자가 하는 공격이 떠나면 이 프라이즈의 소유자가 하는 공격이 1점 증가하고, 이 프라이즈의 소유자가 하는 공격에 대한 회피판정에 1의 수정이 적용된다.

Handout

사건	흡혈귀에 관한 소문

개요

런던 부근의 『웨스트민스터 퍼딩』이나 『패들 빠는 검은 그림자』, 『야과 거리』 등 꼬리 작가의 작품명 같은 일련의 괴사건으로 떠들썩하다. 민을 만한 소식통에 따르면 이미 3명과 누나 자가 이 무시무시한 흡혈귀에게 희생되어 실혈사했다.

Handout

쇼크	없음

비밀

확산정보, 흡혈귀 사건과 관계가 있는...

Handout

이름	NPC 메이슨 씨
사명	

당신은 고급 주택가인 웨스트엔드에서 개인 병원을 운영하는 의사다.

경찰 당국이 흡혈귀 사건에만 몰두하느라 자기 아들의 유괴사건을 수사해 주지 않는다며 [비밀]에 문제하고 있다. 당신의 [사명]은 아들을 되찾는 것이다.

이 핸드아웃의 [비밀]은 메이슨 저택을 무대로 하는 장면에서만 조사할 수 있다.

Handout — 비밀

쇼크 없음

확산정보, 그가 탐문 수사를 통해 조사한 바에 따르면, 그의 아들은 런던 지하철 베이커 스트리트 역에서 납치당한 것 같다. 지하철 부근에서 지내는 몇 명의 부랑자들의 아이들을 납치한다는 [비밀]을 남지에게 지하도 사라진 것은 그림자처럼 목격했다.

이 비밀을 스스로 밝힐 수는 없었다.

Handout

사건	이스트엔드의 가족 도둑
개요	

런던의 범죄지대이자 악의 소굴인 이스트엔드에서는 빠지거나 말 같은 가족을 도둑맞는 사건이 자주 일어나고 있다. 이 [비밀]은 이스트엔드를 무대로 하는 장면에서만 조사할 수 있다.

Handout — 비밀

쇼크 없음

확산정보, 여러분이 가족 도둑을 조사하는데, 불량배 및 여러분을 포위한다. 달음거리는 옆으로 [빌] 크레게 캐고 타니는 카지? 라고 묻는다. 「불량배」 미스터 경장이 발생한다.

이 비밀을 스스로 밝힐 수는 없었다.

Handout

사건	사라진 시체
개요	

흡혈귀 사건의 피해자는 모두 시체가 사라졌다. 혹시 흡혈귀로 되살아나 어디론가 가버린 게 아닐까……?

Handout — 비밀

쇼크 PC①, ②

사라진 시체의 행방을 쫓아 런던 곳곳을 찾는다가, 유서 깊은 회사처럼 건 무시를 목격했다는 이야기를 듣는다. 그녀는 흡혈귀로 되살아난 걸까……?

이 비밀을 스스로 밝힐 수는 없었다.

Handout

이름	수수께끼의 생물
사명	

머리가 크고 시커가 퇴화한, 문어 같은 모습의 생물. 당신의 [사명]은 이 지역을 점령하는 것이다.

《수수께끼의 생물》을 조사하려면 《생물학》이나 《천문학》 특기로 조사 판정을 해야 한다.

Handout — 비밀

쇼크 정원

이 생물은 우주에서 왔다. 두뇌는 매우 발달했지만, 사지나 소화기관이 퇴화해서 동물의 혈액을 직접 섭취해 영양을 얻어야 한다. 또, 생물 개조가 특기이며, 쥐에게 지성을 부여해서 다양한 정보를 수집하고 있다. 그들은 지상에 조제하는 특정한 균에 약하다. 이 생물을 《약물》 특기로 사용한 공격에 대해 회피판정을 할 때 -3의 수정을 적용한다.

이 비밀을 스스로 밝힐 수는 없었다.

시나리오 파트 2 앰브로스 머슨의 밤

핸드아웃

메인 페이지에서 PC가 갱 보스의 의뢰를 받으면 「지하 양돈장」, 메이슨 씨의 의뢰를 받으면 「지하철 베이커 스트리트 역」을 공개한다. PC가 지하에서 「지하철 베이커 스트리트 역」에 가면 「선로」와 「하수도」를, 「지하 양돈장」으로 가면 「저수지」와 「쥐가 다니는 길」을, 「하수도」에 가면 「지하철 베이커 스트리트 역」, 「저수지」, 「쥐가 다니는 길」을, 「저수지」에 가면 「플리트 강」, 「지하 양돈장」을 공개한다.

Handout

장소	지하철 베이커 스트리트 역
개요	세계 최초의 지하철 최초의 역 구간의 역. 10분마다 증기기관으로 견인하는 열차가 플랫폼에 들어온다. 그 매연 탓에 구내는 검붉은 색이다. 개축 중인지 여러 명의 인부가 드나들고 있다. 이 핸드아웃의 [비밀]은 지하철 베이커 스트리트 역을 무대로 하는 장면에서만 조사할 수 있다.

Handout
비밀 / 쇼크 없음

노동자들은 지하에 누군가가 살고 있다고 말한다. 이 장면에 등장한 PC는 《응급》으로 판정한다. 누구든 한 명이라도 판정에 성공하면, 노동자들은 PC들의 용기를 칭찬하며, 이 장소에서 PC들은 백 한 번 [부적]을 1개 획득할 수 있다.

이 비밀은 공개할 수 없다.

Handout

장소	선로
개요	수도 런던 패딩턴 역 쪽으로 가는 선로. 근대군대 가스등의 빛이 보인다. 기관차가 내는 요란한 소리가 울려서 동물의 목소리라곤 잘 들리지 않는다. 이 핸드아웃의 [비밀]은 선로를 무대로 하는 장면에서만 조사할 수 있다.

Handout
비밀 / 쇼크 없음

확산정보. 누군가가 선로 도중에 있는 기묘한 구조물 속으로 들어갔어요. 그 뒤를 쫓았지만 아무도 보이지 않는다. 그들은 어디로 간 거지……? 「던전 배처」도에 「벽에 난 굴의 헨드아웃을 공개한다.

이 비밀은 공개할 수 없다.

Handout

장소	벽에 난 굴
개요	선로 벽에 난 구멍으로 이어지는 긴 통로가 있다. 비밀통로 지족에서 느껴지는 인기척이 느껴진다…… 이 [비밀]은 벽에 난 굴을 무대로 하는 장면에서만 조사할 수 있다.

Handout
비밀 / 쇼크 없음

확산정보. 신중하게 비밀통로를 따라가니, 그곳에는 더러 명의 아이가 있었어요. 아무래도 이웃 집 없는 아이들이 지하왕국인 듯하다. 그들을 지하왕국으로 데려간다…… 「지하왕국」 미스터 장면이 발생한다.

이 비밀은 공개할 수 없다.

Handout

장소	하수도
개요	공기가 써늘한 하수도. 구역질 나는 악취가 진동한다. 이 핸드아웃의 [비밀]은 하수도를 무대로 하는 장면에서만 조사할 수 있다. 또, PC가 이 장소에서 시도하는 판정에는 「악취」로 인한 -1의 수정을 적용한다.

Handout
비밀 / 쇼크 전원

확산정보. 천장에 인간이나 돼지가 거꾸로 매달려 있었는데, 몸에 루비 빼앗은 뭔가가 흐르는 자국 같은 것이 있다. 가까이에서 루비처럼 흐르는 자국 같은 것이 있다. 가까이에서…… 이 광경을 목격한 PC는 《내성》으로 판정한다. 공포판정에 성공하면 매달려 있는 사람 중에서 아직 숨이 붙어있는 소년을 「아드님 구출」 미스터 장면이 발생한다.

핸드아웃

「쥐가 다니는 길」에 가면 「지하 양돈장」, 「하수도」를 공개한다. 「선로」의 【비밀】을 공개하면 「벽에 난 굴」을 공개한다. PC들이 「하수도」에 가면 마스터 장면이 발생하고 「수수께끼의 생물」이 공개된다.

Handout

장소 폴리트 강

개요
런던 지하에 흐르는 방숙의 하천. 템즈 강과 이어진다. 지금은 수량이 적어서 배들을 쌓아 만드는 벽이 느리 났다. 가마점처럼 복잡해서 마치 미궁 같다. 이 장소를 무대로 할 때, 장면을 묘사하기 전에 그 장면에 등장한 PC 중 대표 1명이 《정리》로 판정한다. 실패하면 길을 잃어서 도달하지 못하는 바깥에 「하수도」를 무대로 삼을 수 없다. 이 핸드아웃의 【비밀】은 폴리트 강을 무대로 하는 장면에서만 조사할 수 있다.

Handout 비밀

쇼크 PC①, ②

황산정보. 그곳에는 죽음을 타인의 무기가 있었다. 「독사」 마스터 장면이 발생한다.

이 비밀은 스스로 밝힐 수 없다.

Handout

장소 쥐가 다니는 길

개요
어두운 굴 건너니편에서 쥐가 찍찍하고 우는 소리가 울린다. 소리로 추측하건대 수는 상당히 많은 것 같다. 이 핸드아웃의 【비밀】은 쥐가 다니는 길을 무대로 하는 장면에서만 조사할 수 있다.

Handout 비밀

쇼크 전원

황산정보. 돌로 된 벽에서 희미하게 빛나는 작은 구멍을 발견했겠어. 구멍을 들여다보니 그 안에는 작은 공간이 있는데, 그 안에 수수께끼의 쥐가 우글거린다. 벽에는 무언의 작은 쥐가 몇 개 박혀 있다. 컬럼이 경골특, 두드림이 수상한 리듬으로 두드린 수수정 표면에 기묘한 영상이 떠오른다. 그 리듬에 지상의 편지이 요청으로, 이 정보를 획득한 PC는 《지각》을 공포판정한다. 「지각이 생겨쥐」 마스터 장면이 발생한다.

이 비밀은 스스로 밝힐 수 없다.

Handout

장소 지하 양돈장

개요
개이 경영하는 지하 양돈장. 울타리 안에 건있 돼지들이 일심불란 하게 무언가를 먹는다. 그중에는 특수한 품종인지 유독 엄니가 커다란 매지도 있는데…… 이 핸드아웃의 【비밀】은 지하 양돈장을 무대로 하는 장면에서만 조사할 수 있다.

Handout 비밀

쇼크 없음

황산정보. 냄새를 맡아 옮긴다. 돼지들은 무서운 기세로 먹이를 먹는데, 그 사료 속에서 PC는 사람의 발을 발견한다. 이 정보를 획득한 PC는 《맛》으로 공포판정을 한다. 돼지를 한 마리 잡는다. 이 장소에서 PC들은 깽개에게서 경비견 대용으로 돼지를 한 마리 잡는다. 이 장소에서 PC들은 「무기」를 1개 획득할 수 있다.

이 비밀은 스스로 밝힐 수 없다.

Handout

장소 저수지

개요
터널을 빠져나가니 커다란 공간이 나타났다. 목우가 쏟아져 물이 불었을 을때 수해를 피하고자 만든 저수지인 것 같다. 지금도 대량의 물이 저장되어 있다. 온도가 상당히 낮은지 벽이나 바닥이 성에로 덮였다. 이 핸드아웃의 【비밀】은 저수지를 무대로 하는 장면에서만 조사할 수 있다.

Handout 비밀

쇼크 전원

황산정보. 저수지 바닥에서 작은 원통이 떠오른다. 원통의 일부가 햇빛나듯가 실버니 PC가 가진 지갑이가 불빛타 싶더니 이 정보를 획득한 PC는 《평가》로 공포판정을 한다. 「불가사의한 원통」 마스터 장면이 발생한다.

이 비밀은 스스로 밝힐 수 없다.

시나리오 파트 2 암흑과 마술의 방

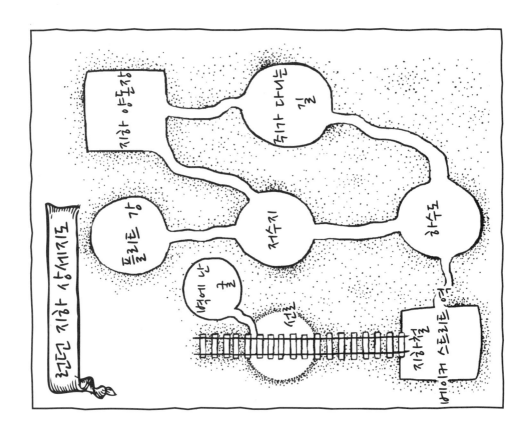

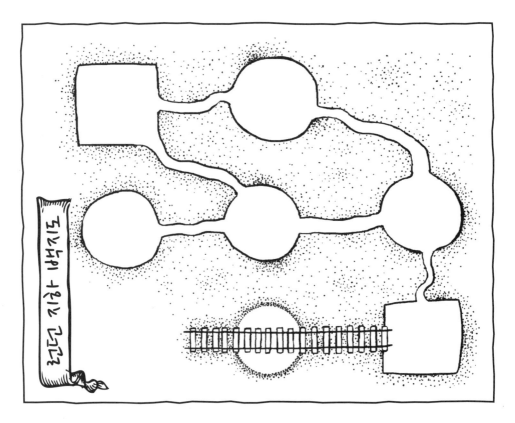

2

Adventure of inSANe "Villa Diodati"

시나리오 파트 3

혼돈과 꿈의 방

이 파트에는 시나리오 세팅 「광란의 20년대」의 시나리오를 2개 수록했습니다. 급속도의 경제적 번영을 이루었으나, 그로 인해 생긴 어둠을 끌어안은 미국. 그 어둠이 괴이가 되어 여러분에게 이빨을 드러냅니다.

 이 시나리오 파트를 **플레이어로 플레이할 예정이라면 읽지 마십시오.**

crusader for prohibition

금주법 단속관

밀조주를 판매하는 갱을 적발하러 무허가 술집에 들어선 금주법 단속관들. 그곳에서 기다리는 것은 환상의 술과 상상을 초월한 공포였다!

타입: 특수형
리미트: 2
플레이어 수: 4명
프라이즈: 힙 플라스크

시나리오의 무대

이 시나리오에서는 「광란의 20년대」 세팅을 사용합니다. 무대는 무허가 술집 내부뿐이며, 장면표는 사용하지 않습니다.

배경

주류 단속국(Prohibition Unit)의 단속관 두 명이 무허가 술집에 진입합니다. 무허가 술집의 오너가 체포되는 순간을 사진으로 찍으려는 신문기자도 함께 합니다. 하지만 술집 안에는 오너가 없습니다. 이 술집에 있다는 환상의 술을 찾아온 손님이 재미있다는 듯이 지켜보는 가운데 오너를 찾는 단속관들. 그런데 술을 지독하게 증오하는 「금주법의 어머니」 캐리 네이션의 영혼이 그들을 습격합니다.

광기

2사이클 구성의 시나리오이며, 【광기】덱은 약간 적게 잡아 12장으로 시작합니다. 『인세인』에서 【의심암귀】, 【괴물】, 【절규】, 【공포증】, 【패닉】, 【어둠의 축복】, 【의존】, 【폭력충동】, 【기억상실】, 【확산하는 공포】, 【이질적인 언어】, 【만용】을 각각 1장씩 준비합니다.

시대 설정

이 시대의 미국에서는 금주법이라는 법률이 시행되었습니다. 그 이름대로 사람이나 사회에 해를 끼치는 알코올을 금지한 법입니다. 얄궂게도 금주법이 도입되고 나서 미국의 음주 인구는 폭발적으로 증가했습니다. 음주라는 금지된 행위가 그때까지 술을 마시지 않았던 사람들조차 유혹했기 때문입니다.

사람들은 밀조주를 사거나 무허가 술집에 몰래 다니는 스릴을 즐겼습니다. 알코올 중독자나 조잡한 밀조주로 몸을 망친 사람도 늘었습니다. 금주법으로 금지한 것은 술의 제조와 판매이며, 음주 자체는 위법이 아니었습니다.

이런 상황에서 알코올을 단속한 것이 주류 단속국입니다. 단속국의 요원들은 밀조주 제조 공장이나 무허가 술집에 진입하여 위반자를 체포하고, 도끼나 곡괭이로 술통을 쪼개서 술을 하수도에 버리고 다녔습니다. 밀조주나 무허가 술집은 갱의 자금원이기도 했으므로 갱에게 매수된 단속관도 그리 드물지는 않았습니다.

도입 페이즈

이 시나리오의 도입 페이즈는 아래와 같습니다.

● 단속

이 장면은 마스터 장면입니다. PC 전원이 등장합니다.

1927년의 샌프란시스코. 어느 날 밤, 금주 단속관인 PC①과 ②는 무허가 술집 「워터 큐어」에 진입합니다. 목적은 오너인 갱, 맥건의 체포입니다. 맥건은 밀주 판매 건으로는 쉽게 꼬리를 잡히지 않았는데, 마침내 탈세 증거가 발견되어 겨우 체포할 혐의가 생겼습니다. 어디에서 냄새를 맡았는지 신문기자인 PC③도 맥건이 체포되는 순간을 촬영하려고 찾아옵니다.

PC①과 ②는 부하를 데리고 무허가 술집의 문을 두드립니다. 안의 문지기가 스파이홀을 열고 암호를 확인하려 하지만, 해머로 빗장을 부수고 문째로 문지기를 밀어 넘어뜨리며 안으로 진입합니다. PC③도 곧바로 뒤를 따릅니다.

담배 연기가 자욱한 술집 안은 금세 혼란에 빠집니다. 당황한 술꾼들이 휘청거리며 도망칩니다. 음주 자체는 위법이 아니지만, 밖에서 기다리는 단속국의 부하들에게 혼쭐이 나긴 할 것입니다. PC①②③의 목표는 그런 피라미가 아니라, 이 술

집의 오너인 맥건입니다. 하지만 의자와 테이블이 나뒹구는 점내에 맥건은 없습니다. 있는 것이라고는 경호원과 바텐더, 도망치지 못할 정도로 만취한 취객, 그리고 당황하는 기색조차 보이지 않고 카운터에서 우아하게 술을 들이켜는 PC④뿐입니다.

여기에서 네 명의 플레이어에게 자기소개를 하게 하고, 핸드아웃의 【사명】을 읽어줍니다.

메인 페이즈

메인 페이즈가 시작할 때, 「바텐더」, 「바 카운터」, 「문지기」, 「취객」의 핸드아웃을 공개합니다.

또, 이 시나리오에는 아래의 마스터 장면이 발생합니다.

● 바텐더의 속삭임

누군가가 「힙 플라스크」의 【비밀】을 본 뒤에 발생하는 장면입니다. PC 전원이 등장합니다.

바텐더는 교활한 표정으로 말합니다. 「어떠십니까? 정말 끝내주는 맛이지요? 서인도 제도에서 막 입고된 술입니다. 여기에서만 드리는 말씀인데, 지하에 조금 더 있습니다. 전부 나리들 겁니다. 어때요? 놓아만 주신다면 전 아무것도 보지 못한 것으로…….」

● 비밀문 안

누군가가 바 카운터 뒤의 비밀문을 열겠다고 선언한 타이밍에 발생하는 장면입니다. PC 전원이 등장합니다.

선반을 치우고 문을 열면 지하로 가는 계단이 있습니다. 내려가 보면 벽돌 벽의 지하 통로가 앞쪽으로 이어집니다. 벽과 나란히 선 술통이 남김없이 깨져서 술이 흘러나오고 있습니다. 그곳에서 누군가가 쓰러져 있는 것이 보입니다. 「쓰러진 남자」 핸드아웃을 공개합니다.

클라이맥스 페이즈

제2 사이클이 끝나면 클라이맥스 페이즈가 됩니다.

지하통로 끝은 하수도와 연결된 밀조주 창고입니다. 바다에서 보트로 직접 술을 운반해서 여기에 저장하는 구조입니다.

하지만 지금 이곳의 술통은 거의 다 부서졌습니다. 줄지어 선 통 너머에서 무언가를 부수는 소리와 함께 남자의 욕설이 들립니다. 들여다보면 톰프슨 기관총을 든 사내…… 맥건이 한 명의 여성과 서로 노려보고 있습니다. 여성은 키가 180cm를 넘는 장신의 노파입니다. 입을 다문 채 오른손으로 손도끼를 치켜들고, 왼손에는 성서를 펼치고 있습니다. 안경 안쪽의 눈은 형형하게 빛납니다. 그리고 전신이 반투명합니다. 이 세상 사람이 아닙니다.

그녀가 바로 금주법 제정의 계기가 된 캐리 네이션의 영혼입니다. 캐리 네이션은 무시무시한 목소리로 외칩니다. 「참회하라! 주의 왕국에 독이 든 액체를 가지고 온 자는 저주를 받으리라! 모든 술집을 재로! 술은 마신 자는 한 명도 남기지 않고 지옥으로!」

《종말》로 공포판정을 합니다.

맥건은 PC들을 보고 노성을 지릅니다. 「이봐! 뭘 멍하니 있어! 이 죽다 만 것을 원래 있어야 할 곳으로 쫓아내!」

그리고 PC들은 깨닫습니다. 캐리 네이션에게 막다른 길에 몰린 맥건의 등 뒤에 「블랙 브라이어」라고 소인이 찍힌 통이 있다는 것을.

전투가 벌어집니다. 캐리 네이션은 「저주의 상자」, 맥건은 「행인」(『인세인』p247)의 데이터를 사용합니다. 단, 캐리 네이션은 평범한 공격으로는 다치지 않습니다. 그녀가 두려워하는 것은 광기뿐입니다. 현재화한 【광기】가 1장이라도 있는 PC라면 정상적으로 대미지를 입힐 수 있습니다.

전투에서 지원행동으로 블랙 브라이어를 마실 수 있습니다. 이러면

【생명력】을 1 얻고(상한을 넘어도 됩니다), 【광기】를 가지고 있다면 1장 현재화합니다. 가지고 있지 않다면 【광기】를 1장 얻습니다.

맥건은 캐리 네이션이 쓰러지기 전까지는 PC들 편에 서서 행동합니다. 하지만 그는 현재화한 【광기】를 가지고 있지 않으므로 그다지 도움은 안 됩니다.

캐리 네이션을 무찌른 후에는 맥건을 마음대로 처리할 수 있습니다. 내키는 만큼 블랙 브라이어를 마시는 것도, 힙 플라스크에 담아서 몰래 가지고 돌아가는 것도 자유입니다. 어떤 선택을 했든 간에 시나리오는 클리어합니다.

캐리 네이션		위협도 5	속성 괴이	생명력 16
호기심 괴이	특기 《매장》, 《원한》, 《죽음》, 《암흑》, 《지저》			

어빌리티
【기본공격】 공격 《암흑》
【소환】 공격 가변 IS p180
【장갑】 장비 IS p183

해설 금주법 제정의 계기가 된 여성, 캐리 네이션의 영. 죽어서도 여전히 술을 증오한다.

핸드아웃

「바텐더」, 「바 카운터」, 「문지기」, 「취객」을 메인 페이즈가 시작할 때 공개한다. 「바텐더」의 【비밀】을 얻은 PC는 프라이즈 「힙 플라스크」를 획득한다. 「취객」의 【비밀】이 공개되면 「캐리」를 공개한다. PC가 비밀문을 열면 「쓰러진 남자」를 공개한다.

Handout

이름	PC①

사명

당신은 금주 단속관이다. 샌프란시스코 주류 단속국에서도 최고의 검거 수를 자랑한다. 당신은 오늘 밤 무허가 술집 「워터 큐피」에 임한다.

당신의 【사명】은 오너인 정, 맥건을 체포하는 것이다.

Handout

이름	PC②

사명

당신은 금주 단속관이다. PC①과는 검거 수를 다투는 라이벌이다. 당신은 오늘 밤 무허가 술집 「워터 큐피」의 단속에 임한다.

당신의 【사명】은 오너인 정, 맥건을 PC①보다 먼저 체포하는 것이다.

Handout

이름	PC③

사명

당신은 신문기자다. 경찰에 들러붙을 은 당신은 무허가 술집 「워터 큐피」의 단속에 동행한다.

당신의 【사명】은 맥건이 체포되는 순간을 카메라로 찍는 것이다.

Handout 비밀

쇼크 진원

당신은 맥건에게서 뇌물을 받고 있었는데, 지금이 밀리자 단속을 단행했다. 또한, 당신은 술을 끓이면 사축을 못 쓴다. 듣자하니 이 술집에는 환상의 술 「블랙 브라이어」가 있다고 한다. 당신의 【진정한 사랑】은 환상의 술을 마시는 것이다.

이 비밀을 스스로 밝힐 수는 없다.

Handout 비밀

쇼크 진원

당신은 맥건에게서 뇌물을 받고 있었는데, 지금이 밀리자 단속을 단행했다. 또한, 당신은 술을 끓이면 사축을 못 쓴다. 듣자하니 이 술집에는 환상의 술 「블랙 브라이어」가 있다고 한다. 당신의 【진정한 사랑】은 환상의 술을 마시는 것이다.

이 비밀을 스스로 밝힐 수는 없다.

Handout 비밀

쇼크 진원

당신은 맥건의 도망치게 할 예정이었는데, 듣자하니 이 술집에는 환상의 술 「블랙 브라이어」가 있다고 한다. 또한, 당신은 술을 끓이면 사축을 못 쓴다. 듣자하니 이 술집에는 환상의 술 「블랙 브라이어」가 있다고 한다. 당신의 【진정한 사랑】은 환상의 술을 마시는 것이다.

이 비밀을 스스로 밝힐 수는 없다.

Handout

이름	PC④

사명

당신은 밀레당트(돈 많고 한가한 인물)다. 오늘 밤은 무허가 술집 「위티 뉴」에 확정하는 신비한 분위기에 이끌려 들어왔다는 이야기를 듣고 있었는데, 가게에 들어오자마자 단속이 시작되고 말았다. 이때 당신은 [사명]을 맛볼 수 없다. 당신의 [사명]은 환상의 술을 마시는 것이다.

Handout

쇼크 | 정원

비밀

당신은 마술에 소양을 쌓은 오컬트스트다. 블랙 브라이어에는 인간의 능력을 확장하는 신비한 힘들이 있다고 한다. 당신의 [진정한 사명]은 블랙 브라이어를 손에 넣는 것이다.

이 비밀은 공표할 수는 없다.

Handout

이름	바텐더

개요

단속에 겁을 집어먹고 우두커니 뻗켜리는 남자다.

「예, 맥진 쓰는 여기에는 없습니다. 좀 봐주세요.」

Handout

쇼크 | 없음

비밀

바텐더는 다 안다는 듯이 속삭인다.

「나리, 한건 하고 싶다는 얼굴이시군요. 다른 곳에서는 못 마시는 특별한 술을 드릴 테니 절 부르시지 않겠습니까? 블랙 브라이어라는 건데…….」

프라이즈 「힙 플라스크」를 손에 넣는다.

이 비밀은 공표할 수는 없다.

Handout

장소	바 카운티

개요

밀조주가 전부 진열되어 있다.

Handout

쇼크 | 정원

비밀

확산 정보. 줄지어 선 술병 너머로 뭔가 보인다. 문 손잡이다! 비밀문을 발견했다는 사실에 고양될 틈도 없이 문 너머에서 섬뜩한 비명이 들리더니, 갑자기 뚝 끊긴다. 지금 그 소리는 위치!? 《눈알》으로 공포판정. 비밀문을 열려면 문을 열겠다고 선언해야 한다.

이 비밀은 공표할 수는 없다.

Handout

이름	문지기

개요

건장한 문지기는 어딘지 모르게 안절부절못하는 기색이다. 가게 안쪽이 신경 쓰이는 모양이다.

Handout

쇼크 | 없음

비밀

문지기는 창백한 얼굴로 말한다.

「당신들이 오기 직전에 안쪽에서 큰 함성이 들려오더니 흥분한 손님이 사라져 버렸어. 그런데 이 손님은 가게 단골인 부 씨였는데, 그, 지옥에서 온 것 같은 부리무슨 소리치며 발작을 일으켰지. 내가 유령이라도 본 것처럼!?」

《영혼》으로 공포판정.

이 비밀은 공표할 수는 없다.

3

Handout · 비밀

쇼크 없음

노인은 중얼중얼 혼잣말을 한다. 「캐리가 왔어……. 이 술집도 끝장이야……. 모두 도끼에 산산조각이 나겠어…….」 웬지 으스스한 내용인데, 대체 무슨 의미지? 《절단》으로 공포

「캐리」의 핸드아웃을 공개한다.

이 비밀을 스스로 밝힐 수는 없다.

Handout

이름	취객
개요	가게 한구석에서 완전히 고주망태가 된 노인. 코를 골면서 중간중간에 알 수 없는 내용을 중얼거리고 있다.

Handout · 비밀

쇼크 절원

확산정보. 생각났다! 캐리 네이션. 「금주법의 어머니」. 금세기 초에 손도끼와 성서를 들고 술집을 돌며 취객과 가게를 패고 술병을 깨는 「정의」를 뽐냈다. 술을 중요한 반면 광기를 지독하게 두려워했다고 한다. 10년도 전에 죽었을 텐데……. 그렇게 생각한 순간, 지하 복도에서 「스메싱!」이라는 외침과 함께 둔기 박살 나는 소리가 울려 퍼졌다. 《파괴》로 공포.

이 비밀을 스스로 밝힐 수는 없다.

Handout

이름	캐리
개요	캐리…… 도끼…… 어디서 들어본 것 같은데……?

Handout · 비밀

쇼크 절원

한 모금 마시자 한없을 수 없이 근사한 맛이…… 본 적 없는 새로운 시야가 트인다. 새로운 힘을 얻은 기분이 든다. 【생명력】을 1 얻는다(상한을 넘어도 된다). 또, 【광기】를 가지고 있다면 1장 한 제화한다. 가지고 있지 않다면 【광기】를 1장 얻는다. 들어있던 술은 이 한 모금 바닥나며, 이제 이 핸드아웃에 대해서는 조사판정을 할 수 없다. 고작 이 정도로는 마신 죽음도 못 물릴!

이 비밀을 스스로 밝힐 수는 없다.

Handout

이름	힘 플라스크
개요	프라이즈. 뒷주머니에 들어가는 크기의 작은 수통. 이것이 환상의 술, 불 브라이어라고 한다. 하지만 흔들어 보니 양이 그리 많지는 않다. 일반적인 아이템으로서 전달 가능. [비밀]을 보려면 이것을 마셔야만 한다(조사판정은 필요 없고, 마시겠다고 선언하면 된다). 이 프라이즈는 [비밀]은 정보공유가 발생하지 않는다.

Handout · 비밀

쇼크 절원

확산정보. 남자는 맥건이 아니다. 술집의 스태프인가? 아니다, 머리가 깨져서 이미 살리기에는 늦었다. 남자는 「할멈에게 용서를……」라는 말을 남기고 숨이 끊어진다. 《죽음》으로 공포.

이 비밀을 스스로 밝힐 수는 없다.

Handout

이름	쓰러진 남자
개요	지하통로에서 피를 흘흘 흘리며 쓰러져 있다. 설마 맥건인가?

Heil to Dead Tree Kwan-yin

이빌 붓다

1924년의 샌프란시스코. 인종차별에 허덕이는 일본계 미국인 사회에서 이상한 살인사건이 벌어진다. 백인 형사와 3명의 일본계 미국인은 사건을 쫓다가 범상치 않은 미지의 괴이를 만난다.

타입: 특수형
리미트: 3
플레이어 수: 4명
프라이즈: 쿠치키 관음경

● 시나리오의 무대 ●●●●●

이 시나리오에서는 「광란의 20년대」 세팅을 사용합니다. 장면표는 사용하지 않습니다. 장면 플레이어는 일본인 거리, 경찰서, 핸드아웃에 적힌 장소 등에서 무대를 선택합니다.

● 배경 ●●●●●

1924년의 샌프란시스코. 일본인 거리에서 일본계 남성의 시체가 발견됩니다. 이름은 에릭 나가타. 일본계 2세이며, 농장 노동자입니다. 그의 죽음에는 의문스러운 점이 있

었으므로, 샌프란시스코 시경은 동양인 범죄를 담당하는 형사에게 수사를 명합니다. 형사는 일본계 협력자들과 함께 에릭 나가타 살해의 진상을 쫓습니다.

에릭은 심령주의자 토마스 선생의 사상에 공명하여, 미국에 부처의 자비를 널리 알리고자 일본에서 영험하다는 관음상을 들여왔습니다. 하지만 관음상에는 사령(邪靈)이 씌어 있었습니다. 에릭은 부정을 타 죽었고, 사령은 그의 시체를 매개체로 삼아 미국에 어둠을 몰고 오고자 행동에 나섭니다.

● 광기 ●●●●●

『인세인』에서 【의심암귀】, 【확산하는 공포】, 【소외감】, 【거동수상】, 【말을 잃다】, 【패닉】, 【피에 대한 갈망】, 【절규】, 【괴물】, 【어둠의 축복】, 【결벽】, 【공포증】, 【폭력충동】, 【미신】, 【음모론】, 【만용】을 각각 1장씩 준비합니다.

시대 설정

무대는 1924년 8월의 미국, 샌프란시스코입니다. 이 시절, 많은 일본인이 미국에 이민을 왔습니다. 가난하고 문화도 다른 일본계 미국인들은 백인 사회에서 차별당하며 박해를 받았습니다. 일본계 이민 사회는 이 차별을 견디며 떳떳한 미국 시민으로 행세하기 위해 시민권을 얻고자 했습니다. 그래서 수년 전에 끝난 제1차 세계대전에서는 다수의 일본계 이민이 군대에 지원했습니다. 그 활약을 인정받아 일본계 이민을 미국인으로 인정하는 움직임도 나타나고 있습니다. 하지만 관민 일체의 차별은 아직도 뿌리가 깊어서, 7월에는 이민법이 성립하여 마침내 일본에서의 이민이 전면 금지되었습니다. 일본계 미국인 사회는 다음에 무슨 일이 일어날지 몰라 불안에 휩싸였습니다.

특수 규칙

● 캐릭터 이름

PC①은 백인이므로 이름, 성 모두 서양식으로 할 것을 추천합니다. PC②③④는 일본계 이민이므로 이름만 북미계로 하고, 성은 일본식 성을 사용해야 더 그럴싸할 것입니다.

● 인종에 따른 조사 제한

이 시나리오에서는 그 장면에 백인 PC가 없으면 조사판정을 할 수 없는 핸드아웃에 ☆, 일본 이민 PC가 없으면 조사판정을 할 수 없는 핸드아웃에 ●를 붙였습니다.

도입 페이즈

이 시나리오의 도입 페이즈는 아래와 같습니다.

● 장면1 어느 일본계 미국인의 죽음

이 장면은 마스터 장면입니다. 1924년 8월, 샌프란시스코 시경에서 동양인 범죄를 담당하는 형사인 PC①은 서장에게 불려가서 바로 어젯밤에 일어난 사건을 담당할 것을 명령받았습니다.

어젯밤 늦은 시각, 일본인 거리에서 에릭 나가타라는 일본계 2세 농장 노동자가 시체로 발견되었습니다. 죽은 모습도 이상했는데 전신이 고목처럼 굳어 바싹 말라 있었다고 합니다. 서장은 어떠한 동양 독극물에 의해 살해당하지 않았을까 의심하면서 무슨 수를 써서라도 사악한 동양 암살자를 잡으라고 윽박지릅니다.

● 장면2 수사 협력

이 장면은 마스터 장면입니다. PC①과 ②가 일본인 거리에 있는 PC③의 집을 찾아옵니다. 에릭은 PC③의 집 앞에서 죽어 있었으므로 사정 청취를 하러 온 것입니다. PC②는 고용된 통역입니다. 이때 에릭 사건의 조사관이 왔다는 소문을 듣고 PC④가 찾아옵니다. PC④는 에릭의 친구이며, 수사에 협력하고 싶어 합니다. 이리하여 PC들은 함께 에릭 사망 사건을 조사하게 됩니다.

여기에서 같은 테이블에 앉은 네 사람에게 자기소개하게 하고, 핸드아웃의 【사명】을 읽어줍니다.

메인 페이즈

메인 페이즈가 시작할 때, 「시체 안치소」, 「쌀 농장」, 「에릭의 집」, 「SFPD 서장」, 「아시아 배척 동맹」의 핸드아웃을 공개합니다.

또, 이 시나리오에서는 아래의 마스터 장면이 발생합니다.

● 검은 눈동자

제1 사이클이 끝날 때 발생하는 장면입니다. PC 전원이 등장합니다.

일본계 미국인들과 섞여 일본인 거리를 수사하다 보니, PC①은 문득 자신이 전혀 이질적인 인간들 사이에 혼자 있다는 생각에 사로잡힙니다. 표정 변화가 거의 없는 이 동양인들이 실제로는 나를 어떻게 생각하고 있을까……? PC①은《인류학》으로 공포판정을 합니다.

● 돌팔매

제2 사이클이 끝날 때 발생합니다. PC 전원이 등장합니다.

거리에서 PC①과 행동을 함께하던 PC②③④에게 어디선가 돌이 날아옵니다. 날아온 방향을 봐도 누가 던졌는지 알 수 없습니다. 백인들의 수상쩍은 시선이 꽂힙니다. 「일본의 암살자」, 「살인마」, 「도둑」이라며 서로 속삭이는 소리도 들립니다. 아무래도 에릭 사건에 관한 소문이 백인 사회에 퍼지고 있는 듯합니다.

PC②③④은《협박》으로 공포판정을 합니다.

클라이맥스 페이즈

제3 사이클이 끝난 시점에서「4번 창고」핸드아웃이 공개되지 않았다면 에릭의 시체로 옮겨간 쿠치키 관음(朽木觀音)이 샌프란시스코에 저주를 흩뿌려 미국에 재앙을 일으킵니다. 인종 폭동이 순식간에 전토를 뒤덮어 합중국은 붕괴합니다. 전원, 배드엔드표를 사용합니다.

「4번 창고」핸드아웃이 공개되었다면 에릭이 창고에 들어갔다는 목격 증언을 얻어 클라이맥스 페이즈가 됩니다.

창고에 들어가면 토마스 선생과 하얀 로브를 입은 신도들이 이상하게 생긴 불상에 기도를 올리고 있습니다. 불상이 얼굴을 들고 발을 내딛습니다. 전원《혼돈》으로 공포판정을 합니다. 불상은 목질화(木質化)한 에릭의 시체이며, 이것이 바로 쿠치키 관음입니다(시체 안치소에 있던 것은 얼마 전까지 쿠치키 관음의 정신이 들어있었던 빈 껍데기로, 한때는 인간의 시체였던 것이 영락한 모습입니다).

쿠치키 관음은「원령」, 토마스 선

이빌 붓다

생은 「마도사」입니다.

「4번 창고」의 【비밀】을 조사했다면, PC①은 전투 경찰대를 데리고 돌입할 수 있습니다.

이때는 경찰 부대와 신봉자들 사이에 총격전이 벌어져 토마스 선생의 【생명력】이 절반인 8점이 됩니다.

「쿠치키 관음」의 【비밀】을 조사했다면 쿠치키 관음을 억누르는 경을 외울 수 있으며, 이러면 쿠치키 관음의 【생명력】이 절반인 12점이 됩니다.

쿠치키 관음을 쓰러뜨리면 시나리오 클리어입니다. 움직임을 멈춘 쿠치키 관음은 온화한 부처의 얼굴이 되더니 순식간에 너덜너덜하게 썩어갑니다.

쿠치키 관음(朽木觀音) 위협도 6 속성 괴이 생명력 25

호기심	정서	특기	《소각》,《부끄러움》,《원한》,《인류학》,《영혼》

어빌리티 【기본공격】 공격 《원한》
　　　　　【연격】 서포트 《소각》 IS p181
　　　　　【보복】 서포트 《인류학》 IS p182
　　　　　【빙의】 서포트 《영혼》 지원행동. 목표를 1명 선택한다. 목표는 《영혼》으로 판정을 해야 한다. 여기에 실패하면, 목표는 이 에너미에게 빙의당한다. 빙의한 에너미가 대미지를 입으면 1D6을 굴린다. 홀수라면 빙의당한 목표가 그 대미지를 입는다. 이 효과는 빙의한 에너미가 대미지를 입을 때까지 지속된다.

해설 시체에 빙의한 악불(惡佛).

토마스 선생 위협도 5 속성 생물/괴이 생명력 16

호기심	괴이	특기	《걱정》,《수학》,《마술》,《종말》

어빌리티 【기본공격】 공격 《마술》
　　　　　【소환】 공격 가변 IS p180
　　　　　【종말】 장비 자신의 몸이 모두 자신에 대해 「애정」의 【감정】을 가지고 있는 것으로 간주한다.

해설 쿠치키 관음을 숭배하는 교단의 지도자.

핸드아웃

「시체 안치소」, 「쌀 농장」, 「에릭의 집」, 「SFPD 서장」, 「아시아 배척 동맹」을 메인 페이즈가 시작할 때 공개한다. 「쌀 농장」의 【비밀】이 공개되면 「토마스 선생」을 공개한다. 「아시아 배척 동맹」의 【비밀】이 공개되면 「항구의 창고거리」를 공개한다.

Handout

이름 PC①
사명

당신은 베인이며, 샌프란시스코 시경의 형사다. 일본계 이민 에릭 나가타 살인 사건의 수사를 명령받았다.

당신의 【사명】은 에릭 나가타 살인 사건의 범인을 체포하는 것이다.

Handout

이름 PC②
사명

당신은 일본계 1세인 통역이다. 배인 형사(PC①)에게서 에릭 나가타 살인 사건의 수사에 협력해달라고 부탁을 받았다. 통역으로 살해당했다면 가만히 있을 수는 없다.

당신의 【사명】은 에릭 나가타 살인 사건의 범인을 밝히는 것이다.

Handout

비밀 쇼크 PC②③④

서장은 당신에게 이렇게 말했다.
「네가 범인일 경우 자기라는 기다. 안 돼. 넌 그냥 겔을 한 채로 있을 거야. 그들을 위해 유럽의 격전지에서 씻었다. 그를 자백시키면 일본인들을 더 압박할 수 있지, 미국에서 일본인들이 쉴 자리를 없애주겠어, 그 정도는 너도 할 수 있잖지?」

당신의 【건전한 사명】은 일본계 이민 1명 체포하는 것(게임상으로는 행동불능으로 만드는 것)이다.

이 비밀을 스스로 밝힐 수는 없다.

Handout

비밀 쇼크 없음

당신은 지난 세계대전에서 지원병(군의)의 간호사가 되어 일본계 미국인 시민의 희망을 위해 유럽의 격전지에서 싸웠다. 그 보답이 이와 일본계 미국인으로 경쟁하는 용의자인 일본계 미국인이 시작했다. 그런 시기에 일본계 이민 사건이 방생했다. 에릭을 죽인 게 경우는 일본인이라면, 동포의 이름을 더럽히는 행위다. 용서할 수 있을 리가 없다.

당신의 【건전한 사명】은 에릭을 죽인 이 일본인인지 확인하는 것이다.

이 비밀을 스스로 밝힐 수는 없다.

137

핸드아웃

「에릭의 집」의 【비밀】을 얻은 PC는 프라이즈 「쿠치키 관음경」을 획득한다. 「토마스 선생」의 【비밀】이 공개되면 「영세사」를 공개한다. 「항구의 창고거리」의 【비밀】이 공개되면 「4번 창고」를 공개한다. 「쿠치키 관음경」의 【비밀】이 공개되면 「불교 청년회(YBA)」를 공개한다.

Handout — 이름: PC③

사명

당신은 일본에 1세대 승려다. 배일 형사(PC①)에게서 에릭 살인 사건의 수사에 협력해달라는 부탁을 받았다.

에릭은 당신의 집 앞까지 와서 쓰러졌다. 에롤의 집 대문 앞에 있는 이민의 처지이런건, 분처의 구원의 바람으로 있었다면 좋을 텐데라고 하는 중으로 당한 것이다.

당신의 【사명】은 사건의 범인을 밝히는 것이다.

Handout — 비밀 / 쇼크 / 전멸

영감이 뛰어난 당신은 요 며칠간 무언가 사악한 것이 샌프란시스코를 배회하는 것을 알아차렸다. 에릭은 그 희생자의 한 명일지도 모른다.

에릭 당신의 【진정한 사명】은 이 사건 뒤에 도사린 괴이의 정체를 밝히는 것이다.

이 비밀을 스스로 밝힐 수는 없다.

Handout — 이름: PC④

사명

당신은 일본에 2세대 노동자다. 배일 형사(PC①)에게서 에릭 살인 사건의 수사에 협력해달라는 부탁을 받았다. 에릭은 당신의 친구였다.

이런 것을 한 녀석은 그냥 둬둘 수야 없다.

당신의 【사명】은 에릭 살인 사건의 범인을 밝히는 것이다.

Handout — 비밀 / 쇼크 / 전멸

당신은 에릭의 친구가 아니다. 노동자로 변장하고 있으나 사실은 닌자다. 그런 당신의 눈으로 봤을 때 에릭은 평범한 인물이 아니었다. 아마 에릭도 닌자였을 것이다. 그는 겉을 죽인 상태였나 제들 가장하여 당신의 에릭에 대해 조사하는 것이다.

당신의 【진정한 사명】은 에릭이 무엇을 했는지 밝히는 것이다.

Handout — 이름: 시체 안치소 ☆

개요

경찰서 지하의 시체 안치소에 에릭의 유체가 안치되어 있다. 조금 더 조사를 해봐야 할까……?

Handout — 비밀 / 쇼크 / 전멸

시체가 없다! 에릭의 시체가 있어야 할 시신 보관함에는 조심스럽게 깎은 나무 불상이 들어 있을 뿐. 나무 불상이 든 것이 누워 있었다! 구석에는 감시카메라의 공포로 눈을 부릅뜬 채 죽어 있다. 바닥에는 점점이 발자국이 남아 있다. 바닥에도 점점이 발자국이 남아 있다. 자국의 남자 모양의……, 바싹 말라 쪼그라든 맨발의 발자국이……. 《의학》으로 공포판정.

Handout — 이름: 쌀 농장

개요

에릭이 일했던 직장. 캘리포니아의 햇살을 받아 프로 볼 이삭이 쑥쑥 자란다. 이제까지 일본에서 맛본 이상한 농아이라도 쓰는 게 아닐까?

Handout — 비밀 / 쇼크 / 염

황산칼슘, 농장에는 수상한 것이 있었다. 농장 동물의 중에에 따라붙에 의려온 하는 신앙에 늘로 것으로 보였으며, 맨인 도련님과 친했다고 한다. 「불명히……토마스 선생님이란고 했던가?」토마스 선생님의 핸드아웃을 공개.

Handout — 비밀

쇼크 PC②③④

에릭 살해 혐의는 부정하지만, PC①에게는 우호적이다. 「금강수월계도 그 건은 우리 집이 아니야. 단지 최근 부두의 창고거리에 일본인 건달이 모이는 게 걱정이 거슬리네. ①번이 다 함께 손을 뒤주러 갈 계획이야.「지적한 동양인 놈들을 깡패부 단속해달라고 다들 기대하고 있으니까나.「항구의 창고거리」의 핸드아웃을 공개.

이 비밀을 스스로 밝힐 수는 없다.

Handout

이름	아시아 배척 동맹 ☆

개요

활발하게 활동하는 아시아인 배척 단체. 폭력적인 수단도 마다하지 않는다. 에릭을 죽였다고 이상하지 않는 놈은데…….

Handout — 비밀

쇼크 PC①

세까만 제단은 평범한 불단(佛壇)이다. 일본인에게는 별것 아니지만 백인에게는 으스스해 보일 수도 있다. 불단은 깨끗하게 청도되어 단서가 될 만한 것은 아무것도 없……는 것 같았는데, 불단 아래에서 어쩌나는 것 같았는데, 불단 아래에서 어쩌구 작정나.「극치가 판금의리」의 핸드아웃을 공개.

이 비밀을 스스로 밝힐 수는 없다.

Handout

이름	에릭의 집 ●

개요

구석구석 깔끔하게 정돈된 작은 방이다. 그렇지만 사람이 산다는 느낌은 그다지 들지 않는다. 방구석에는 세까만 제단이 마련되어 있다.

Handout — 비밀

쇼크 PC②③④

서장은 아시아 배척 동맹의 거물로부터 이번 사건에서 일본인 암살자를 체포하여 일본의 평가를 떨어뜨리 라는 의뢰를 받았으며, 개인적으로 기대도 받았으므로, 백인을 날조해 서라도 목적을 달성할 작정이다. 이 [비밀]을 안 PC①은 [진정한 사람]을 언제든지 인하는 내용으로 바꿀 수 있다.

이 비밀을 스스로 밝힐 수는 없다.

Handout

이름	SFPD 서장 ☆

개요

PC①에게 에릭 나가타 살인 사건의 수사를 명령했다. 이 사건을 여지간히 중요하게 보고 있는 모양이다.

Handout — 비밀

쇼크 없음

심령주의자, 토마스 하이드, 크리스트교 계통의 교단 「엘 세사」를 주재하고 있다. 동양에도 대단히 애정을 가지고 있으며, 그의 사상에도 일본의 오컬트가 녹아들 미친 듯하다. 교단은 해산한 것으로 알려졌는데……?「엘 세사」의 핸드아웃을 공개한다.

이 비밀을 스스로 밝힐 수는 없다.

Handout

이름	토마스 선생

개요

에릭과 친했다는 「백인 도련님」. 도대체 어떤 사람일까?

Handout — 비밀

쇼크 없음

획산정보. 이 장면에 등장한 PC는 모두 임의의 폭력 분야 특기로 판정해야 하며, 실패하면 【생명력】을 1점 감소한다. 캉베르도, 4번 창고에서 회수한 내장들이 아츨킹거린다고 그 수상한 내용물은 미더물 먹은 건 담이다. 가볍게 여겨 상태 아니다 것 같은데……? 내뱉는다. 또, 등장 PC 전원은 이 점특 제는, 「무기」, 「부지」 중에서 하나를 선택하여 입수할 수 있다. 「4번 창고」의 핸드아웃을 공개한다.

이 비밀을 스스로 밝힐 수는 없다.

Handout

이름	항구의 장고거리

개요

누매가 험악한 일본인이 모인다. 이 민한 것게지는 좋았지만 발돋이 많이해서 힘없는 동료를 떠나는 강 저서 힘없는 동료를 떠나는 강때…… 소위 말하는 미드물 먹은 건 담이다. 가볍게 여겨 상태아니다 것 같은데……?

Handout — 비밀

쇼크 전원

시그를 조사한 승려는 창백한 얼굴로 일본인에 말한다. 「크치기 관음」은 일본에서 봉인되던 아츨(惡佛)이다. 중생을 구한다는 보살의 마음을 가진 자를 부처의 얼굴로 속에서 방어에 죽인 후, 시체를 자신의 모습으로 삼는다. 부정을 타 죽은 예언의 시체는 구지기 관음에게 방어되어 겁인이 시체로다. 《마술》도 공포판석.

이 비밀을 스스로 밝힐 수는 없다.

Handout

이름	불교 청년회 (YBA) ●

개요

일본인 거리에 있는 불교도의 집회장. 빌딩 안에는 참배할 수 있도록 불모 전 짠 메트리스가 깔려 있다. 인제나 스킨헤드의 승려가 돌고 있다. 이곳이라면 「쿠치기 관음」에 관한 정보가 있을 지도……?

Handout — 비밀

쇼크 PC①

쿠치기 관음에게 호소하면 인간 이름에 부처의 자비를 길들게 한 세사의 집회장으로서 이끌른게 한다. 그런 내용의 경문이 적혀 있다……. 그런 부처의 자비를 진정시키는 요소를 딱 절단 가격하고 장고 무죽인의 경도도 있다. 그런 부처는 구치기 관음의 자비를 속에서 신의 마음에 들어보는 정도 있다. 더 조사하려면 정기 관음에게 방어되던 겁인이 시체로다. 「불교 청년회」의 핸드아웃을 공개한다.

이 비밀을 스스로 밝힐 수는 없다.

Handout

이름	쿠치기 관음경 ●

개요

프라이즈. 좀먹은 굿들성이의 경전. 「쿠치기 관음」이라는 보살에게 구하응 바치는 경이 적힌다. 영어로 쓰면 Hail to dead tree Kwan-yin's scroll이다. 【비밀】을 보러면 조사한 정을 해도 한다. 아이템으로서 상성적 정을 제공해 주고보낸다.

Handout — 비밀

쇼크 전원

획산정보. 토모 치럼의 남자는 「익사의 집회장으로서 이끌른게 한다」하고 있다. 동쪽 오른쪽 기반으로 흘러 서의 가벼리고 있으며, 열부를 지난 같이 아테믿는 건 느낌이 든다. 한순간 무 틈세로 줄지어 배치된 의자의 행렬과…… 그 너머에 신 키로 무성이 보이는 독상인이 없는 경으로 공포판을 주는 독상인이 없는 정도였다. 《마술》으로 공포판석.

이 비밀을 스스로 밝힐 수는 없다.

Handout

이름	4번 창고

개요

창고 안에서 하얀 로브를 입은 남자가 나왔다. 나부진 제거이다. 이야기를 들어볼까?

Handout — 비밀

쇼크 전원

전(前) 신자에게 이야기를 들었었다. 인세 하고 있다. 토마스 선생을 중심으로 이끌린 사는 토마스 선생의 가배이고 있으며, 열부를 지난 같이 아테민 서의 가벼리고 있으며, 열부를 지난 같이 아테믿는 건 느낌이 든다. 만렌드 모양인이 보인다. 이 사람은 그런 방향 따라가지 못하여 교단을 떠났다고 모른다. 토마스 선생의 신이 나타를 만들기 위해 중의 그 를었다고 한다. 《종말》으로 공포판석.

이 비밀을 스스로 밝힐 수는 없다.

Handout

이름	영생사

개요

Brotherhood of eternal life. 토마스 선생이 결성한 크리스트교 계통의 신흥 교도. 기도의 힘으로 이 지상에 신의 나라가 임하게 하자고 주장하며 많은 신자를 획득했다. 레드 퍼지(Red Purge)가 한창일 때 공산주의 사상을 가졌다는 의혹을 사서 10년 전에 해산 되었다. 그러고 보면 PC②가 유벤이 한때 이 교에 친하게 지낸 배인이어 한때 국의 신자였다고 했던 것 같은데……?

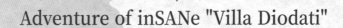

시나리오 파트 4

시간과 우주의 방

이 파트에는 기존의 시나리오 세팅에 속하지 않는 시나리오를 2개 수록했습니다. 어떤 시대, 어떤 장소를 살아간들 인간이 정신과 상상력을 가지고 있는 이상 공포에서 벗어날 수는 없습니다.

주의 이 시나리오 파트를 **플레이어로** 플레이할 예정이라면 **읽지 마십시오.**

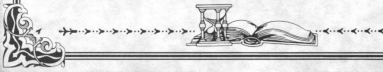

Principium

우주선 프린키피움 호

긴 여행을 마치고 지구로 향하는 우주선, 프린키피움 호. 하지만 콜드 슬립에서 깨어난 승무원들을 기다리는 것은…… 우주선 안에서 대체 무슨 일이 일어난 걸까?

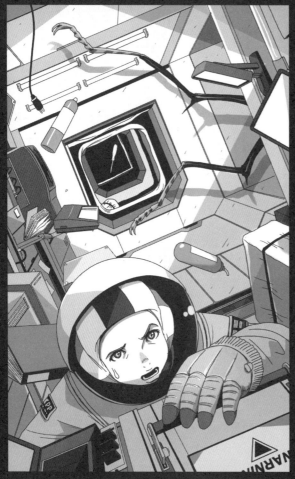

타입: 특수형
리미트: 3
플레이어 수: 4명
프라이즈: 「유생」, 「수술 도구」, 「우주복」, 「박사의 일기」, 「파워 리프터」, 「화염방사기」

시나리오의 무대

이 시나리오는 특정한 세팅을 사용하지 않습니다. 시나리오의 무대는 미래이며, 우주를 항행 중인 수송선 「프린키피움 호」 안에서 이야기가 진행됩니다.

이 시나리오에서는 장면표를 사용하지 않습니다. 그 대신 「프린키피움 호 평면도」를 복사해서 플레이어들에게 보여줍니다. 장면 플레이어는 평면도에서 장면의 무대가 될 장소를 선택합니다. 단, 선택할 수 있는 장소에는 제한이 있습니다(후술).

배경

● PC용 공개 정보

아래의 내용은 A국의 공식 발표이며, PC라면 누구나 아는 사실입니다. GM은 필요에 따라 플레이어에게 가르쳐줘도 됩니다(단, 기억이 돌아오지 않은 상태의 PC③은 모릅니다).

이 시나리오의 시대 배경은 가공의 미래입니다. 우주선이 순식간에 다른 장소로 이동하는 「워프 항법」, 나이를 먹지 않고 동면할 수 있는 「콜드 슬립」과 같이 현대에서는 실현 불가능한 오버 테크놀로지가 실용화되었으며, 프린키피움 호 안에도 그런 장치가 설치되어 있습니다.

프린키피움 호는 지구의 A국이 소유한 우주선이며, 승무원은 모두 A국의 공무원, 군인, 관계자입니다. 승무원 수는 30명입니다. 「프린키피움」은 라틴어로 「최초의 돌」이라는 의미이며, 거기에서 확장하여 「원리」 등으로도 번역되는 말입니다.

이야기는 선장(PC①)의 멋진 지휘 하에 지구와 멀리 떨어진 행성 「레기오 120A」에서 매우 희소한 레어 메탈의 채굴에 성공한 배가 지구로 귀환하고자 항해를 하는 중에 시작합니다.

채굴한 레어 메탈은 지구의 에너지 문제를 해결할 수 있다고 합니다. 인류에게는 대발견이지만, 이번 시나리오와는 직접적인 관계가 없습니다.

워프 항법으로 이동할 수 있는 배이긴 하지만, 목적지까지 바로 날아가는 초장거리 워프나 연속 워프 기술은 아직 확립되지 않아서 지구에서「레기오 120A」까지는 수십 번의 워프가 필요합니다. 또, 워프용 에너지를 모아 엔진을 재가동하려면 몇 시간이 걸립니다. 이로 인해 왕복에는 계산상 (지구의 시간으로) 약 5년이 걸립니다. 그러므로 승무원들은 선내의 동면장치를 사용해 콜드 슬립에 들어가면서 교대제로 근무합니다. 시나리오가 시작할 때, PC들은 모두 콜드 슬립 중입니다.

● GM용 비공개 정보

여기부터는 GM 전용 정보입니다. 사실이 판명될 때까지 플레이어에게는 가르쳐주지 않습니다.

사실 A국에게 레어 메탈 채굴은 명분에 지나지 않습니다. 이 금속으로는 에너지 문제를 해결할 수 없습니다. 진짜 목적은「레기오 120A」에 사는 생물「미레스」를 포획하는 것이었습니다. 미레스는 곤충 같은 생물로, 생존·번식·전투능력이 매우 뛰어납니다. A국은 이 생물을 군사적으로 이용할 생각입니다.

프린키피움 호에는 의무실로 가장한 실험실이 만들어졌고, 실험이 시작되었습니다(평면도에「의무실」이라고 적힌 장소가 바로 여기입니다).

미레스는 매우 위험한 생물이라서 곧바로 지구에 가지고 돌아올 수는 없었으므로, A국은 우선 배 안에서 연구를 시작했습니다. 실험이 실패하더라도 우주선째로 폭파하여 사건을 어둠 속에 묻어버릴 수 있기 때문입니다.

연구는 순조로웠습니다. 미레스는 지능이 낮아서 간단히 제어할 수 있다는 것이 밝혀졌습니다. 과학자들은 그렇게 믿고 연구를 계속했습니다.

하지만 그것은 착각이었습니다. 미레스들은 특이한 집단지능을 지녀, 개체 수가 늘어남에 따라 지능을 높일 수 있었던 것입니다. 게다가 생물의 정신을 변조하여 환각을 보여주는 능력을 가지고 있었습니다.

미레스의 수가 늘어나 과학자들이 그 특성을 알아차렸을 때는 이미 늦었습니다. 환각을 본 승무원들은 동료끼리 싸우기 시작했고, 잇따라 미레스에게 죽어 나갔습니다. 이때 PC③은 미레스에게 조종되어 PC①에게 미레스의「유생」을 기생시키고 말았습니다.

시나리오의 목적

이 시나리오는 도망갈 곳이 없는 우주선에서 미지의 능력을 지닌 생물 미레스와 싸우는 SF 호러입니다. GM은「공기 잔량의 저하」,「우주선 고장」,「미지의 생물이 남긴 흔적」등을 묘사해서 플레이어를 초조하게 합시다.

미레스가 가진「환각을 보이는 능력」이 시나리오의 열쇠입니다. 이것을 무효로 하지 않으면 클라이맥스 페이즈에 아군끼리 죽고 죽이게 됩니다. PC가 환각을 보는 상태로 미레스(=실제로는 인간)와 전투할 때는 주의해서 묘사해야 합니다. 소위 말하는 지성이 없는 몬스터나 동물이 취할 만한 행동을 묘사하지 않도록 주의하시기 바랍니다.

또, PC①은 선장으로서 승무원을 통솔해야 하는 입장인 동시에 미레스에게 기생당하여 죽음의 공포와도 싸워야 한다는, 고생깨나 하는 역할입니다. GM은 게임이 시작하기에 앞서 핸드아웃을 소개할 때,「선장은 이래저래 맡을 게 많아서 난이도가 높다」고 플레이어들에게 알려줍시다.

광기

『인세인』에서【의심암귀】,【소외감】,【거동수상】,【맹목】,【말을 잃다】,【피에 대한 갈망】,【절규】,【기억상실】,【현실도피】,【공포증】,【실종】의 11장.

『데드 루프』에서【일그러진 마음】,【왜 나만?】,【예지몽】,【폭로】,【적이냐 아군이냐】의 5장.

이렇게 합계 16장을 준비합니다.

또, 초기 광기로【패닉】(『인세인』 p217)을 4장 준비해서 핸드아웃과 함께 PC에게 건넵니다.

프라이즈

이 시나리오에는 아래의 프라이즈가 등장합니다.

「유생」은 핸드아웃을 배포할 때 PC①에게 핸드아웃과 함께 몰래 건넵니다.

「수술 도구」는「콜드 슬립 룸」에서 입수할 수 있습니다. PC①의 수술에 필요합니다.

「우주복」은「커먼 룸」에서 입수할 수 있습니다. 공기 조절 기능이 망가진 하층 블록으로 이동할 때 필요합니다.

「박사의 일기」는「의무실」에서 입수할 수 있습니다. PC③의 기억을 되찾을 수 있습니다.

「작업구역」에서 입수할 수 있는「파워 리프터」,「무기고」에서 입수할 수 있는「화염방사기」는 전투에서 쓸모가 있습니다.

특수 규칙: 선내 이동과 핸드아웃 공개

이 시나리오에서는 장면 플레이어가 장면표를 사용하는 대신「프린키피움 호 평면도」에서 자기 장면의 무대가 될 장소를 선택합니다. 각 장소의 핸드아웃은 그 장소를 무대로 삼지 않으면 조사판정을 할 수 없습니다. 또, 장면에 등장하지 않은 PC에게도 자기가 어디에 있는지를 선택하게 합니다. 확대해서 복사한 평면도 위에 PC를 나타내는 게임 말을 올려둡니다.

프린키피움 호는 세 개의 블록으로 나뉘어 있습니다. 평면도의 번호로 나타내면 상층 북쪽 블록(1번에서 7번), 상층 남쪽 블록(8번에서 13번), 하층 블록(14번에서 19번)의 셋입니다.

전투난입을 하려면 서로 같은 블록에 있어야 합니다.

• 시나리오가 시작할 때 PC가 선택할 수 있는 장소는 남쪽 블록(8번에서 13번)뿐입니다.

• 프라이즈「우주복」을 손에 넣으면 하층 블록(14번에서 19번)을 선택할 수 있습니다. 이때, GM은「제어실」,「작업구역」,「파워 리프터」의 핸드아웃을 공개합니다.

•「제어실」의【비밀】을 획득해서 공기의 공급을 재개하면 북쪽 블록(2번에서 7번)을 선택할 수 있습니다. 이때, GM은「컴퓨터 룸」,「의무실」,「박사의 일기」의 핸드아웃을 공개합니다.

• 1번의「브리지」에는 클라이맥스 페이즈가 되기 전에는 들어갈 수 없습니다.

특수 규칙: PC④의 초능력

PC④는 동물과 교감하는 능력을 갖춘 초능력자로, 미레스를 제어하는 실험을 위해 기술자라는 거짓 신분으로 승선했습니다.

이「판별능력」은 PC④의【비밀】에 기재되어 있는 것이므로, PC 전원에게 이【비밀】이 공개되지 않는 한 GM은 이 능력의 처리를 극비에 해야 합니다. 필담을 나누거나 PC④와 함께 다른 방으로 이동하는 식으로 처리하는 것이 바람직합니다.

이 능력은 PC④가 장면 플레이어인 드라마 장면에서만 사용 가능한 보조판정으로 간주합니다.

이 능력을 사용하면 PC④는 장면에 등장한 살아있는 캐릭터 1명을 선택해서 GM에게「목표는 인간입니까?」라고 질문합니다. GM은 목표가 인간일 때는「예스」, 아니면「노」라고 대답합니다. PC②③④는 인간입니다. 목표가 PC①인 경우, 체내에 아직「유생」이 있다면「예스면서 노」라고 대답합니다. PC①이「유생」을 제거한 후라면「예스」라고 대답합니다.

죽은 캐릭터에게는 사용할 수 없습니다.

이 능력에는「PC④가 장면 플레이어일 때」라는 조건이 있으므로, 전투 장면이나 마스터 장면에서는 사용할 수 없다는 점에 주의해야 합니다.

적의 데이터

이 시나리오에 등장하는 에너미의 데이터는 시나리오의 마지막에 실었습니다.

도입 페이즈

이 시나리오의 도입 페이즈는 아래와 같습니다.

● 장면1 기상

이 장면은 마스터 장면입니다. PC 전원이 등장합니다.

먼저 GM은「프린키피움 호 평면도」의 복사본을 공개합니다.

동면했던 PC들이「콜드 슬립 룸」에서 깨어납니다. 여기에서 PC 전원 몫의 게임 말을 평면도 위에 올려놓으면 상황을 이해하기 편합니다.

먼저 실내의 조명이 긴급 상황을 나타내는 붉은 램프로 바뀌었다는 것을 깨닫습니다.

PC는 해동 직후이므로 전신이 흠뻑 젖은 데다가 속옷 차림입니다. 실온 조절 기능이 정상적으로 작동하지 않는 모양인지 상당히 춥습니다.

그리고 콜드 슬립 때는 반드시 코에 꽂아두는 동면 가스 주입용 파이프가 빠져 있습니다. PC들은 모두 코안을 찌르는 통증을 느낍니다.

콜드 슬립 중인 승무원은 PC들 말고도 16명 정도 있었지만, 그들의 침대는 비어 있습니다. 이 방에는 PC 이외의 승무원은 없습니다.

여기에서 PC들에게 자기소개를 하게 하고, 각자의 핸드아웃에 적힌【사명】을 읽게 합니다.

선내에 관한 질문을 받으면 배경의「PC용 공개 정보」를 참조하여 대답합니다.

적당한 부분에서 끊고「장면2 폭발」로 넘어갑니다.

● 장면2 폭발

우주선 안에 낮고 묵직한 폭발음이 울립니다. 배가 흔들리기 시작하더니 제대로 서 있을 수도 없을 정도로 흔들림이 심해집니다.

그 직후, 붉은색의 경보용 램프가 깜빡이기 시작하더니 공기 누출을 알리는 경고음이 울립니다.

잡음이 심한 통신이 들어오지만, 내용을 알아들을 수 없습니다. 방 모니터에「브리지」가 비칩니다. 노이즈로 화상이 심하게 흐트러져서「브리지」의 상태는 제대로 파악할 수 없습니다. 하지만 여성의 비명이 똑똑히 들립니다.

모니터에는 필사적으로 이쪽을 향해 통신을 취하려는 여성 승무원의 모습이 비칩니다. 그녀의 목에 뭔가 끈 같은 것이 휘감기는가 싶더니, 목이 부자연스럽게 꺾입니다. 새빨간 피가 모니터를 뒤덮고, 이윽고 날카로운 전자음과 함께 모니터는 꺼집니다.

여기에서 PC는 비상용 조명의 스위치를 넣고 경고를 끌 수 있습니다.

이어서 아래와 같은 선내 상황을 알 수 있습니다. 플레이어에게 아래 내용을 전하면 도입 페이즈는 끝납니다.

• 브리지 쪽의 북쪽 블록(평면도의 1번에서 7번)이 폐쇄되어 그쪽으로 이동할 수 없다.

• 북쪽 블록에는 다른 승무원이 있을 텐데 연락이 전혀 되지 않는다. 선내의 감시 카메라도 모조리 고장난 것 같다.

• 선내의 산소는 서서히 감소하고 있으며, 수리하지 않으면 3사이클 후에는 모두 바닥난다.
• 하층 블록(평면도 14번에서 19번)은 공기 조절 장치의 고장으로 산소 농도가 낮다. 맨몸으로는 갈 수 없다.
• 주위에 석유 냄새가 가득한데, 어딘가에서 오일이 새고 있을 가능성이 높다.
• 콜드 슬립 룸에는 갈아입을 옷이나 장비가 있을 것이다.

▶GM용 보충 설명: 미레스의 환각 능력은 모니터 너머에 효과가 없습니다. 여기에서 PC들이 본 영상은 진짜입니다. 미레스 리더는 이 사실을 알아차렸기에 선내의 카메라류를 발견하는 족족 파괴했습니다.

메인 페이즈

메인 페이즈 맨 처음에 「커먼 룸」, 「키친」, 「수술 도구」, 「우주복」의 핸드아웃을 공개합니다.
또, 이 시나리오에는 아래의 마스터 장면이 발생합니다.
장소에 따라 발생하는 것과 시간에 따라 발생하는 것으로 나뉩니다.

● 장소에 따라 발생하는 마스터 장면

• 콜드 슬립 룸에서

누군가가 처음으로 「콜드 슬립 룸」에서 장면을 시작하면 발생합니다.
그 장면에 등장한 PC 전원은 방에서 자신의 옷을 발견합니다. 다시 말해, 이것을 발견하기 전까지는 속옷 차림인 셈입니다.
또, 프라이즈 「수술 도구」를 발견합니다. 누가 소지할지 상담해서 정합니다.
그리고 등장한 PC 전원은 《제육감》이나 《정리》로 판정할 수 있습니다. 성공한 PC는 「진통제」를 1개 획득합니다.
그 직후, 갑자기 방이 캄캄해지면서 인공 중력이 해제되어 PC들은 공중에 떠오릅니다. 자유낙하형 놀

이기구에 탄 느낌이라고 묘사합시다. 조명과 중력은 곧 부활하지만, PC는 바닥이나 벽으로 내동댕이쳐지듯 떨어집니다. 이 장면에 등장한 PC 전원은 《우주》로 판정합니다. 실패한 PC는 1점의 대미지를 입습니다.

• 커먼 룸에서의 습격

누군가가 「커먼 룸」에서 장면을 시작했고, 아직 이 장소의 적을 쓰러뜨리지 않았을 때 발생합니다.
구석에서 커다란 곤충 같은 생물(미레스)이 뛰쳐나와 덤벼듭니다.
전투 장면을 시작합니다.
적은 「곤충 같은 생물」 1마리입니다.
적을 쓰러뜨렸을 때, GM은 「누가 어떤 방법(무기)으로 숨통을 끊었는지」를 몰래 메모해둡니다.
적을 쓰러뜨린 후에 다시 이 장소에 와 보면 죽인 미레스의 시체는 사라졌고, 대신 요리사 보브의 시체가 널브러져 있습니다.
보브의 시체를 조사하면 그의 결정적인 사인이 무엇인지 알 수 있습니다. GM은 메모해 둔 마지막 공격의 내용을 알려줍니다.

▶GM용 보충 설명: 이 장소에서 덤벼든 미레스(라고 PC들이 생각한 것)는 요리사 보브입니다. PC가 환각을 해제했다면 미쳐 날뛰는 보브가 덤벼드는 상황이 됩니다. 시나리오가 끝날 때까지는 보브를 제정신으로 되돌릴 수 없습니다.

• 제어실에서의 습격

누군가가 「제어실」에서 장면을 시작했고, 아직 이 장소의 적을 쓰러뜨리지 않았을 때 발생합니다.
장면 플레이어의 PC는 감시 카메라의 기록 영상이 반복 재생되고 있는 것을 알아차립니다.
이 시나리오의 맨 앞에 실린 삽화가 그때 본 영상의 일부로, 앞쪽의 여성이 엘리입니다. GM은 일러스

트를 복사해서 그 PC에게만 몰래 보여줍니다.
그 PC에게 「그녀(엘리)가 서 있는 곳은 정확하게 지금 당신이 서 있는 장소다」라고 알려줍니다.
그 직후 전투 장면을 시작합니다. 영상에서 괴물이 나왔던 장소에서 적이 덤벼듭니다.
적은 「곤충 같은 생물」 1마리입니다.
적을 쓰러뜨렸을 때, GM은 「누가 어떤 방법(무기)으로 숨통을 끊었는지」를 몰래 메모해둡니다.
적을 쓰러뜨린 후에 다시 이 장소에 와 보면 죽인 미레스의 시체는 사라졌고, 대신 기술자 폴의 시체가 널브러져 있습니다.
폴의 시체를 조사하면 그가 어떤 치명상을 입었는지 알 수 있습니다. GM은 메모해 둔 마지막 공격의 내용을 알려줍니다.

▶GM용 보충 설명: 이 장소에서 덤벼든 미레스(라고 PC들이 생각한 것)는 기술자 폴입니다. PC가 환각을 해제했다면 미쳐 날뛰는 폴이 덤벼드는 상황이 됩니다. 시나리오가 끝날 때까지는 폴을 제정신으로 되돌릴 수 없습니다.

• 의무실에서 할 수 있는 일

아래는 「의무실」을 무대로 한 장면에서만 가능한 행위입니다.

(1) 환각 가스 해독
PC③이 기억을 되찾았고, 「컴퓨터 룸」의 【정보】로 해독제 제작법을 알아냈다면 할 수 있습니다.
등장한 PC 전원은 해독되어 환각이 풀립니다. 이후 인간을 미레스로 잘못 보지 않습니다.
해독되면 클라이맥스 페이즈의 묘사가 달라집니다.

(2) PC①의 수술
PC①과 PC③이 장면에 등장했고, PC③이 의사로서의 기억을 되찾았

으며 프라이즈 「수술 도구」를 소지하고 있으면 할 수 있습니다.

PC①의 몸에서 프라이즈 「유생」을 안전하게 제거할 수 있습니다. 프라이즈를 폐기합니다.

이때, 「유생」을 냉동 보존할 수도 있습니다. 이것은 PC②의 【진정한 사명】 달성 조건과 관계가 있습니다. GM은 누군가가 이런 아이디어를 내면 허락합니다.

● 시간이 지남에 따라 발생하는 마스터 장면

• 대량의 코피

제1 사이클 첫 장면 뒤에 삽입합니다.

PC 중에서 무작위로 선택한 1명이 등장합니다. 다른 PC도 원한다면 이 장면에 등장할 수 있습니다.

선택된 PC는 갑자기 대량의 코피를 쏟습니다. 바닥에 피 웅덩이가 생길 정도로 이상하게 양이 많은데, 신기하게도 기분이 나빠지지도 않고, 코가 아프지도 않습니다. 오히려 뜨거운 욕조에 어깨까지 들어갔을 때처럼 기분이 좋습니다.

이 광경을 본 다른 PC는 《고통》으로 공포판정을 합니다.

이 장면이 끝나는 것과 동시에 코피를 흘린 PC는 코에서 격통을 느끼기 시작합니다.

• 부자연스러운 정지

제1 사이클이 끝날 때 삽입합니다.

PC①과 PC③이 등장합니다. 다른 PC도 원한다면 이 장면에 등장할 수 있습니다.

PC③은 PC①을 보며 눈을 크게 뜬 채 그 자리에 곧추서더니, 입에서 침을 흘리기 시작합니다. 얼굴은 황홀한 표정을 짓고 있습니다.

PC③은 30초 정도 있으면 원래대로 돌아오는데, 그사이의 일을 전혀 기억하지 못합니다.

이 광경을 본 PC③ 이외의 PC는 《기쁨》으로 공포판정을 합니다.

• 갑작스러운 구토

제2 사이클이 끝날 때, PC①의 「유생」이 제거되지 않았다면 이 장면을 삽입합니다.

PC 전원이 등장합니다.

PC①은 가슴에 격통을 느껴 괴로움에 몸부림칩니다. 다른 캐릭터는 《의학》 판정으로 PC①을 간호할 수 있습니다. 아무도 판정에 성공하지 못하면 PC①은 1점의 대미지를 입습니다.

마지막으로 PC①은 코를 찌르는 시큼한 냄새를 풍기는 하얀 액체를 잔뜩 토합니다. 이 광경을 본 PC는 《냄새》로 공포판정을 합니다.

조킹

• GM은 선내의 각 장소에 관해 플레이어에게 가르쳐줘도 됩니다. 승무원이라면 누구나 아는 정보입니다. 단, 의무실의 진짜 역할은 비밀입니다(배경의 「GM용 비공개 정보」 참조).

■상층 북쪽 블록
1 브리지 / 선장이 지휘를 하는 장소. 회의나 브리핑도 여기에서 합니다
2 드랍쉽 / 행성에 강하하기 위한 소형선. 최저한의 장비.
3 무기고 / 군인용 무기, 화기가 보관되어 있습니다.
4 컴퓨터 룸 / 마더 컴퓨터가 있습니다.
5 에어록 / 긴급 사태로 인해 잠겨 있습니다.
6 의무실 / 승무원의 건강 유지를 위한 방입니다.
7 포대 / 교전용. 포수가 없으면 사용할 수 없습니다.

■상층 남쪽 블록
8 거주구역 / 하나하나가 6인용의 커다란 방입니다.
9 커먼 룸 / 휴식, 식사, 운동용의 공동 공간.

10 키친 / 식량창고 겸 부엌. 항상 요리사 봇이 있습니다.
11 워프 엔진 룸 / 워프 에너지를 모으는 장치. 고장 났습니다.
12 엔진 룸(상층) / 메인 엔진. 점검 해치를 통해 하층에 갈 수 있습니다.
13 콜드 슬립 룸 / 동면용 방. 한 번에 20명이 동면할 수 있습니다.

■하층 블록
14 제어실 / 선내의 공기 조절 기능, 전원, 인공 중력 등을 제어합니다.
15 포대로 가는 통로 / 교전할 때 사용.
16 드랍쉽 / 상층과 공간을 공유합니다.
17 화물구역 / 채집한 레어 메탈을 넣은 컨테이너가 쌓여 있습니다.
18 작업구역 / 작업용 공구, 머신 등이 있습니다.
19 엔진 룸(하층) / 점검구로 상층과 이어져 있습니다.

• 의무실: 동물 실험 데이터

「의무실」을 무대로 하는 장면에서만 할 수 있는 조킹입니다.

실험 자료를 뒤지던 PC는 동물 실험 데이터에서 흥미로운 부분을 발견합니다. GM은 플레이어에게 아래의 내용을 알려줍니다.

「미레스는 꼬리를 사냥감의 콧구멍에 집어넣어 대뇌와 뇌간 사이에 매우 가느다란 침을 박아 넣는다. 침은 안이 비어 있으며, 강한 마약 작용을 일으키는 체액을 주입할 수 있다. 이 특수한 체액과 아가미에서 풍기는 석유 같은 냄새의 가스를 조합하여 사냥감에게 강한 환각을 보일 수 있는 듯하다.」

• 컴퓨터 룸: 컴퓨터와의 대화

「컴퓨터 룸」을 무대로 한 장면에서만 할 수 있는 조킹입니다.

PC는 비(非) 노이만형 마더 컴퓨터 「AL-ZOR9000」(선내에서의 통칭은 「앨자」)에게 원하는 만큼 질문할 수 있습니다. 엘자는 일개 컴퓨터이긴 하지만, 인간과 대화할 수 있는 인공 지능(AI)을 가지고 있습니다. GM은 앨자가 NPC인 것처럼 운용합니다.

PC가 질문을 하면 GM은 배경의 「PC용 공개 정보」를 참조해서 질문에 대답합니다. 앨자는 기본적으로 A국이 감추려는 진실과 관련된 정보는 가르쳐주지 않습니다.

연구원이었던 PC③이 「박사의 일기」로 기억을 되찾은 상태에서 패스워드(아베 카에사르)를 말하면 기밀 정보를 가르쳐줍니다. GM은 배경의 「GM용 비공개 정보」를 참조해서 질문에 대답합니다.

• 무기고: 무기 발견

「무기고」를 무대로 한 장면에서만 할 수 있는 조킹입니다. 쓸 만한 무기를 찾던 PC가 프라이즈 「화염 방사기」를 발견합니다.

• 드랍쉽: 탈출 아닌 탈출

「드랍쉽」을 무대로 한 장면에서만 할 수 있는 조킹입니다.

드랍쉽으로 탈출할 수 있다는 것을 알아냅니다. 단, 드랍쉽에는 워프 기능이 없으므로 지구로 돌아가지 못할 수도 있습니다.

그래도 PC 전원이 드랍쉽에 탄다면, 드랍쉽으로 탈출할 수 있습니다. 전원이 타지 못했다면 세이프티가 걸려 발진할 수 없습니다.

탈출하면 조난 매뉴얼에 따라 간이 동면 장치에 들어가서 구조 신호를 보내며 표류합니다.

클라이맥스 페이즈 없이 에필로그로 넘어갑니다.

• PC③의 기억

프라이즈 「박사의 일기」로 PC③은 기억을 부분적으로 되찾습니다. 되찾은 기억은 「박사의 일기」의 【비밀】에 적혀 있습니다. PC③이 그 이상의 정보를 묻는다면 아래의 내용을 가르쳐줍니다.

PC③이 A국의 밀명을 받아 미레스라는 생물을 연구했다는 것.

연구는 순조로웠고, 샘플 미레스를 늘리는 데 성공했지만, 불행한 사고가 발생했다는 것.

「컴퓨터 룸」에 있는 마더 컴퓨터의 패스워드가 「아베 카에사르」라는 것.

클라이맥스 페이즈

제3 사이클이 끝나면 클라이맥스 페이즈입니다.

우선 「제어실」에서 공기 조절 기능을 수리했는지를 확인합니다. 수리하지 않았다면 프라이즈 「우주복」이 없는 PC는 질식사합니다.

이어서 브리지 문이 파괴되며 안에서 뭔가가 뛰쳐나옵니다. 주위에는 진한 석유 냄새가 가득합니다.

여기에서 PC가 환각 가스를 해독했는지에 따라 전개가 달라집니다.

• 해독하지 않은 경우

브리지에서 뛰쳐나온 3마리의 곤충 같은 생물(로 보이는 인간)이 덤벼듭니다.

적은 「곤충 같은 생물」 3마리입니다.

PC 전원이 행동불능 또는 사망 상태가 되거나 적이 전멸하면 전투는 끝납니다.

▶GM용 보충 설명: 이 장소에서 덤벼드는 괴물(이라고 PC들이 생각한 것)은 올리버, 일라이자, 샬롯이라는 세 명의 승무원입니다.

• 해독한 경우

뛰어들어온 것은 반쯤 미쳐 날뛰는 승무원들이었습니다. 그들은 환각을 보고 PC를 괴물이라고 생각하여 혼란에 빠졌습니다. 몰아붙이거나 방해하지 않는 한 그들이 PC들을 공격하는 일은 없습니다. 전투에서 제외합니다.

잠시 후, 안에서 미레스 4마리가 다가옵니다.

전투를 시작합니다.

미레스 중에 딱 한 마리, 입이 나비처럼 긴 개체가 있습니다. 이것이 리더입니다. 나머지는 병사입니다.

적은 「미레스 병사」가 3마리, 「미레스 리더」가 1마리입니다.

PC 전원이 행동불능 또는 사망 상태가 되거나 적이 전멸하면 전투는 끝납니다.

그 후

우선 미레스의 환각 가스를 해독했는지를 확인합니다.

• 해독하지 않은 경우

전투에 이기고 한숨 돌리는 PC들이었으나, 우주선을 움직이기에는 승무원 수가 부족해서 배를 움직일 수 없습니다.

워프 엔진이나 공기 조절 장치가 고장 났는데, 수리할 승무원은 죽었습니다.

배는 이곳에서 움직이지 않고, 산소는 계속 줄어듭니다.

선내 곳곳에서는 미레스가 승무원의 시체에서 잇따라 태어납니다.

수십 마리의 미레스가 PC들의 동향을 살피는 모습을 묘사하고 세션을 끝냅니다.

• 해독한 경우

살아남은 3명의 승무원(올리버, 일라이자, 샬롯)을 해독해서 구할 수 있습니다.

「커먼 룸」의 보브, 「제어실」의 폴도 죽지 않았다면 구할 수 있습니다.

어떻게든 배를 움직여서 지구에 돌아갈 준비를 할 수 있을 것 같습니다.

이어서 PC①이 「유생」을 수술로 제거했는지를 확인합니다.

• 유생을 제거하지 않은 경우

수술하지 않았다면 PC①은 쓰러져 죽고, 그의 가슴에서 붉은 미레스가 기어 나옵니다.

기어 나오는 사이에 PC①을 죽이면 미레스도 죽습니다. 그 후, 나머지 PC는 지구에 돌아갈 수 있습니다.

지구에 돌아온 PC 전원이 반역죄로 투옥되는 묘사를 하고 세션을 끝냅니다.

그러지 않으면 PC들은 붉은 미레스에게 먹혀 전멸합니다.

• 유생을 제거한 경우

PC①은 프린키피움 호와 함께 무사히 지구로 돌아올 수 있습니다.

A국의 고관이 PC들을 맞이하고, 거액의 보너스와 지위를 약속합니다.

여기에 대해 PC가 리액션을 취하면 세션은 끝납니다.

• PC가 드랍쉽으로 탈출한 경우

PC 전원은 동면합니다.

배의 통풍구에서 작은 미레스가 출현합니다. 그 미레스는 자고 있는 PC 중 한 명에게 다가갑니다. 통풍구에서는 잇따라 미레스가 나타납니다.

몇 년 후, 구조 신호를 따라온 순찰선이 드랍쉽의 해치를 열면서 세션은 끝납니다.

곤충 같은 생물 | 위협도 3 | 속성 생물 | 생명력 12

호기심 기술 | 특기 《절단》, 《기쁨》, 《기계》, 《물리학》

어빌리티 【기본공격】 공격 《절단》
【연격】 공격 《절단》 IS p181
【장갑】 장비 IS p183

해설 환각 가스의 영향 하에 놓인 PC에게는 곤충 같은 생물로 보이지만, 그 정체는 승무원입니다. 미레스의 최면으로 착란을 일으켜서 매우 위험합니다. 상대도 PC가 괴물로 보입니다.

미레스 병사 | 위협도 2 | 속성 생물 | 생명력 7

호기심 지각 | 특기 《파괴》, 《냄새》, 《풍경》

어빌리티 【기본공격】 공격 《파괴》
【트릭】 공격 《풍경》 IS p180

해설 유생에서 한 단계 성장한 미레스 병사입니다. 상대의 시각 정보를 왜곡하여 마치 사라진 것처럼 착각하게 만드는 능력이 있습니다.

미레스 리더 | 위협도 6 | 속성 생물 | 생명력 25

호기심 지각 | 특기 《파괴》, 《기쁨》, 《냄새》, 《풍경》, 《전자기기》

어빌리티 【기본공격】 공격 《파괴》
【트릭】 공격 《풍경》 IS p180
【보복】 서포트 《냄새》 IS p182
【미레스 최면】 서포트 《풍경》 지원행동. 목표를 1명 선택한다. 목표는 《풍경》으로 판정한다. 실패하면 미공개 【광기】를 무작위로 1장 선택해서 공개한다.

해설 지능이 높은 타입의 미레스입니다. 그 지능은 주위에 있는 미레스의 수에 비례한다고 합니다. 인간의 말을 이해하지만, 인간 같은 발성기관은 없으므로 인간과 대화하지는 못합니다.

핸드아웃

프라이즈 「유생」은 시나리오가 시작할 때 몰래 PC①에게 건넨다. 프라이즈 「우주복」을 손에 넣으면 「제어실」, 「작업구역」, 「파워 리프터」를 공개한다. 「제어실」의 【비밀】을 획득한 PC가 공기 공급을 재개하면 「컴퓨터 룸」, 「의무실」, 「박사의 일기」를 공개한다.

Handout

PC①

이름

사명

당신은 A국의 우주 수송선 프린키피움 호의 선장이다. 승무원과 배의 안전에 관한 모든 책임은 당신이 진다.

당신의 「사명」은 승무원과 배를 한 번 전부 지구까지 인솔하는 것이다.

Handout

쇼크

비밀

천원

당신은 몸 상태가 안 좋다. 머리가 매우 아프고 구역질이 나며 가슴이 쓰리지만, 다른 승무원을 걱정시킬 수는 없다. 다음에 게임이 시작할 때, GM에게 프라이즈 「유생」을 납품해야 한다. 이 【비밀】은 본 자는 「유생」 핸드아웃의 앞면을 볼 수 있다.

이 【비밀】을 스스로 밝힐 수는 없다.

Handout

비밀

쇼크 캐릭터

PC②에게 플러스 강정을 가진

당신은 A국의 전재 무척이 배에 실린 아역 생물의 생물을 국미 리에 지구로 받아는 것이라는 사실을 알고 있다. PC③은 샘플을 연구하던 학자다. PC③은 당신보다 더 자세한 것을 알고 있을 것이다. 당신의 [진정한 사명]은 A국의 전재 무척을 달성하는 것이다.

Handout

이름 PC②

사명

당신은 프린키피움 호의 승무 겸 감시 아역을 맡은 A국의 군인이다. 당신은 경험이 풍부하고 정의감이 강한 선장에게 진심 어린 경의를 품고 있다. 당신의 [사명]은 PC①을 돕는 것이다.

Handout

비밀

쇼크 PC①

당신은 우주선 내에 괴물이 있다는 방안에 사로잡혔다. 살아오려면 그 녹들을 한 마리도 남기지 말고 죽어야 한다. 당신은 PC①을 진심으로 사랑한다. PC①만은 반드시 지켜야 한다. 그 분을 정으로 느끼고 있다. PC①을 보기만 해도 당신은 행복하다. PC①을 위험하는 자는 죽일 수밖에 없다.

Handout

이름 PC③

사명

다른 사람들은 당신이 이상하다고 하지만, 당신 자신은 잖이는 것이 없다. 사고의 소크크 기억을 잃고 말았기 때문이다. 굉장히 무서운 것을 본 것 같기도 한데, 전혀 기억이 안 난다.

당신의 [사명]은 자기 기억을 되찾는 것이다.

Handout

비밀

쇼크 없음

이름

당신은 동물과 의사소통을 할 수 있는 초능력자다. 극비 임무로 승선했다. 당신은 자신의 정체 불명이일 때, 등장한 캐릭터를 1명 선택해서 가 인간인지 아닌지를 판별할 수 있다. 이 능력에 관해 GM과 상의 를 해둔다.

Handout

이름 PC④

사명

당신은 배의 메인터넌스를 담당하는 기술자다. 당신은 이 직장이 마음에 들지 않는다. 급료는 얼마 받지도 않고, 잔업 천하는 다른 승무원들도 거슬린다.

당신의 [사명]은 자신이 살아남는 것이다.

Handout

비밀

쇼크 전원

라커의 시체는 복부에 커다란 구멍이 뚫려 있고, 내장은 다. 밖에서 뚫은듯 오히려 몸 안쪽에서부터 빠져나오고 튀, 오 처럼 나온 흔적처럼 보인다. 또한, 문 근처에 [우주복]이 들어 있었다. 이 [경부]를 가진 자는 프라이즈 「우주복」을 획득한다.

Handout

장소 커먼 룸

개요

식사, 휴식, 간단한 회의를 하기 위한 공동 공간. 복부에서 매달아드는 피를 흘리는 피투성이 시체가 있다. 엔진 정비사 라커다. 이 방 어딘가에 비상용 [우주복]이 있을 것이다.

이 핸드아웃의 [비밀]은 커먼 룸을 무대로 한 장면에서만 조사할 수 있다.

시나리오 파트 4 시간편 우주의 맛

핸드아웃

프라이즈 「수술 도구」는 「콜드 슬립 룸」에서 입수할 수 있다. 「무기고」에서 조킹을 하면 프라이즈 「화염방사기」를 손에 넣는다. 「의무실」의 【비밀】을 획득한 PC는 프라이즈 「박사의 일기」를 손에 넣는다.

Handout

장소	기친

개요

최신 아이에도 브브의 맛있는 조리섬비를 갖춘 조리장. 맛있는 음식 냄새가 난다. 여기에는 분명 요리사 보브가 있었을 텐데……

이 핸드아웃의 【비밀】은 기친을 무대로 한 장면에서만 조사할 수 있다.

Handout

비밀

쇼크	없음

키친 아디에도 브브의 모습은 보이지 않았다. 하지만 고기 만든 듯한 맛있어 보이는 수프를 발견했다. 수프는 아직 따뜻하다. 이 【비밀】을 획득한 자는 수프를 먹을 수 있다. 수프를 먹으면 【생명력】이 1점 회복한다. 수프를 마시는 1명당 1회차까지 수프를 먹을 수 있다.

스스로 발휘할 수는 없다. 이 비밀을 들킬 수는 없다.

Handout

장소	작업구역

개요

작업용 머신이나 공구가 있다. 딱히 쓸 만한 것이 있을지도 모른다. 연료가 들어있는 탱크가 있다. 선내에 충만한 기름 냄새는 여기에서 나는 걸가?

이 핸드아웃의 【비밀】은 작업구역을 무대로 한 장면에서만 조사할 수 있다.

Handout

비밀

쇼크	없음

탱크에 기름이 새는 기색은 없다. 아무래도 냄새의 원인은 이게 아닌 것 같다. 또, 광석 운반에 쓰이는 인간형의 작업용 중장비를 발견한다. 이 【정비】를 맨 처음에 획득한 자는 프라이즈 「파워 리프터」를 획득한다.

스스로 발휘할 수는 없다. 이 비밀을 들킬 수는 없다.

Handout

장소	제어실

개요

선내 공기 조절 장치나 생명 유지 장치를 관리하는 방. 여기라면 공기 누출을 확인할 수 있다.

이 핸드아웃의 【비밀】은 제어실을 무대로 한 장면에서만 조사할 수 있다.

Handout

비밀

쇼크	없음

확산정보, 비상용 칸막이벽을 작동시켜 닫혀 있던 선내의 산소 공급을 재개했다. 이제 「우주복」이 없어도 이송을 블록, 북측 블록으로 이동할 수 있다.

스스로 발휘할 수는 없다. 이 비밀을 들킬 수는 없다.

Handout

장소	의무실

개요

의무실 안에는 관계자 외에는 들어갈 수 없는 문이 있다. 지금으로 그 문이 열려 있다. 문 앞에는 이사들의 시체가 있다.

이 핸드아웃의 【비밀】은 의무실을 무대로 한 장면에서만 조사할 수 있다.

Handout

비밀

쇼크	PC①, PC③

안에는 무참하게 파괴된 생물 실험용 설비가 있다. 선내의 단말을 조사하는 해브니 과거의 영상이 재생된다. 이 조정이 맞지 않는 PC③이 코드슬립 룸에 들어가가, 자고 있는 PC①의 침대에 다가가는 부분에서 영상이 끝난다. 이 【정보】를 맨 처음에 획득한 자는 프라이즈 「박사의 일기」를 획득한다.

이 비밀을 들킬 수는 없다.

Handout

장소	컴퓨터 룸
개요	

프린키페움 호를 움직이는 마더 컴퓨터 「AL-ZOR9000」(통칭 「엘자」). 이 [비밀]은 컴퓨터 룸을 무대로 한 장면에서만 조사할 수 있다.

Handout

이름	프라이즈 유생
개요	

당신의 가슴 속에서 어떤 생물이 꿈틀거린다. 이 프라이즈는 남에게 건네주거나 버릴 수 없다. 이 프라이즈의 [비밀]은 당신이 「의무실」을 무대로 한 장면에 등장하면 볼 수 있다.

Handout

이름	프라이즈 박사의 일기
개요	

언제든지 사용할 수 있다. 이 일기의 [비밀]에는 PC③의 과거가 적혀 있다. PC③이 이 일기의 [비밀]을 사용하면 PC③의 [비밀] 내용이 이 일기의 [비밀] 내용으로 바뀐다.

이 프라이즈를 획득하면 해당하는 [비밀]을 획득할 수 있다. 정보공유는 발생하지 않는다. 소유자 외의 타인이 조사판정으로 이 프라이즈의 [비밀]을 조사할 수는 없다. 드라마 장면에 한해 프라이즈를 남에게 전달할 수는 있다.

Handout 비밀

소크	없음

엘자가 가르쳐 준 바에 따르면 이 배는 「미레스」라는 외계 생물을 지구로 옮기고 있었다. 하지만 광부화한 미레스가 도망쳐서 승무원들을 습격했다. 엘자는 미레스의 독을 중화하는 해독제의 제조법을 알아냈다고 했다. 엘자는 당신에게 해독제의 제조법을 알려준다. 해독제는 의사가 의무실에서만 만들 수 있다.

이 비밀을 스스로 공개할 수는 없다.

Handout 비밀

소크	전멸

이것은 미레스이다. 이것은 외계 생물의 유생(幼生)이다. 의사라면 외계 수술로 적출할 수 있다. 적출하지 않은 채 클라이맥스 페이즈가 끝나면 숙주의 몸은 안쪽부터 찢어지며 미레스의 성체가 튀어나오고, 숙주는 사망한다.

이 비밀을 스스로 공개할 수는 없다.

Handout 비밀

소크	PC③

PC③은 미레스를 연구하는 의사였다. 이것은 A조직 극비 임무로, 일기는 「이 상자에 배가 고프지 않으냐? 너는 뭘 했던 걸까? 기억이 애매하다. 생물이 한 마리 도망쳤다. 눈앞이다. 들키면 큰일이다. 숨어야 한다. (중략) 큰 소동을 일으키면 안 된다. 이런 들어가야 한다.

이 비밀을 스스로 공개할 수는 없다.

Handout

이름	프라이즈 파워 리프터
개요	

작업용의 노란색 파워드 슈트. 이 프라이즈의 효과는 군인(PC②)만 사용할 수 있다. 이것을 소지하면 [기본공격]으로 얻는 대미지가 2배가 된다.

드라마 장면이라면 프라이즈를 남에게 전달할 수 있다. 이 프라이즈에는 [비밀]은 없다

Handout

이름	프라이즈 수술 도구
개요	

의료기구. 수술용 협의, 각종 약품 등을 모아둔 세트. 케이스에는 PC③의 이름이 적혀 있다.

Handout

이름	프라이즈 화염방사기 ○○○
개요	

사용횟수 ○○○

전투가 벌어졌을 때, 전투 시작 전에 사용할 수 있다. 이 프라이즈의 소유자는 《파괴》 판정에 성공하면 전투에 참가한 에너미 중에서 위협도가 2 이하이고 속성이 「현상」이 아닌 에너미 모두에게 1D6점의 대미지를 입힌다. 이 프라이즈는 3회까지 사용할 수 있다.

드라마 장면이라면 프라이즈를 남에게 전달할 수 있다. 이 프라이즈에는 [비밀]은 없다.

Handout

이름	프라이즈 우주복
개요	

수량이나 산소가 남아있는 우주복. 젊은 시간이라면 문제없이 활동할 수 있다. 이것을 가진 PC는 하늘을 날 수 있고, 우주 공간을 이동할 수 있다.

Principium
Floor plan

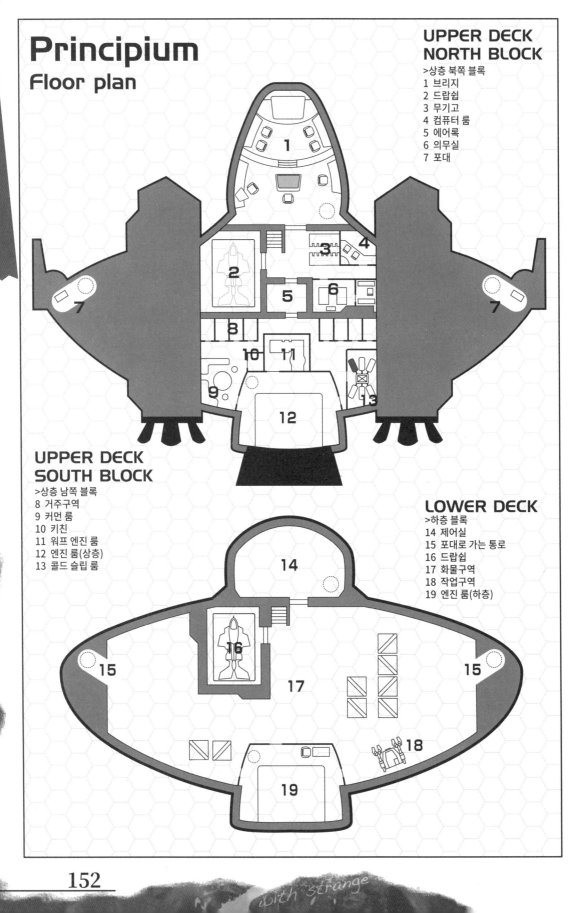

UPPER DECK NORTH BLOCK

>상층 북쪽 블록
1 브리지
2 드랍쉽
3 무기고
4 컴퓨터 룸
5 에어록
6 의무실
7 포대

UPPER DECK SOUTH BLOCK

>상층 남쪽 블록
8 거주구역
9 커먼 룸
10 키친
11 워프 엔진 룸
12 엔진 룸(상층)
13 콜드 슬립 룸

LOWER DECK

>하층 블록
14 제어실
15 포대로 가는 통로
16 드랍쉽
17 화물구역
18 작업구역
19 엔진 룸(하층)

낙원

shangri-La

평범하지만 평화롭고 흡족했던 일상은 갑자기 끝을 맞이했다. 마치 일시 정지된 것처럼 세계의 움직임이 멈추고 말았다. 도대체 무슨 일이 일어난 걸까?

타입: 협력형
리미트: 4
플레이어 수: 2명
프라이즈: 「당신의 선택」

시나리오의 무대

이 시나리오는 월드 세팅을 사용하지 않습니다. 이미 멸망해버린 세계에서 기적적으로 가동 중인 냉동 캡슐, 그 안에 들어간 사람의 정신을 보관하는 서버 내의 가상세계 「낙원」이 무대입니다.

「낙원」 안에 있는 PC를 장면 플레이어로 드라마 장면을 처리할 때는 「낙원 장면표」를 사용합니다.

배경

냉동 수면 중인 자의 정신을 진정시켜 안정된 상태를 유지하고자 준비된 가상세계 「낙원」 안에서 PC들은 행복하고 쾌적한 생활을 약속받았습니다. 도입 페이즈의 연출은 플레이어의 희망을 최대한 살리는 형태로 묘사합니다.

하지만 실제로는 약 1년 정도의 기간을 루프하는 것에 지나지 않습니다. PC들의 기억도 1년쯤 지나면 자동으로 사라지며, 그 사실을 눈치채지 못한 채 수백 년째 동일한 1년을 보내고 있습니다.

냉동 수면 장치도, 정신을 보관하는 서버도 외부와 완전히 단절된 독자적인 시스템으로 구축되었으므로 세계가 멸망해도 단독으로 계속 작동할 수 있습니다. 하지만 실제로는 둘 다 수명을 한참 넘겼으며, 언제 치명적인 장애가 발생해도 이상하지 않은 상태입니다.

비밀 관리에 관하여

이 시나리오에서 PC들이 알아내지 못한 사실은 그대로 덮어둡니다.

이런 사실은 「PC는 모르지만 실제로는 확정된 사실」이 아니라 「존재하지 않는 것」으로 간주합니다.

PC들이 조사하지 않은 비밀을 엔딩에서 공개해서는 안 됩니다. 모든 비밀이 공개되어버리면 PC들이 어떤 선택을 해도 배드엔드가 될 가능성이 크기 때문입니다.

행동할 차례가 부족해서 조사하지 못한 핸드아웃이야말로 PC들에게 희망을 남겨줄 열쇠입니다.

이 사실을 플레이어에게 사전에 알릴 필요가 없습니다.

광기

『인세인』에서 【소외감】, 【괴물】, 【현실도피】, 【어둠의 축복】, 【폭력충동】을 각각 1장씩 준비하고, 여기에 더하여 시나리오 오리지널 광기 【사랑】, 【용기】, 【절망】을 각각 1장씩 준비합니다.

프라이즈

이 시나리오에는 「당신의 선택」이라는 프라이즈가 존재합니다. 이것은 형태가 있는 아이템이 아니라 「낙원」을 구하기 위해 지상에 나온 PC의 결단, 그 자체입니다.

비밀 속에 세 가지 선택지가 적혀 있습니다. 물론 플레이어가 이 셋 이외의 선택지를 고를 수도 있습니다. GM은 제4 사이클이 끝날 때 지상에 나온 PC가 어떤 선택을 했는지 확인합니다.

도입 페이즈

이 시나리오의 도입 페이즈는 아래와 같습니다. 모든 PC 공통입니다.

● 낙원의 끝

PC들의 설정을 바탕으로 평화로운 일상을 연출합니다.

「이스루기 유토」도 이 장면에 등장합니다. 이 NPC는 외견이나 연령 등을 설정하지 않았습니다. 다른 PC의 설정에 맞춰서 원하는 대로 설정하기 바랍니다. PC①과 PC②의 설정이 비슷한 경우(예를 들어 둘 다 학생)는 같은 입장으로, 두 PC의 설정이 서로 다른 경우(예를

들어 한명은 사회인, 한명은 학생)는 두 사람의 사이를 중개하는 역할로 설정하는 것이 다루기 편합니다.

평화로운 일상은 문자 그대로 갑작스럽게 끝납니다.

마치 일시 정지한 것처럼 세계의 모든 것이 완전히 멈춰버립니다. 인간만이 아니라 떨어지던 물건도 공중에서 정지해버렸다는 것을 알 수 있습니다. 이 세계에서 움직이는 것은 PC들과 유토뿐인 것 같습니다.

묘사를 하고 《풍경》으로 공포판정을 하게 합니다.

판정 후, 「이스루기 유토」와 「정지한 세계」의 핸드아웃을 공개합니다.

또, 각 PC는 상대 PC와 이스루기 유토의 【거처】를 획득합니다.

메인 페이즈

이 시나리오에는 아래의 마스터 장면이 발생합니다.

● 장면1 그대가 바란다면

이 마스터 장면은 「이스루기 유토」에 대한 조사가 완료된 직후에 삽입합니다.

유토는 PC들에게 아래와 같은 내용을 이야기합니다.

「너희가 두 명이라 정말 다행이야. 『낙원』 안에서는 자살도, 자해도 못 해. 게다가 나도 너희를 다치게 할 수 없어. 한 명이었다면 정말로 방법이 없었겠지. 너희 중 하나가 『낙원』 밖에 나가서 시스템을 재기동해야 해.」

이 장면 뒤에 PC 중 하나의 【생명력】이 0이 될 때까지 전투를 합니다. 이것은 미들 페이즈의 전투이므로 어느 한쪽이 1점 이상의 대미지를 입은 시점에서 전투는 끝납니다. 서로의 차례를 사용해서 【생명력】이 0 이하가 될 때까지 반복해서 전투를 합니다.

만약 플레이어가 전투를 하지 않고 【생명력】을 0으로 만드는 방법을 제안했다면, 그때만 GM이 지정한 특기로 계획판정을 해서 다른

PC의 【생명력】을 0으로 만들어도 무방합니다.

단, 이 방법은 전투를 하는 것보다 효율이 높으므로 행동 횟수에 여유가 생겨 【비밀】이 공개되기 쉬워집니다.

● 장면2 붉은 석양 속에서

이 마스터 장면은 PC 중 하나의 【생명력】이 0이 된 직후에 발생합니다.

【생명력】이 0 이하가 된 PC는 바깥 세계…… 현실 세계로 나갑니다.

이 두 세계를 마음대로 왕복할 수는 없으므로, 세계를 넘어 장면에 등장할 수는 없습니다. 물론 감정판정, 【정보】나 아이템의 전달도 할 수 없습니다. 【광기】인 【사랑】의 효과, 또는 PC가 사망했을 때의 「유언」을 사용하면 세계를 넘어 【정보】를 전할 수 있습니다.

현실 세계로 나온 PC에게는 프라이즈 「당신의 선택」을 건넵니다. 현실 세계에 나온 PC는 차례를 소비하지 않고 선언만으로 아래의 행동을 할 수 있습니다.

• 서버 재기동
• 자기 자신의 냉동 수면
• 서버의 전원을 끊고 서버 내에 남겨진 PC를 죽인다

이런 행동을 했다면 사이클 마지막에 실행됩니다. 그 결과로 제4 사이클이 끝나는 것을 기다리지 않고 엔딩 페이즈로 넘어갈 수도 있습니다.

장면이 끝날 때, 「PC①의 카르테」, 「PC②의 카르테」, 「바깥세상」, 「안쪽 세상」, 「감각 이상」의 핸드아웃을 공개합니다. 이 핸드아웃들은 조사할 수 있는 PC가 정해져 있다는 점에 주의하기 바랍니다.

● 장면3 우리는 매번 더럽혀진 채로

이 마스터 장면은 제2 사이클이 끝날 때, PC가 둘 다 「낙원」에서 나가지 않았다면 삽입합니다.

완전히 정지한 세계에서 삐걱삐걱

하고 이상한 소리가 납니다. 하늘을 올려다보니 새까만 균열이 넓어지고 있습니다.

아무래도 서버 상태가 더 불안정해진 것 같습니다.

장면이 끝날 때 「안쪽 세상」, 「감각 이상」의 핸드아웃을 공개합니다.

엔딩 페이즈

이 시나리오에는 전투를 동반하는 클라이맥스 페이즈가 없습니다. 제4 사이클이 끝난 시점에서 엔딩 페이즈로 넘어갑니다.

엔딩은 현실 세계에 있는 PC의 선택에 따라 달라집니다. 또, 공개되지 않은 비밀은 존재하지 않는 것으로 간주한다는 점에도 주의하기 바랍니다. 공개되지 않은 비밀은 희망입니다. 모든 핸드아웃이 공개되어버리면 모든 희망은 사라질 것입니다.

낙원 장면표 (2D6)	
2	어딘가 멀리서 소리가 들린 것 같다. 하지만 귀를 기울여도 이미 그 소리는 들리지 않는다. 정말로… 끔찍하게 조용한 세계다.
3	누군가가 시야 한구석을 지나간 기분이 들어 황급히 돌아본다. 그곳에 있는 것은 당신의 모습이 비친 커다란 거울이었다.
4	비둘기 몇 마리가 날개를 치는 모습 그대로 공중에 착 달라붙은 듯이 멈춰 있다. 사진이나 그림 같지만 만질 수 있다. 그 위화감은 서서히 혐오감으로 변한다.
5	근처에서 요리라도 하는지 맛있는 냄새가 난다. ……정말로? 애초에 이 「낙원」 안에서 냄새를 느끼긴 했나?
6	강변에서 노는 아이들. 현재를 한껏 즐기고 있다. 하지만 그들에게는 미래가 존재하지 않는다. 계속 이어지는 한순간에 갇힌 것이다.
7	대로로 오가는 사람들. 일을 하는 샐러리맨이나 나들이를 나온 가족이 각자 갈 길을 바라보고 있다. 하지만 그들의 몸은 움직이지 않는다.
8	우연히 친구를 발견했다. 그 친구도 당연하다는 듯이 멈춰 있다. 친구 역시 당신을 위해 존재한 배경에 불과했다.
9	정처 없이 걷다 보니 투명한 벽에라도 부딪힌 것처럼 앞으로 나아갈 수가 없다. 지금까지 이런 일은 없었는데.
10	잠깐 졸았던 모양이다. 꿈이었다면 좋겠다고 생각하며 눈을 떴지만, 세계는 아무것도 달라지지 않았다. 꿈속으로 도망칠 때가 아니다.
11	갑자기 지면이 흔들린 기분이 들었다. 바로 멎었는지 지금은 아무것도 느껴지지 않는데……. 단순한 착각이었을까?
12	구석에서 시선이 느껴진다. 우리 말고도 이 세계에서 움직이는 인간이 있는 걸까? 아니면 정신적으로 궁지에 몰린 걸까.

핸드아웃

도입 페이즈 마지막에 「이스루기 유토」와 「정지한 세계」를 공개한다. 메인 페이즈에서 마스터 장면2가 발생하면 PC는 프라이즈 「당신의 선택」을 손에 넣는다. 또, 마스터 장면2 마지막에 「PC①의 카르테」, 「PC②의 카르테」, 「바깥세상」, 「안쪽 세상」, 「감각 이상」을 공개한다. 마스터 장면3이 발생하면 「안쪽 세상」, 「감각 이상」을 공개한다.

Handout

광기: 사랑
트리거: 제3 사이클이 끝날 때
당신은 타임 리미트가 다가온 것을 느낀다.
당신의 마음에 자리 잡은 것은 소중한 사람을 향한 마음이다.
당신이 플러스 [감정]을 가진 캐릭터에게, 당신이 획득한 [정보]를 원하는 만큼 건넬 수 있다.
이 광기를 스스로 발할 수는 없다.

Handout

광기: 용기
트리거: 제3 사이클이 끝날 때
당신은 타임 리미트가 다가온 것을 느낀다.
당신의 마음에 자리 잡은 것은 상황에 지지 않고 나아가는 힘이다.
이후, 주사위 눈이 11 이상이면 사 페널티가 발생한다. 또, 주사위 눈이 3 이하이면 펌블이 발생한다.
이 광기를 스스로 발할 수는 없다.

Handout

광기: 절망
트리거: 제3 사이클이 끝날 때
당신은 타임 리미트가 다가온 것을 느낀다.
당신의 마음에 자리 잡은 것은 공허한 체념이다.
이후 당신이 [광기]를 획득하면, 트리거를 충족한 것으로 보고 곧바로 현재화한다.
이 광기를 스스로 발할 수는 없다.

Handout

비밀	
쇼크	없음

이 세계에는 당신의 [비밀]이 없다.

Handout

이름	PC①
	사명

당신은 더없이 상냥한 세계에서 보호받으며 살아왔다.
하지만 당신을 지켜온 세상은 매우 무르고 덧없는 것에 불과했다.
당신의 [사명]은 앞으로도 행복한 나날을 보내는 것이다.

Handout

비밀	
쇼크	없음

이 세계에는 당신의 [비밀]이 없다.

Handout

이름	PC②
	사명

당신은 더없이 상냥한 세계에서 보호받으며 살아왔다.
하지만 당신을 지켜온 세상은 매우 무르고 덧없는 것에 불과했다.
당신의 [사명]은 앞으로도 행복한 나날을 보내는 것이다.

Handout

비밀	
쇼크	전원

당신은 「낙원」의 비상대응용 프로그램이다. 비상시에 대응하기 위해 지금의 당신은 서버와 독립되어 있으며, 보수 작업을 할 수 있다. 그래서 「유지」의 냉동 수면을 해제하고 물리적인 재가동을 의뢰할 생각이다.
「낙원」 언어에서 [생명력]이 0 이하가 되면 냉동 수면은 강제로 해제된다.

Handout

이름	이스루기 유토
	개요

PC①, PC②와 사이가 좋은 친구.
세계가 일그러붙어도 그 영향을 받지 않는 것으로 보인다.

Handout

비밀	
쇼크	전원

이 캐릭터는 냉동 수면을 하는 인간의 정신을 보호하기 위해 만들어진 정신 보조소다.
아무래도 이곳을 관리하는 서버에 뭔가 문제가 발생한 것 같다.
하지만 당분간은 남은 시간을 얼마 안 남은 제4 사이클이 끝날 때까지 서버를 재가동하지 못하면, PC들도 영원히 정지하게 된다.

Handout

이름	정지한 세계
	개요

PC들이 살아온 거리.
평화롭고 전원한 일상 그대로 모든 시간이 정지했다.

Handout

비밀	
쇼크	전원

이 [비밀]은 감정공격이 되지 않으며, 자발적으로 공개할 수도 있다.
그곳에는 끝없이 펼쳐진 초록 다. 그곳에 생물의 그림자라곤 하나 보이지 않는다.
-그렇다면 세계는 손을 도리가 없으 을 정도로 철저하게 텅 비어 있 《죽음》으로 공포받을 정경.

Handout

이름	바깥세상
	개요

냉동 수면을 풀고 나온 바깥세상.
냉동 수면을 하는 동안은 체감 시간 이 완전히 멈춰 있었으므로, 실질적으로 모든 미래로 타임슬립을 했다는 느낌에 가깝다.
자, 지금은 대체 몇 년일까?
현실 세계에 있던 캐릭터만이 이 핸드 아웃에 대한 조사판정을 할 수 있다.

4

쇼크 없음

비밀

이 [비밀]은 감정공유가 되지 않으며, 자발적으로 공개할 수도 없다.

당신에게도 선택지가 있다.
① 세계를 복구하고 다시 한번 수면의 세계로 도망친다.
② 또 한 사람의 PC를 냉동 수면에서 깨워 이 세계에 살아간다.
③ 이계 탈출했다. 또 한 사람의 PC를 죽이고 자살하자.

Handout

이름	당신의 선택

개요

프라이즈.
당신은 선택해야 한다. 당신이 어떤 답을 내놓더라도, 그것으로 무엇과도 바꿀 수 없는 귀중한 절단이 될 것이다.
프라이즈를 소지한 PC는 프라이즈의 [비밀]을 마음대로 획득할 수 있다.

쇼크 PC①

비밀

당신은 불치병에 걸렸다. 그 치료법이 인체 냉동 수면으로, 당신은 냉동 수면이 되었고, 하지만 냉동 수면이 풀려나더라면 당신의 예상 이상으로 미래에 당신이 있다.
당신은 현실 세계에서 엔딩 페이즈를 맞이하면 사망한다.
《죽음》으로 공포판정.

Handout

이름	PC①의 카르테

개요

서버에 수록된 PC①의 카르테.
생체정보를 이용해 암호화했으므로 PC①만이 이 [정보]에 대해 조사판정을 할 수 있다.
현실 세계에 있는 캐릭터만이 이 핸드아웃에 대해 조사판정을 할 수 있다.

쇼크 PC②

비밀

당신은 한때 친세 발명가였다. 당신의 발명은 정의 이용되어 서서히 세상을 발전시켰다.
당신은 자기 발명의 여파를 깨닫고 초기 단계에 체포되어 냉동됨을 맞했다.

Handout

이름	PC②의 카르테

개요

서버에 수록된 PC②의 카르테.
생체정보를 이용해 암호화했으므로 PC②만이 이 [정보]에 대해 조사판정을 할 수 있다.
현실 세계에 있는 캐릭터만이 이 핸드아웃에 대해 조사판정을 할 수 있다.

쇼크 침윤

비밀

이 [비밀]은 감정공유가 되지 않으며, 자발적으로 공개할 수도 없다.

불안정해진 서버는 계속 유지하려 하는 상태다.
이대로 제어를 하면 당신을 비롯한 이 세계는 안전히 초기화되어 사라지고 말 것이다.
《정리》으로 공포판정.

Handout

이름	안쪽 세상

개요

삐걱삐걱 울리는 이상한 소리와 함께 '나'와 이 하늘의 균열이 생겼다.
세계는 그대로 여전히 정지한 상태다.
서버 내에 있는 캐릭터만이 이 핸드아웃에 대해 조사판정을 할 수 있다.

쇼크 침윤

비밀

이 [비밀]은 감정공유가 되지 않으며, 자발적으로 공개할 수도 없다.

자기 모델 동작과 사고가 조금씩 원만해지는 기분이 든다.
이 루어지지 않으면, 당신도 다른 사람들처럼 정지해버린다.

Handout

이름	감각 이상

개요

불안정한 서버의 상태가 당신에게도 악영향을 미치기 시작한 것 같다.
서버 내에 있는 캐릭터만이 이 핸드아웃에 대해 조사판정을 할 수 있다.

후기

이 책은 『인세인』의 서플리먼트입니다. 여기에서는 각 시나리오에 관해 해설합니다. GM이라면 실제로 세션을 플레이하기 전에, 플레이어라면 플레이한 후에 읽어보세요.

●키사라기 역
집필: 우오케리
첫 공개: Role&Roll Vol.112

유명한 인터넷 괴담이 모티브입니다. 정체 모를 이세계를 표현하기 위해 아무리 파고들어도 끝이 보이지 않는 구조를 취했습니다. 그래서 핸드아웃의 수가 미처 다 조사할 수 없을 정도로 많아졌습니다. 원래의 이야기에서는 이세계에서 인터넷이나 전화가 통하는 것이 특징이므로 「통신 가능한 스마트폰」은 빼놓을 수 없었습니다. 초반에 이것을 줍지 못하면 허전하므로, 그냥 지나칠 것 같다면 신호음이라도 울려서 어필해주세요.

처음 공개했을 때는 PC의 【사명】이 모두 같았지만, 이번에 다시 수록하면서 조금씩 변화를 줬습니다. 또, 협력형이라고 사기 치지 말라기에 특수형으로 표기를 변경했습니다.

●리빙데드
집필: 카와시마 토이치로
첫 공개: Role&Roll Vol.109

좀비물을 좋아하는 사람으로서 역시 하나쯤 만들어두고 싶었던 시나리오입니다. 좀비+한정공간이라는 저예산 영화 같은 시추에이션. 『인세인』에서도 플레이어의 행동 범위를 한정할 수 있으므로 영화와 똑같이 만들기 쉽습니다. 『인세인』으로 시나리오를 처음 만든다면, 좀비야 제쳐 두더라도 한정 공간으로 시나리오를 만들어보는 것을 추천합니다(던전 시나리오 같은 겁니다). 아, 참고로 타이틀은 말장난입니다.

●원몽
집필: 이치노세 유키
첫 공개: web 게재

『인세인』 발매 직후에 인터넷에 공개되어 스태프 일동이 매우 기뻐했습니다. 「키사라기 역」과 마찬가지로 유명한 현대 괴담을 모티브로 하여 인기가 있고, 유저 여러분도 자주 플레이하시는 것으로 보입니다. 실은 속편에 해당하는 시나리오가 있지만, 「원몽」 하나만으로도 성립하므로 독립해서 수록했습니다.

●유령저택의 괴이
집필: 스오 스오
첫 공개: 투고 작품

투고해주신 것을 채용했습니다. 공식 시나리오에서는 『인세인』의 「유산」과 『데드 루프』의 「빌라 아넬로」가 저택을 무대로 하고 있습니다만, 이런 정통파 유령저택 탐색물은 의외로 아직 만들지 않았습니다. 왕도일 뿐만 아니라 장면표에 규칙적인 효과가 있는 등 기믹에도 머리를 짜냈다는 점이 재미있는 시나리오입니다.

●한밤중의 동창회
집필: 카와시마 토이치로
첫 공개: 이 책

나이를 먹은 탓인지 옛날 일에 관한 기억이 애매합니다. 물론 뚜렷하게 기억하는 일도 있지만, 그런 기억도 남에게 자꾸 이야기하는 사이에 더 아름다운, 혹은 더 재미있는 이야기가 되도록 뇌 내에서 편집과 첨가를 반복하는 기분이라 괜히 불안합니다. 그렇게 신용이 가지 않는 저 자신을 시나리오로 표현해 봤습니다. 다소 어른을 위한 시나리오일지도 모르겠습니다.

●갉작갉작
집필: 이치노세 유키
첫 공개: web 게재

SNS, 구체적으로는 Twitter가 무대라는 독특한 시나리오입니다. 제작자 이치노세 씨는 Twitter에서 140자 전부 「갉작갉작」으로 채워서 투고하면 나중에 어디선가 플레이어들이 비명을 지를 테니 다 함께 해보자……라고 제안했습니다. 이런 일상과 시나리오의 경계를 모호하게 하는 장치는 호러에서 특히 효과적이지요. 갉작갉작갉작갉작.

그런데 이 시나리오의 일러스트에는 일러스트 담당인 COCO 씨의 만화 『오늘의 하야카와 씨』의 캐릭터들이 카메오로 출연했습니다. 책벌레 소녀들이 주인공인 4컷 만화로, 호러를 좋아하는 아이도 있고, 크툴루 신화 관련의 소재도 많아서 『인세인』 유저에게도 추천하는 바입니다. 원래 COCO 씨 본인이 상당한 호러 마니아입니다.

ⓒcoco / 하야카와 서점

●폭설이 내리는 밤
집필: 우오케리
첫 공개: Role&Roll Vol.124

2014년 2월의 기록적인 폭설이 모티브입니다. 그거 진짜 굉장했지요. 눈에 관련된 시나리오는 다른 기회가 있다면 또 써보고 싶습니다.

다세대 주택의 각 입주민에게 집주인을 집에 들이고 싶지 않은 이유를 붙였는데, 자취 경험자라면 공감하시리라 믿습니다.

●터널
집필: 베타
첫 공개: web 게재

이쪽도 이른 시기에 인터넷에 공개된 명작입니다. 터널을 걸어서 통과한다는 단순한 이야기임에도 불구하고 제대로 분위기가 무르익는 구조를 취하고 있다는 점이 굉장합니다. 특히 PC③의 【사명】과 【비밀】은 처음 읽었을 때는 한 방 먹었다고 생각했습니다. 이건 빼놓을 수 없다고 생각하여 이번에 수록했습니다.

●프리즌 시어터
집필: 우오케리
첫 공개: 이 책

사이코 호러물을 하나 만들 생각으로 만든 시나리오인데, 이게 사이코 호러냐? 싶은 이야기가 되었습니다. 반전이 있는 B급 서스펜스……쯤 될까요. PC의 조킹에 적극적으로 대응하여 진짜 감옥치고 뭔가 이상하다는 힌트를 세세하게 내놓는 것이 좋습니다. 집필은 우오케리가 했지만, 기본 구조는 카와

시마 토이치로, 이케다 아사카, 우오케리 셋이서 브레인스토밍을 해서 만든 보기 드문 합작 시나리오입니다.

●화재가 난 후
집필: 우오케리
첫 공개: Role&Roll Vol.119

『인세인』 게재 리플레이 「산의 공장」 초반에 언급된 저택을 태운 이야기가 큰 반향을 일으켰기에 저택을 태우는 시나리오를 만들었습니다. 괴이가 PC를 속여서 자꾸만 불을 지르도록 유혹하는데, 거기에 따르면 큰일이 벌어진다는 이야기입니다. 「붉은 사람」은 『신미미부쿠로』에서 인상적이었던 이야기를 모티브로 삼았습니다.

화재라는 현실감 있는 재해를 다루는 데다가 역겨운 표현이 있으므로 「자극적인 묘사가 포함되어 있습니다」라는 경고문을 넣었습니다. 인터넷에서 이 시나리오의 플레이어 모집문을 보면 제대로 경고문까지 붙여주신 분들이 많은데, 의도를 이해해주신 듯하여 기쁩니다.

●즐거운 캠프
집필: 이케다 아사카
첫 공개: 이 책

호러의 단골 시추에이션으로 2사이클만에 끝나는 짧은 시나리오를 만들어보자는 의도로 만든 시나리오입니다. 이것저것 조사하기보다는 서로의 속내를 파악하는 것이 중심이 될 것 같다는 점에서는 『시노비가미』에 가까울지도 모르겠습니다. PC끼리 어떻게든 협력할 것인가, 아니면 서로 적대할 것인가에 따라 전개가 크게 달라지지 않을까요?

●가족의 초상
집필: 카와시마 토이치로
첫 공개: 이 책

『인세인』의 자매작인 『시노비가미』(언니에 해당합니다)에서 독자 여러분이 만든 「가족끼리 크로켓을 쟁탈하는 시나리오」를 보고 감탄한 기억이 있습니다. 그때 「가족이란 가장 먼저 【비밀】을 만드는 상대일지도……」라고 생각한 이래, 언젠가 직접 도전해보고 싶었던 테마였습니다. 자기 부모님의 【비밀】 같은 건 알고 싶지 않지요.

●하이 스트레인지니스
집필: 우오케리
첫 공개: 이 책

UFO나 우주인은 전문 외라서 수박 겉핥기 정도로밖에 모르지만, '하이 스트레인지'한 조우 사례는 정말 마음에 듭니다. 이런 종류의 이야기에는 우주인이 팬케이크를 주거나, 우주인에게 스타킹을 빼앗기는 등 "뭐여, 그게"라고 태클을 걸고 싶어지는 「너무 이상한」 이야기가 많아서 정말 마음에 듭니다. UFO에만 해당하는 이야기가 아니라, 자고로 괴담이란 '하이 스트레인지'한 녀석이 좋습니다. 유령이니 운명이니 하는 이야기는 다 꺼지라고! 그런 취향으로 담아낸 것이 이 시나리오입니다. 마고니와 박사를 유도 담당, 해설 담당으로 편리하게 써먹으세요. 플레이어

가 혼란스러워하면 박사를 맥락 없이 등장시켜서 그럴듯한 말을 떠들어 한층 더 연막을 칩시다.

●구룡열
집필: 우오케리
첫 공개: 이 책

초자연적인 요소가 전혀 없는 전염병 시나리오에는 한번 도전해보고 싶었습니다. PC가 모두 프로 의사이므로 롤플레이가 조금 어려울 겁니다. 사전에 전염병 테마의 영화나 해외 드라마를 보면 이미지를 잡기가 훨씬 쉬울 겁니다. 괜찮은 참고 작품을 하나 꼽자면, 스티븐 소더버그 감독의 『컨테이전』을 추천합니다.

감염증의 전문가가 모였는데도 정체를 파악하지 못할 만한 병원체와 발작 메커니즘을 떠올리느라 조금 고생했습니다. 이 기믹으로 소설을 한 편 쓸 수 있을 것 같아요.

●돌격 취재~마계편
집필: 코마츠 마츠코
첫 공개: 투고작품

코마츠 씨의 수많은 투고 작품 중에서 이것을 채용했습니다. 모티브는 긴티 코바야시의 『신미미부쿠로~돌격 취재』지요. 심령 스폿의 돌격 취재로 널리 인기를 얻고 영상화까지 된 시리즈입니다. 모티브가 된 작품과 마찬가지로 심령보다도 (강제로) 취재하러 간 사람의 행동거지에 중점을 둔 시나리오라는 점이 독특합니다. GM이 억지스러운 요구를 하고, PC는 어른스럽지 못하게 떠들다가 어이없이 끝나는 플레이 스타일에 어울리는 시나리오라고 봅니다.

●겨울 아침
집필: 요한
첫 공개: web 게재

놀랍게도 GM 한 명과 플레이어 한 명의 1:1입니다. 소재는 겨울 아침에 이불에서 나오는 것뿐! 이것을 호러라고 볼 수 있는지는 차치하더라도, 누구나 공감할 수 있는 시추에이션이겠지요. 1인용 시나리오의 가능성을 느끼게 해줍니다. 순식간에 끝나버리므로 『인세인』 미경험자를 위한 튜토리얼로도 좋지 않을까요? 인터넷에 공개된 것을 한 번 보고 마음에 쏙 들어서, 제작자의 허가를 받고 수록했습니다.

●죽음의 컨벤션
집필: 우오케리
첫 공개: Role&Roll Vol.122

실제로 컨벤션에서 플레이할 시나리오라서 컨벤션으로 무대로 삼았습니다. 대부분의 호러 시나리오는 조용한 환경에서 플레이하는 것이 분위기가 살아서 좋지만, 대규모 컨벤션 회장에서는 그런 걸 바랄 수 없지요. 그래서 떠들썩한 회장에서도 실감이 날 만한 요란뻑적지근한 시나리오를 노렸습니다. 하지만 이거, 어지간히 진도가 안 나가서 컨벤션 전날 밤까지도 미처 완성을 못 하다가 카와시마 씨에게 「아직 완성 못 했어~」라고 전화해서 소재 확보에 도움을 받은 시나리오입니다. 아마도 가장 무서웠던 사람은 카와시마 씨였을걸요.

●샤크 인세인
집필: 아카우사
첫 공개: web 게재

인터넷에 공개되었을 당시에는 「어이!? 이런 곳까지 상어가!?」라는 제목이었습니다. B급 상어 영화를 꽉 압축한 듯한, 익살 넘치는 즐거운 시나리오입니다. 다른 곳에서는 보기 드문 장르인 동물 패닉 호러 시나리오였다는 점, 콘셉트가 매우 알기 쉽다는 점이 마음에 들어서 이 기회에 제작자의 허가를 받아 수록했습니다.

●빌라 디오다티의 괴담 모임
집필: 카와시마 토이치로
첫 공개: 이 책

이 책의 표제작입니다. 옛날부터 유령이나 괴담을 정말로 좋아했습니다. 그래서 『프랑켄슈타인: 또는 현대의 프로메테우스』의 집필 비화를 들었을 때는 그런 시추에이션을 엄청나게 동경했습니다. 호러물 세션은 빌라 디오다티의 괴담 모임이나 햐쿠모노가타리(역주:百物語. 밤에 여러 사람이 모여 번갈아 가며 괴담을 하는 놀이)를 의식해서 분위기를 조성하는 것이 더 재미있을 것 같습니다. 참고로 본작의 「공포 요소」 점수는 어디까지나 시나리오 제작자의 편견을 바탕으로 설정되었습니다. 카와시마의 머릿속에서 추리하면 플레이가 아주 잘 풀릴지도 모릅니다.

●주홍색 연구
집필: 카와시마 토이치로
첫 공개: 이 책

『우주전쟁』과 『드라큘라』라는 양대 빅토리안 픽션을 섞은 시나리오입니다. 타이틀도 가장 유명한 빅토리안 픽션에서 빌렸습니다. 주홍색은 피의 붉은색과 화성의 붉은색을 연상시키지요. 『『우주전쟁』에 등장한 화성인도 피를 빠니까 흡혈귀의 일종이겠네.』라는 착상을 바탕으로 한껏 잘난 척하며 만들어봤는데, 테스트 플레이를 해봤더니 의외로 『우주전쟁』을 모르는 사람이 많아서 엄청나게 초조했습니다. 「왜 화성인이야!?」라며 어리둥절해 하는 플레이어가 있다면 「모티브가 된 작품이 원래 그런대」라고 대답해주세요. 흥미가 솟아서 원작과 대조해보는 분이 계신다면 영광일 것입니다.

●금주법 단속관
집필: 우오케리
첫 공개: 이 책

1920년대 시나리오 중 하나는 금주법을 소재로 쓸 생각이었습니다. 기합을 넣고 「이빌 붓다」를 쓴 후에 만든 반동인지, 매우 부담 없는 시나리오가 됐습니다. 요약하자면 술꾼 넷이 수수께끼의 덩치 큰 노파에게 습격당하는 것뿐이라는, 교통사고 같은 시나리오입니다. 나이와 상황이 허락한다면 다 함께 술을 마시며 플레이해도 괜찮지 않을까요? 마음 편히 즐겨주세요.

●이빌 붓다
집필: 우오케리
첫 공개: 이 책

1920년대를 무대로 하는 시나리오를 쓰기에 이르러, 처음에는 인종차별을 테마로 할

생각이 별로 없었습니다. KKK 같은 백인 지상주의자의 흑인 차별은 일본인에게는 공감이 잘 가지도 않으려니와, 재즈 같은 문화적인 요소를 활용한다면 또 몰라도 가벼운 이야깃거리로 소비하기에는 너무 무거운 소재였으니까요. 하지만 당시의 일본계 이민을 테마로 삼아보자는 생각이 들자 꼭 써보고 싶어졌습니다. 이거라면 순식간에 일본인이라도 공감할 수 있는 이야기가 됩니다. 짜증 나는 전개를 피하고자 백인 PC를 한 명 넣어서, 변태적인 이문화 교류 파티물처럼 만들어 봤습니다. 백인이 보기에는 기분 나쁜 일본 문화가 일본인이 보기에는 아무렇지도 않다는 발상은 러브크래프트가 동양인을 크리처로 묘사한 것을 다시 뒤집은 것입니다.

●우주선 프린키피움 호
집필: 비엠
첫 공개: 이 책

영화 『에일리언』의 세계관으로 시나리오를 만들어 봤습니다. SF물을 플레이한다고 하면 문턱이 높을 것 같지만, 이 시나리오를 플레이하는 데 고도의 SF 지식은 전혀 필요 없으므로 분위기와 기세로 해결하세요. 사건과 함께 화려하게 시작하여 패닉과 액션 위주의 장면을 통해 무작정 플레이어를 끌고 다닌다는, 알기 쉽고 단순한 구성의 시나리오입니다. 너무 어렵게 생각하지 말고 요란하게 즐겨주신다면 좋겠습니다. 평면도는 A3로 확대해서 복사하면 쓰기에 편합니다.

●낙원
집필: 이치노세 유키
첫 공개: web 게재

걸작으로 이름 높은 시나리오입니다. 가상공간이라는 설정이야 더 말할 것도 없고, 「당신의 선택」이라는 기믹도 실로 멋진 드라마를 낳는다고 봅니다. 읽기 전에 플레이어로 플레이해보고 싶었지요. 시나리오집의 마지막을 장식할 작품으로서 수록했습니다.

집필
카와시마 토이치로 (모험기획국)
우오케리 (모험기획국)
이케다 아사카 (모험기획국)
비엠 (모험기획국)
빌라 디오다티의 손님들:
　이치노세 유키
　스오 스오
　베타
　코마츠 마츠코
　요한
　아카우사

편집
이케다 아사카 (모험기획국)
시미즈 켄지 (주식회사 아크라이트)

그래픽 디자인
나카가와 나오미 (모험기획국)
이케다 사토시 (모험기획국)

일러스트
아오키 쿠니오
COCO
스가키 신페이 (모험기획국)

인세인 시나리오집
Adventure of inSANe "Villa Diodati"
빌라 디오다티의
괴담 모임

한국어판

2018년 01월 17일 초판 인쇄
2018년 01월 27일 초판 1쇄 발행

원제 インセイン シナリオ集 ディオダディ荘の怪奇談義
저자 카와시마 토이치로, 우오케리와 빌라 디오다티의 손님들 / 모험기획국
역자 유범

한국어판 제작
편집   곽건민(이그니시스), 유민
교정   곽건민(이그니시스), 김효경, 정재민, 유범, 김규민, 유민
발행   TRPG Club

ISBN   979-11-88546-04-6